アル·シャーと時の終わり

——目覚めしマハーバーラタの半神たち——

著／ロシャニー・チョクシー

訳／八紅とおこ

サウザンブックス社

姉妹である
ニヴ、ヴィクトリア、ビスマ、モニカ、シュラヤ　へ
ほんと、わたしたちにもテーマソングが必要

もくじ

インドの神々

冥府神ダルマラージャ……死と正義をつかさどる〈冥界〉の王
風神ヴァーユ……屈強なハヌマーンの父でもある
雷神インドラ……雷をあやつる天界の王
双子神アシュヴィン……明けと宵を支配。医術の神でもある
破壊神シヴァ……〝破壊の舞〟で宇宙を破壊する。再生の神でもある

『マハーバーラタ』に登場する人々

〈パーンダヴァ五兄弟〉
ユディシュティラ……長男。父は死と正義の神ダルマラージャ
ビーマ……次男。父は風神ヴァーユ
アルジュナ……三男。父は雷神インドラ
ナクラ……四男。父は双子神アシュヴィン
サハデーヴァ……五男。父は双子神アシュヴィン

〈カウラヴァ百人兄弟〉
ドゥルヨーダナ……長男。パーンダヴァの従兄弟で、のちに敵対する

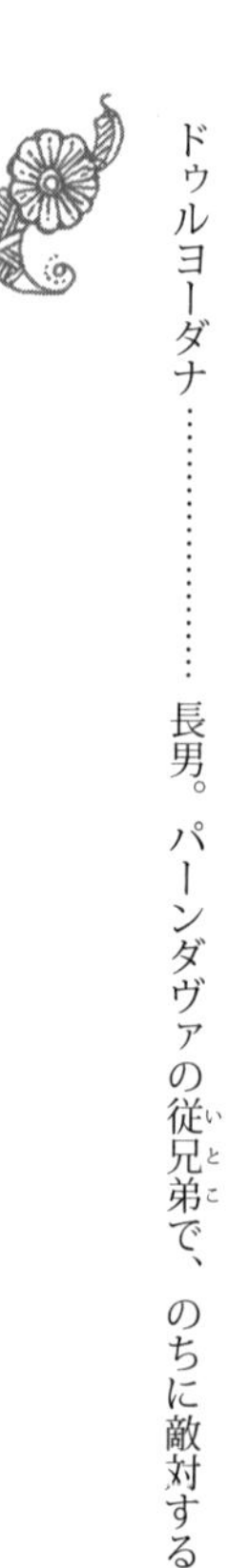

おもな登場人物

アル・シャー……この本の主人公。少し前に私立オーガスタス学園に転入
K・P・シャー博士……アルの母。考古学者でインド文化芸術博物館の館長
アリエル、ポピー、バートン……アルのクラスメート　三人とも家は金持ち
ブー……鳩。スバラと名乗ったが、正体は謎。アルの守護者なのか？
ミニ……もうひとりの主人公。科学が好きで医者をめざしている
エイデン……季節はずれの転入生
天女ウルヴァシー……精霊の女王。ものすごい美しさ
猿神ハヌマーン……猿顔の半神。屈強さで知られる
マダム・ビー……ビューティー・サロンの主人
聖仙ヴァールミーキ……『ラーマーヤナ』を書いた詩人
冬と夏と春とモンスーン……季節の化身。全員ファッション関係者
チトラグプタ……カルマと善悪を記録する〈冥界〉の役人
シュクラ……〈忘却の橋〉の番人
眠れし者……〈破滅のランプ〉に封じこめられていた男

遠い昔、インドの北部に、クル族の王国があった。王国にはふたりの王子がいた。

兄のドリタラーシュトラは目が見えなかったため、かわりに弟のパーンドゥが王位を継ぐことになった。

パーンドゥには第一の妻クンティーと、第二の妻マードリーがいた。

ある日、森に狩りに出たパーンドゥは雄鹿を射とめた。だが鹿は交尾中で、しかもつがいは賢者とその妻が鹿に化身していたものとわかる。賢者は死のまぎわパーンドゥに「女にふれればおまえは死ぬ」と呪いをかけた。

「もう世継ぎは望めない」打ちひしがれる夫のパーンドゥに、妻のクンティーはある秘密を打ち明けた。

「わたしは神々を呼び出し、その子を授かることができます」

夫は喜び、妻は、夫の希望する神々を呼び出して子を授かっていく。

第一子のユディシュティラは、死と正義をつかさどる神ダルマラージャの子で、高潔な男に成長した。

第二子のビーマは、猿神ハヌマーンの父でもある風神ヴァーユの子で、屈強な男となった。

第三子のアルジュナは、神々の王にして天空の支配者、雷をあやつるインドラ神の子で、弓の名人となった。

世継ぎが多いほど王国は栄える。パーンドゥはもっと王子を欲したが、クンティーはこれ

以上自分で産むことをことわり、第二の妻マードリーのために神を呼び出すことになった。明けと宵の明星を支配し、若く美しく医術の神でもある双子神アシュヴィンが呼び出され、マードリーは双子を授かった。第四子のナクラは、美しく強い男に、第五子のサハデーヴァは、美しくかしこい男になった。

このようにして生まれた五人の王子はみな「半神（半分は人間で半分は神）」であった。神々の血を引き、優れた才ある五人の王子は、「パーンドゥの息子たち」という意味で《パーンダヴァ》と呼ばれた。

いっぽう王位を継げずにいたドリタラーシュトラには、脂の壺から生まれた百人の息子がいた。

長男のドゥルヨーダナをはじめとする息子らは、「クルの子孫たち」という意味で《カウラヴァ》と呼ばれた。

五人の《パーンダヴァ》と百人の《カウラヴァ》は、どちらも王位に近い従兄弟同士である。ふたつの勢力のあいだには、王位をめぐってつねに摩擦と争いがあった。

策略、追放、帰還をへて、とうとう五王子《パーンダヴァ》と百人の《カウラヴァ》の大戦争の火蓋が切られることとなる――。

これは叙事詩『マハーバーラタ』で語られることの一部である……。

第1章

その扉、あけなければよかった

危険なものにかこまれて育つとどうなるか？

こまったことに、やがては危険を危険と思わなくなってしまう。

アルは物心がついた頃から古代インド文化芸術博物館で暮らしてきた。だから〈神々の間〉の奥に展示された〈破滅のランプ〉にさわってはいけないことはよくわかっていた。

たしかに〈破滅のランプ〉について、あたかも自分のもののように語ったことはある。海賊が、とらえて手なずけた海の怪物を見ながら「ああ、こいつ？」と自慢するような感じで。

ただ、すっかり見なれたランプでも一度だって火をつけようとしたことはなかった。それは博物館の規則を破ることだ。アルが毎週土曜の午後に来館者を案内するツアーでかならず説明する規則を。

週末に働くのはいやだという人もいるかもしれないが、アルは館内ツアーガイドを仕事だと思ったことはなく、どちらかというと儀式のように思っていた。家に代々伝わる秘密の儀式とかそういったものだ。

ツアーガイドをするときに着る深紅のベストには、蜜蜂のボタンが三つついている。それを着て、母さん（博物館の館長で、著名な考古学者でもあるＫ・Ｐ・シャー博士）の口調をまねて話すと、来館者がまじめに話を聞いてくれる。そこがツアーガイドの一番いいところだ。

とくに呪われた〈破滅のランプ〉について話すときは、みんなの目がこちらに釘づけになる。だれだって怖い話なら歯医者に行った話より、呪われたランプの話のほうがはるかにいい。

博物館で育ったアルに知らないことはなかった。玄関ホールに置かれた大きなゾウの石像の足もとではいつも読書や宿題をする。シアターの椅子で居眠りから目覚めると、いつのまにかインドについての短い映画が始まっていて「イギリスからインドが独立したのは一九四七年です」という解説の声が流れていることもよくある。アルは、西館にある四百年前の海竜の像にスティーヴという名前をつけていて、その口の中にお菓子を隠している。

そう、アルは博物館の展示品のことならなんだって知っている。ただしなんにでも例外はある。それが〈破滅のランプ〉だった。

あれについては、ほとんどのことが謎につつまれたままだ。

「このランプはね、ディーヤーって呼ばれているの。ただのランプじゃないのよ」母さんはアルに初めてランプを見せたときにそういった。アルがおぼえているのは、ガラスケースに自分の鼻を押し当てて土器のランプをながめていたことだ。

〈破滅のランプ〉は、呪われているというわりにはなんだか見た目がぱっとしない。ホッケーのパックをつまんでゆがめたような形で、縁にこまかい刻み模様が入っている。どう見てもありきたりだ。

なのに〈神々の間〉に置かれた多くの像が、そろってランプから遠ざかろうとしているように見える。

「どうしてランプに火をつけちゃだめなの？」

アルの質問に、母さんは、ぼんやりどこかを見つめながら答えた。

「ほら、光って、闇にしまっておくほうがいいことまで明るみに出してしまうことがあるでしょう？　それに、だれが見ているかわからないし」

だれが見ているかって、わたしは物心ついてからずっとランプを見てきたけど？

学校から帰ると、アルはいつもバックパックを石像のゾウの鼻にひっかけてから〈神々の間〉へ向かう。

そこは博物館で一番人気の展示室で、ヒンドゥー教のさまざまな神の像が百体以上もところせましと展示されている。壁ぞいに並べた鏡のおかげで、像をどの角度からでも見ることができる。たくさんの鏡それ自体も〝年代物〟だ。

（アルは、クラスの男子、バートン・プレイターと物々交換をしたとき〝年代物〟という言葉を使った。自分が持っていた緑青のふいた一セント銅貨を、バートンの持っていた二ドルおよびチョコバー半分と交換したときだ）

窓の外には背の高いニレとサルスベリが並んでおり、枝葉をすかして〈神々の間〉にさしこむ光はいつもやわらかい。そのせいで神々の像はみな光の王冠をかぶっているように見える。

アルはいつも展示室の入口からお気に入りの像をながめた。天界の王で稲妻をあやつる雷神インドラの像、横笛を吹くクリシュナの像、足を組み、背すじをすっとのばして瞑想するブッダの像。見ているうちにどうしてもガラスケースにおさめられた〈破滅のランプ〉ディーヤーが目に入る。

アルはいつも入口に立って何かを待っていた。明日学校に行くのが楽しみになりそうな何か。あるいは、クラスのみんなが自分のことを特別な存在だと思ってくれるような事件。そう、アルはいつも魔法のようなことを待っていた。

そして、アルの期待は毎日裏切られていた。

＊＊＊

「何かやってよ」神々の像に向かってアルはつぶやいた。月曜の朝で、まだパジャマ姿だった。「何かするなら、いまだよ。秋休みに入って時間はたっぷりあるしね」

神々の像は何もやってくれない。

アルは肩をすくめて窓の外を見た。

ジョージア州アトランタの木々は、十月に入ったことに気がついていないのか、枝先だけが赤や黄に色づいている。まるでだれかが火の入ったバケツに途中までつっこんで、もとにもどしたかのようだ。

予想どおり平凡な一日が過ぎようとしていた。しかし、何げない瞬間こそが最初の前ぶれだった。この世界は往々にして人をだます。とろりとこぼれる日なたのハチミツのように明るくのんびりした日だと思わせておいて、人の警戒心(けいかいしん)が薄れるのを待っている。

何かが起こるのは、そういうときなのだ。

＊＊＊

来訪者が来たことを知らせるブザーが鳴る少し前、アルの母親は、博物館につながるせまいアパート内を音もたてず行ったり来たりしていた。開いた本を三冊かかえていっぺんに読んでいるようだが、同時に鈴(すず)を鳴らすようなきれいな声で受話器に向かって何か話している。

アルはソファーに寝そべったまま、ポップコーンを投げつけて母親の気をひこうとしていた。

「母さん、聞いてる？　返事しないならオッケーってことだよ。映画に連れてって！」

電話中の母親が声をあげて笑うのを聞いて、アルは顔をしかめた。

どうしてわたしはあんなふうに笑えないんだろう？

アルは、笑うと首でもしめられたようなひどい声になる。

「母さん、聞いてる？　返事しないならオッケーってことだよ。犬を飼っていい？　グレートピレニーズにするね。名前も決めてるんだ、勇者ベオウルフ！」

母さんはそのとき目をとじてうなずいた。しっかり話を聞いているときのくせだ。

あいにく聞いているのはアルの話ではなかった。

「母さん、聞いてる？　返事しないなら……」

そのとき、ビーッ、ビーッ、ビーッ！　と博物館の玄関ブザーが鳴った。

母さんがついにアルをふり返った。形のいいまゆを片方あげ、何をすればいいかわかるでしょ？　という顔をする。

はいはい、わかったよ。やりたくないけど。

アルは寝返りを打つようにしてソファーから転がりおり、最後にもう一度母さんの気をひこうとスパイダーマンみたいに床に手をついてのろのろと進んだ。これがけっこうむずかしい。何しろ床は本や飲みかけのチャイが入ったマグカップで散らかっている。

わたしのスパイダーマン歩き、見てくれたかな、とふり返ると、母さんはちょうどノートに何かメモしていてぜんぜんこっちを見ていなかった。

アルはがっくり肩を落とし、ベッドルームを出て階段へ向かった。

月曜午後の博物館はたいていい静かだ。

週日は警備責任者で、週末はアルのシッターで気苦労のたえないシェリリンも、月曜は休みなので博物館に来ない。

休館日の日曜以外、来館者に入館ラベルをわたすのはアルの仕事だ。アルは各展示室を案内したり、トイレの場所を教えたりもする。ゾウの石像にさわっている来館者をどなりつけたこともある。

大きくはっきり《展示品にふれないでください》と書いてあるのに……。

アルにとって、博物館の規則は、自分以外がしっかり守るべきものだった。

月曜の来館者といえば、ちょっと雨やどりさせてと駆けこんでくる人くらいだ。

それから、この博物館が邪教を広めているわけではないことを（さりげなく）たしかめに来る人。荷物を届けに宅配の人もたまに来る。

その日、アルが博物館の扉をあけると、そこには思いもよらない相手が立っていた。

アルの通う私立オーガスタス学園の生徒三人だ。

アルは急降下するエレベーターがガクンと止まったときのような感覚におそわれた。もやもやしたものが胃にせりあがる。

オーガスタス学園の三人は、アルのスパイダーマンのパジャマをじろじろ見ている。

ポピー・ロペッツは、日に焼けたそばかすだらけの腕を組んでいた。茶色い髪をバレリーナのように頭の上でお団子にしている。

バートン・プレイターは、手のひらにあの一セント銅貨をのせていた。背が低くて色白で、黒と黄色のストライプのシャツを着ていると、不運なマルハナバチみたい。

クラス一の美人、褐色の肌につややかな黒髪のアリエル・レディは、きつい目でアルをにらんでいる。

「ふん、やっぱりいた」ポピーが勝ちほこったようにいった。「数学の授業のとき、秋休みはお母さんとフランスに行くっていってなかった？」

だって母さんがそう約束したから……アルは心の中でつぶやいた。

あれはこの夏、母さんが海外出張の疲れでソファーに丸くなっていたときだ。

母さんは、寝落ちする直前、アルの肩をぎゅっと抱きしめてこういった。

――アル、秋になったらパリに行きましょう。セーヌ川ぞいのカフェで夕空を見ていると星がきらきら輝きだすの。おいしいパン屋さんや美術館をまわって、小さいカップで濃いエスプレッソを味わって、あちこちの庭園で何時間も過ごすなんてどう？

アルはその夜、眠れなかった。曲がりくねった小道や、花までつんとすましているようなパリのオシャレな庭園を思い描いた。

この約束があったから、アルはアパートのそうじも皿洗いも文句もいわずにやった。

学校では、この約束が、いわばアルの心の鎧だった。

オーガスタス学園の生徒はみんな、モルディヴやプロヴァンスといったリゾート地に別荘を持つ家の子だ。ヨットが修理中なんだ、とぐちをこぼす子もいる。そんな学校で、パリ行きの約束はアルにとって、仲間に加わるための小さな一歩だった。

アルは、自分を見つめているポピーの青い目に気おされまいと、こういった。

「母さんに博物館の極秘任務があって、わたしを連れていけなくなっただけだよ」

ぜんぶウソってわけじゃない。アルは本当に出張に連れていってもらったことがない。

バートンは緑青で緑色になった一セント銅貨を投げてよこした。

「おれのこともだましたな。こんなものが二ドルだって？」

「えっと、ほんとに〝年代物〟で――」アルがいいかける。

アリエルがさえぎった。

「アル・シャー、わかってるのよ、ぜんぶウソだって。学校が始まったら、あんたはウソつきだってみんなにいいふらしてやるからね」

アルは胃がきゅっとちぢむのを感じた。先月入学したばかりの頃は、期待に胸をふくらませていたのに、期待はあっという間にしぼんでしまった。

アルはほかの生徒みたいに学校までぴかぴかの黒ぬりの車で送ってもらうことはない。海外に別荘もないし、家に勉強部屋やサンルームもない。自分の部屋はあって、ぜいたくな部屋だということにしているけれど、本当はクローゼットに毛が生えたようなものだ。かわりにアルには想像力がある。だから毎日いろいろなことを空想した。週末はたいてい留守番をしながら物語をつくる。母さんはじつはスパイなんだとか、お城を追われたお姫さまだとか魔女だとか。

母さんはいつも、出張に行きたいわけではないが博物館のためにどうしても必要なのだという。そして帰ってくる頃にはアルのチェスの試合や合唱の練習のことを忘れている。

忘れてしまうのは、アルの予定をどうでもいいと思っているからではない。ただ、戦争や平和や美術品のことで頭がいっぱいなだけだ。

だからアルは学校で何か質問されるたびに、想像力を働かせて作り話をする。ひとりで週末にやるように。

行ったことのない街に行ったといい、食べたことのない料理を食べたという。すりへった靴をはいているのは、お気に入りの靴をイタリアに修理に出しているから。ほかの子たちと同じような、オシャレに見えるまゆの描き方もおぼえた。

服を買った店の名前を高級店っぽく変える技も身につけた。激安店ターゲットで買ったときはフランス語っぽく「ラ・タジェって店で買ったんだ」といい、スーパーのウォルマートで買ったときはドイツ語風に「ヴァールマルトで見つけたの」という。この技が相手に通じないときは、上から目線でこういってやる。

「え、このブランド、知らないの？」

アルはこんなふうにして、なんとか周囲の子に合わせてきた。

しばらくはうまくいっていた。ポピーとアリエルから、週末に湖に行こうとさそわれたほどだ。なのに自分でボロを出してしまった……。

ある日、アルがいつもどおり目立たないように駐車場から歩いて道に出たとき、アリエルに見つかって、どれがアルの家の車かと聞かれたのだ。アルがそばの一台を指さすと、アリエルの笑顔がこわばった。

――ヘンね。あれ、うちの車だけど。

アリエルはいま博物館の玄関に立って、あの日と同じひややかな笑みをアルに向けている。

「ゾウもいるって話よね」と、ポピー。

アルは、後ろにあるゾウの石像を指さした。

「うん、あそこ」

「へえー、石像ね。『インドで保護した』っていってなかった？」

「ほら『保護する』っていうのは業界用語だよ、使われなくなった寺院やなんかに埋もれていたのを救出してきたってこと」

「呪われたランプもあるんだっけ？　どうせそれもウソでしょ？」アリエルがいった。

アルはそのとき、バートンの携帯が赤く光っているのに気づいた。

録画してるんだ……アルはあせった。この動画がインターネットに流れたら終わり。

いまできることはふたつ。

大いなる宇宙に「次の学期が始まる前に、かわいそうなわたしを燃やして灰にして！」と祈るか、名前を変えてひげを生やして、どこかへ逃亡するか。

あ、それか、この三人に何か〝ありえないもの〟を見せることができれば、この状況から逃げ切れるかも……。

そしてアルは、知らないうちに、こう口走っていた。

「呪われたランプは本物だよ。証拠を見せてあげる」

第2章

しまった！

アルと同級生三人が〈神々の間〉へ向かったのは午後四時。午後四時というのは、地下室に似ている。理論上は完全に無害。ただし、よく考えると、地下室とは、不確実な地面にセメントを流しこんだだけのものだ。いやなにおいがして、内装はいいかげん。支柱がやけにくっきりと影を落とす。いってみれば〝それっぽいが、ちょっと何かが足りないもの〟だ。

午後四時もそんな感じだ。午後っぽいが、午後というにはちょっと遅い。夕方っぽいが、夕方にしてはちょっと早い。魔法や悪夢は、そんな〝それっぽいがちょっと足りない〟瞬間をねらっているものなのだ。

「で、あんたのお母さんはどこなの？」と、ポピー。

「フランス」アルはうつむかないように気をつけた。「わたしは行かないことになったの。博物館の留守番をまかされてるから」

「どうせ、またウソだろ」バートンがなじる。

「ウソに決まってる。それしかとりえがないんだから」と、アリエル。

アルは腕を組むようにして自分で自分を抱きしめた。

とりえならほかにもたくさんある。みんなが気づいてないだけ。

アルには一度聞いたことは忘れない記憶力がある。チェスも得意で、州大会だって出られたかもしれない。

ポピーとアリエルに「チェスなんてだれもやらないでしょ。アルもやめときなよ」といわれてチームをぬけたりしなければ。

テストだって以前はいい点をとっていた。いまはテストのたびに、学費が高いこと（母さんにとっては大金だ）や、みんなわたしの靴をどう思ってるだろう、去年の流行った靴……などと考えて集中できないのだ。

たしかにアルは注目されたかったが、望んでいるのとはちがう意味で、注目を浴びてしまっていた。

「中心部のマンションに住んでるっていってたくせに、学校の名簿にある住所に来てみたらこんなダサいところなんて……ここって博物館でしょ？　まさかここに住んでるわけ？」アリエルが鼻で笑った。

（まあ、そういうこと……）

「まさか！　住んでるわけないよ。だって見て、わたしの部屋とかないでしょ？」アルはごまかそうとした。

（ほんとは部屋は二階にあるけど……）

「住んでないなら、なんでパジャマなのよ？」

「だれだって昼間はパジャマだよね、イギリスなら」

（たぶんイギリスではそう……）

「王室はそうらしいよ」アルはつづけた。

（わたしが王室の人間だったら、きっと、そうするし……）

四人は〈神々の間〉に到着した。

ポピーは顔をしかめていった。

「ねえ、この神さまってなんでこんなに手がうじゃうじゃついてるの？　キモチ悪い」

アルの耳の先が赤くなった。

「それがふつうだから……」

「ずいぶんたくさんいるんだねー。神さまって千人もいるの？」

「わかんない」

これは本当だった。母さんがいうには、ヒンドゥー教の神々は数えきれないほどたくさんいるうえに、姿もひとつとはかぎらないらしい。輪廻転生（りんねてんせい）といって、魂（たましい）はべつの肉体にくっついて生まれ変わるのだ。アルはこの考えが好きだった。自分の前世はどんなだったのだろうと思いをめぐらせることもある。前世のアルは、獣（けもの）じみた同級生の退治方法を知っていたかもしれない。

三人は〈神々の間〉をうろつきまわった。

ポピーはしりと手をつきだして目についた像のポーズをまねてから、プッとふきだした。

アリエルは女神像のセクシーな胸や腰を指さして、やりすぎという顔をする。

アルは胃がかっと熱くなるのを感じ、いますぐ像がぜんぶ粉々になればいいのにと思った。せめて神々が裸（はだか）

でなく服を着てくれれば……こんなに風変わりでなければ……。

アルは去年のことを思い出した。母親と一緒に前の学校の成績優秀者のパーティーへ行ったときだ。

アルは一番かわいいと思う服を着た。インドの民族衣装、サルワール・カミーズ。明るいブルーの布地に小さな星形のミラー刺繍と銀糸の刺繍がびっしりとほどこされていた。母さんは深紅のサリーを着た。アルはパーティー会場に着くまでは物語の主役になったような気分だった。ところが、母さんと会場に入ったとたん、みんなから同情するような、とまどったような視線を浴びせられた。

女子のひそひそ声が聞こえた。

——あの子、ハロウィーンかなんかとまちがえてない？

アルはその日、おなかが痛いといって早く家に帰った。

＊＊＊

「さわっちゃだめ！」シヴァ神の像が手にしている矛をつつきだしたバートンに、アルはいった。

「なんでだよ？」

「えっと……防犯カメラがあるから！　母さんが帰ってきたらインド政府に通報するかもよ。つかまっても知らないからね」

これもアルのウソだった。でも効果はあった。

バートンは一歩さがった。

「で、呪われたランプはどこなのよ？」と、アリエル。

アルは展示室の奥に進んだ。

ガラスケースが、夕方少し早めの日ざしにキラリと光っている。

その下で、ディーヤーは影につつまれているように、ほこりっぽくくすんで見えた。

「は、これが？　弟が幼稚園でつくるやつみたい」ポピーがいった。

「えー、当博物館がディーヤーと呼ばれるこのランプを入手したのは、インドがイギリスからの独立を果たした一九四七年以降のことです」アルは母親そっくりの口調で説明した。「かつて、このディーヤーがあったとされる寺院は――」ここで噛(か)んだら台なしだ……アルは慎重(しんちょう)に発音する。「ク、ル、ク、シェー、ト、ラで――」

「クルク……ナニ？　変な名前だな。なんでそんなところにあったんだよ？」と、バートン。

「マハーバーラタの戦いの舞台だったから」

「へ？　なんの戦いだって？」

アルはゴホンと咳ばらいをして、博物館の案内役モードをつづけた。

「マハーバーラタはインドの二大叙事詩(じょじし)のひとつです。古代インドで使われたサンスクリット語で書かれています。これは現在ではもう話されていない言語です」

　説明の効果を出すため、アルはここでいったん言葉を切った。

「マハーバーラタに描かれているのは、パーンダヴァ五兄弟と、百人の従兄弟(いとこ)たちのあいだに起こった戦いで

――」

「従兄弟が百人？　何それ、ありえなーい」アリエルが口をはさんだ。

アルは無視してつづける。

「伝説ではこのディーヤーに火をともすと、〈眠れし者〉という魔族が目覚めます。この魔族によって召喚されるシヴァ神は、恐ろしい破壊の神であり、シヴァ神が世界にあらわれて踊るとき、〝時の終わり〟をもたらすといわれています」

「神さまが踊んの？」バートンがバカにして笑った。

「宇宙の創造と破壊の踊りです」アルはなるべく重々しく聞こえるようにいった。

破壊神シヴァの踊りといってアルの頭に浮かぶのは、足が大空をふみならすところだ。そして雲に稲妻のようなひびが入り、世界がくだけ散ってばらばらになる。

しかし、三人が想像しているのは、たぶん学校で踊らされるフォークダンスみたいなもの。

「じゃあ、このランプに火をつけただけで、世界が終わるのかよ？」バートンが聞いた。

アルはランプを見つめた。何かひと言でもいってくれるのを待つかのように。

でもランプは何もいわない。まあ、ランプだから。

「そうだよ」しかたなくアルは自分で答えた。

アリエルが不満げに口をすぼめた。

「ならやってみてよ。ウソじゃないならやって見せて」

「ウソじゃないならって……もちろん本当だよ、でも、そんなことしたらどうなるか、わかってる？」

「ごまかされないぞ。いいからちょっと火をつけてみろよ」

バートンが携帯をかまえた。録画中をしめす赤い光がアルをあざ笑っているようだ。

アルはつばを飲みこんだ。

母さんがここにいたら、耳を引っぱって連れ出されるところだ。でもいまは二階でいつものように出張のしたくをしている……このランプが本当に危険なら、そんなものと一緒に娘を置いていったりする？　シッターのシェリリンはいつもわたしをほったらかしでテレビのリアリティー番組を見てるのに。

きっと、それほど大ごとにはならないはず。ちょっと火をつけて、すぐ吹き消せばいい。

それがだめなら、ガラスケースを壊して、呪われたふりをするという手もある。ゾンビみたいにふらふら歩いたり、スパイダーマンみたいに這いまわったり。

三人がふるえあがって二度とこの話をしなくなるなら、なんでもいい。

ああ、お願い。もう絶対にウソはつきません、約束します！

アルは心の中でそう念じながら、ガラスケースに手をのばして持ちあげた。

ケースがとり去られたとたん、赤くて細いレーザー光線がいっせいにランプに当たった。

髪の毛ひとすじでもこのレーザーをさえぎったら、警察の車が博物館に駆けつけることになる。

ポピー、アリエル、バートンの三人は、そろってはっと息をのんだ。

アルは思わずにやりとした。

(ほらね？　だから重要なものだっていったでしょ？)

これであきらめてくれないかな、とアルは思った。もうじゅうぶんでしょ。

そのとき、ポピーが身を乗りだした。

「早くやんなよ、ぐずぐずしないで」

アルはセキュリティーを解除する暗証番号（じつは自分の誕生日）を打ちこみ、赤いレーザー光線が消えるのをたしかめた。

呪われた〈破滅のランプ〉ディーヤーの土のにおいが空中にただよう。寺院に足をふみいれたときのにおいに似ている。何かを燃やしたような、香辛料のようなにおいだ。

「ウソでしたって正直にいえばいいじゃない。で、わたしたちに十ドルずつ払えば、ゆるしてしてあげるし、あんたのウソをばらす動画のアップもやめてあげる」

アリエルはそういうが、そんなことですませてくれるはずがない。クラス最強の女子と最強の魔物。戦う相手としてどっちがましかと聞かれたら、アルは魔物のほうを選ぶ（たぶんみんなそうでしょ）。

赤いレーザーがなくなると、急にランプが危険なものに感じられた。

ランプはまるで障害物がひとつなくなったことを感じとったようだった。

アルは、冷たい針で背骨を縫いつけられたかのように、指が動かせなかった。

ランプの中に置かれた小さな金属の皿が、見ひらいた目のように、まっすぐアルを見つめている。

「あ、マッチがない……」そういってアルは一歩さがった。

「あるよ」ポピーが緑のライターをさしだした。「兄貴の車から持ってきたんだ」

アルはライターを受けとった。

ホイールをシュッとこすると、小さな火がともった。

うまく息ができない……。

ランプに一瞬火をつけるだけだ。そのあとひと芝居打って、このくだらない出来事にけりをつける。そうしたら、これからはもう絶対ウソはつかない……。

アルがライターの火をランプに近づけると、〈神々の間〉全体が暗くなった。まるで、すべての自然光のスイッチが切れたようだ。

ポピーとアリエルがたがいに身をよせた。

バートンもふたりにくっつこうとしたが、ポピーが押し返した。

（アルよ……）

アルを呼ぶ声が聞こえた気がした……ランプの中から？

アルはライターを落としそうになり、しっかりとにぎり直した。

ランプから目が離せない。まるでランプに引きよせられているようだ。

（アルよ、アルよ、アルよ――）

「さっさと火をつけなさいよ！」と、アリエル。

アルは視界のすみにバートンの携帯の赤い光をとらえた。

録画されてる……この動画が拡散されたら、ひどい一年になるな。カフェテリアのコールスローサラダをロッカーに入れられたりするのかも。そんなことで母さんにがっかりされるのはいやだ。

でも、もしうまく切りぬけられれば、この三人と毎日同じテーブルでランチを食べる〝身分〟になれるかもしれない。作り話で気をひかなくても、やっとまともな学校生活が送れるようになるかも……。

だからアルは行動した。

〈破滅のランプ〉ディーヤーにライターの炎を近づけたのだ。

指がディーヤーにふれたとき、アルはふと、深海生物についてのドキュメンタリー番組を思い出した――。

頭についた光る玉のようなものをおとりに獲物をおびきよせる深海魚がいた。チョウチンアンコウだっけ？

獲物が水中でゆれる小さな光に近づいた瞬間、そいつは大口をあけておそいかかる。

このランプは、あの深海魚を思わせた。小さな明かりをちらつかせて闇に身をひそめる怪物。

罠だ。

ランプに火がともった瞬間、アルは目の奥に爆発的なまぶしさを感じた。

ランプから影があらわれ、背骨らしきものがアーチ状にのびる。

恐ろしい音が聞こえた……笑い声？

アルはその声を頭からぬぐい去ることができなかった。ぬめぬめと脳裏にまとわりついている。頭の中の静けさは、どこかへ打ちすてられてしまったようだ。

影がずるりとランプから出てきて、アルはふらふらとあとずさった。

恐怖に骨がきしむ。

アルは吹き消そうとするが、炎はびくともしない。

影はゆっくりと悪魔のような形をとった。背は高く、手足は蜘蛛（くも）のように長く、角と牙（きば）と毛が生えている。

「おお、アル、アルよ……おまえはいったい何をやらかしたんだ？」

第3章

覚醒（かくせい）

アルは床の上で目を覚ました。
まだ視界がチカチカしている。いやなにおい……何かさびたものみたい。
アルはひじをついて体を起こし、ランプを探した。
どこにもない……跡形もない。
ガラスケースの破片だけが散らばっている。
アルは首をのばして後ろを見た。
神々の像がそろってアルを見ている。
アルは背すじを氷がすべり落ちた気がした。
「ポピー？」と声をかけ、アルは立ちあがった。「アリエル？バートン？」
そのとき、三人の姿が目に入った。
映画の戦闘シーンで一時停止ボタンを押したときのように身をよせ合っている。
ポピーの手はバートンの胸にあった。
ポピーに胸を押されたバートンは、つま先があがっていて、後ろに倒れそうな体勢だ。

アリエルは目をとじて口を大きくあけている。悲鳴をあげているのだろう。

時間が止まったのだ。

アルは三人に手を当てた。まだ肌は温かい。首にふれると、三人とも脈がある。ただ、ぴくりとも動かない。

動けないいんだ……。

何があった……？

バートンのポケットの赤い光が目に入った。

携帯の録画ランプだ。録画されたものを見れば、何があったのかわかるかも……。

でもバートンのポケットから携帯をうまく出せない。

何もかもが静止している。

アルひとりをのぞいて。

これは夢だ。そうにちがいない。そう思ってアルは自分をつねってみた。

「イタッ！」

アルはしっかり目が覚めていた。

三人もとりあえず生きているみたいだ。それなら、なんですべてがじっとして動かないの？

そのとき、きしむような音が〈神々の間〉の外で響いた。

アルははっと背すじをのばした。きっと扉のきしみだ。

「母さん？」ささやくようにいうと、アルは駆けだした。

きっと母さんがさわぎを聞きつけて二階からおりてきたんだ……母さんならどうすればいいかわかるかも。

〈神々の間〉を出たアルが目にしたのは、信じられない光景だった。

1　母さんも静止してて、走ってる最中みたいに両足とも床から浮いてる。
　髪は後ろになびいてて、目も口も何かにおどろいたっぽく大きくあいてる。

2　空間全体がヘン。アニメみたいにのっぺりしてて、どこにも影がない。

3　きしんでるのは、扉じゃなくて石像のゾウだった。

おどろけばいいのか怖がればいいのかわからないままアルが見ていると、何十年も博物館で立っていたゾウが、突然(とつぜん)かがみこんだ。アルがいつもバックパックをひっかける鼻を、おでこのところまで持ちあげている。

ギシッと大きな音がして、ゾウのあごがはずれた。

アルは仰天し、母さんに駆けよって手を引っぱった。

「ゾウがなんかヘンだよ。ねえ、起きて!」

動いてくれない。

アルは母の視線をたどった。〈神々の間〉全体を見つめている。

「母さん？」

そのとき、ゾウの中から声がした。低くしわがれた老人の声。

アルは恐怖にちぢみあがった。

「誰ぞ！　かのランプをともす、大胆不敵な者は！」

その声は嵐のように重く響きわたった。

ゾウの口から稲妻がとび出してきそう……こんな状況にもかかわらず、アルは期待にふるえた。

「誰ぞ！〈眠れし者〉を目覚めさせる、大胆不敵な者は！」

「あ、わたしだけど……そんなつもりじゃなかったんだ」と、アル。

「ウソをいえ！　戦士よ！　火がともされたから、わが輩は召喚されたのだぞ」

大きな羽ばたきの音が響いた。

アルは息をのんだ。

これが〝世界の終わり〟……アルは覚悟した。

鳥って人間を食べる？　鳥の大きさにもよるかも……いや、人間の大きさによるのかな？

どっちにしても実験台になりたくない。

アルは母さんの腕で顔を隠そうとしたが、腕もかたまっていてうまくできない。

羽ばたきがせまってくる……。

翼のある大きな影が床に映り、ゾウの口から、声の主が姿をあらわした。

それは鳩だった。ふつうの小さな鳩……。

「は？」アルは思わず声をあげた。

母さんはいつも鳩のことを「翼のあるネズミ」といっていた。

「大胆不敵な戦士はどこにおる？」鳩がえらそうに聞いてきた。「古の五戦士。そのひとりがバーラタの〈破滅のランプ〉に火をつけしとき――」

「ちょっと待って！　さっきと声がちがうんだけど？」アルは思わず聞いていた。

ゾウの中から聞こえた声は迫力満点で、あの声で断言されたら、ただの山も自分を火山と思いこんでしまいそうだった。

でも、いまの声は自信喪失してふてくされた感じ。この前、数学の先生がアカペラで歌いだそうとした瞬間にレゴブロックをふんじゃったときみたい。

「わが輩の声がどうした？　人間の娘」鳩は不服そうにぐぐっと胸をふくらませた。

「いえ、ただ――」

「わが輩が大いなる破壊をもたらす鳥には見えないとでも？」

「あの、えっと――」

「よく聞け。娘。わが輩はな、悪名高き存在なのだ。わが輩の名は、呪いの言葉として使われるのだぞ」

「え？　それって、いいことだっけ？」

「力があるということだろうが」鳩はフンッと鼻を鳴らした。「善と力ならば、わが輩はいついかなるときも後者を選ぶ」

「へえー。なるほど。だから鳩なんだ？」

アルは考えた……鳥って人間をにらむことができるの？　ふつうの鳩はできないなら、この鳩は特別に人間ににらんでると思わせる技をマスターしてるみたい。

「とにかく、かのランプに火がともされた。つまり、〈眠れし者〉は目覚めようとしている。神々よりわが輩がたまわったつとめは、火をつけたパーンダヴァを導くことだ」

「パーンダヴァ？　いまパーンダヴァっていった？」

アルはその名前を知っていた。

インドの叙事詩『マハーバーラタ』に出てくる王家の五人兄弟だ。

母さんから聞いた話だと、それぞれが偉大な力を持ち、特別な武器を使いこなす。五人とも神々の息子で、つまり英雄だ。

でも、それがこのランプとどういう関係が？　知らないうちに頭をぶつけて大事な部分を忘れてる？

頭にこぶでもできていないかと、アルは自分の頭をあちこちさわってみた。

「さよう、パーンダヴァだ」

鳩はまた、えらそうに胸をふくらませた。

「かのランプをともせるのは、パーンダヴァ五兄弟だけだ。その者がいるはずだが、どこへ行ったか知らぬか、人間の娘」

アルは鳩の目を見て、こういった。

「わたしだよ……火をつけたのはわたし」

鳩は、もともと丸い目を大きく見ひらき、さらに大きく見ひらいた。

「おまえが？　なんともはや……いっそ世界を終わらせたほうがましかもしれんな……」

第4章

それってフランス語?

チンパンジーは、目が合うとニッと笑うように歯を見せてから、次の瞬間、攻撃してくると、アルは何かで読んだことがある。

鳩(はと)と目が合ったとき何が起こるかまでは、書いてなかった。

アルは目に力があることは知っている。

母さんがよく聞かせてくれたガーンダーリーの話——。

目の見えない夫によりそうため、自分も目隠しをして生きると決めた王妃。一度だけ、長男を見るために目隠しをはずした。王妃の目には強い力があり、見たものを無敵にできる——ただし、効果があるのは相手が裸でいる場合にかぎられる。そこが悩ましい。息子は恥ずかしくて下着まですべてを脱ぐことはできなかった。それでもとても強くなった。完全に無敵にはなれなかったが。

(その息子って人に同情する。母親の前で脱ぐなんて、きっとすごく気まずかったはず)

アルは鳩と目を合わせたまま一歩さがった。

ついに鳩のほうが折れた。うなだれて、翼をだらりとさげる。

「前回目覚めたパーンダヴァは、みな優秀だった！　ユディシュティラは高名な判事で、ビーマはオリンピック選手、アルジュナは上院議員だった。ナクラとサハデーヴァは有名なモデルで、すばらしい自己啓発本を書いてベストセラーになり、世界初のホットヨガスタジオを始めたというのに！　それがどうだ、その流れはどうした？　よりによって女の子だと？　女で、子供だと？」

鳩はやれやれと頭をふった。

アルはそこまでいわれるすじあいはないと思った。有名人だって、子供だったときがある。判事だってカツラをかぶって裁判用の小槌（こづち）を持って生まれてくるわけじゃない。

ただ、何かがひっかかる。

この鳩、さっきから何いっているの？　いま並べたてた名前――ユディシュティラ、ビーマ、アルジュナ、ナクラ、サハデーヴァ――は有名なパーンダヴァ五兄弟だ。

（じつはもうひとり、知られざる兄、カルナがいる。伝説によれば、五兄弟は、もうひとり、五人にとっての兄がいることを戦いが始まるまで知らなかったという）

それに、なんで鳩は「目覚めた」といったの？　パーンダヴァが眠っているということ？

鳩はパッタリあおむけに倒れると、片方の翼でくちばしをおおい、くやしそうにいった。

「これがわが輩の宿命なのか。かつてわが輩は羽ぶりのいいエリート中のエリートだったというのに」と、せつなそうに鼻をすすった。

「えっと……さっきからなんの話？」

「ほほう、とぼけるのか！」

鳩は翼を持ちあげ、アルを見あげた。

「こんな災難にわが輩たちを巻きこむ前に、もっとよく考えんか！　おまえときたら……ぞっとする」

鳩は両翼で顔を隠し、独り言のようにぶつぶついった。

「まったく……なぜどの世代にも英雄(ヒーロー)が必要なのだ？」

「待って。それってつまり、時代ごとにパーンダヴァ五兄弟がいたってこと？」アルは聞いた。

「残念だがな」鳩は翼をおろした。

「それで、わたしがそのひとり？」

「何度もいわせるな」

「でも……そんなこと、どうしてわかるの？」

「そりゃ、ランプに火をともしたからだ！」

アルは黙りこんだ……たしかにランプをつけたのはわたしだ。ライターの火をランプの火口(ほくち)に運んだ。でも、あのライターはポピーの兄さんのものだ。そこは関係ないの？

それに、火は、ほんの一瞬つけようとしただけで、ずっとランプをともしておくつもりはなかった。火を少しつけると、少しヒーローっぽくなるってこと？

「よかろう、おまえが今回のパーンダヴァであることはみとめる。ほぼまちがいない。少なくともわが輩は否定せぬ。でなければ、なぜわが輩がここにいる。そこだ。なぜ、わが輩はここにいる？　しかもこんな姿で！　このぶざまな体はなんだ？」

　鳩は小さな頭をあげて天をあおいだ。

「わが輩は、いま、いったい何者なんだ？」

「あのー、だいじょうぶ？」

「ああ、わが輩にかまうでない」

　鳩は投げやりにため息をついた。

「とにかくにも、おまえが〈破滅のランプ〉に火をつけたのなら、ふたりめにもこのことがじきに伝わるだろう」

「ふたりめ？」

「〈あまたの扉(とびら)〉を使えばよい。あれならどこに行けばいいか、すぐわかる。グーグルマップとかいうもので探すよりずっとかんたんだ。あんな今世紀のカラクリなんかよりな」

「ねえ、鳥だよね。鳥って、自分の行き先くらいわからないの？」

「わが輩はただの鳥ではないぞ、口の利き方も知らんやつめ。わが輩はな――」

　鳩のまくしたてていたいきおいが、ぱたりと止まった。

「ああ、もうめんどうだ。おれが何者かなんぞどうでもいい。重要なのは、本当の破滅が起こる前に、われわれがそれを食い止めねばならんということだ。いいか、いまから九日のあいだ、目覚めた〈眠れし者〉が通りすぎたところでは、時が止まる。そして九日目にやつが破壊神シヴァのもとにたどり着いてしまうと、シヴァが〝時の終わり〟の舞を舞うことになるんだぞ」

「破壊神シヴァは『来なくていいよ』とかいわないの？」

「おまえというやつは、神々について何も知らんのだな」鳩はククッと鼻で笑ったように見えた。

アルは考えてみた。神々が実在することにおどろきはない。おどろくのは、神々と知り合いになれるということだ。神々は月のようなもの。ずっと遠くにあって、ふだんはほとんど意識しないが、その輝きを見れば、急に不思議に思えてくる。

アルは静止している母親と同級生を見た。

「みんな、止まってるだけだよね？」

「ああ、いまだけな。おまえが能なしでオタンコナスでなければな」

「は？ ナシ？ タンコナス？ それってフランス語？」

鳩は木の手すりに頭をぶつけて、うめいた。

「やれやれ、この世界ときたら、ずいぶん残酷なユーモアをおれにつきつけてくれるじゃないか。いいか、おまえは世界を正しい姿にもどすために必要な大事なひとりだ。もう一度いっておく。おまえがこの事態を引き起こした。そしておまえも、ふたりめも、それを救う英雄のはずなんだよ」

おまえはヒーローだといわれても、アルにはまったくそれっぽく聞こえなかった。盛大に壊したから、盛大にかたづけろといわれているみたい……アルは肩を落とした。

「じゃあ、そのふたりめってだれ？」

「おまえのきょうだいに決まってるだろうが！　ひとりで使命を果たせるとでも思うのか？　使命には一族の力が必要だ。兄か弟は――いや、姉か妹かもしれんのか。かつてここまでゆしきことはなかったはずだがな――いずれにしても、そいつはおまえを待っている。パーンダヴァのひとりが目覚めれば、ふたりめはたいてい、すぐに始まる試練に一番適した者が目覚める。しかし、これまでのパーンダヴァはみな成人していたからな。生意気なだけで頭がからっぽなガキどもなんてことはなかった」

「それ、ほめ言葉ってことにしとくね」

「ふん、よかろう。では行くぞ、人間の娘」

「待ってよ、そっちの自己紹介はなし？　名前も知らないんだけど」

アルはなんらかの確信が持てるまで一歩も動く気はなかった。

そもそも、どこに行くにしても、鳩が交通費を持っているとは思えない。

鳩は少し考えてから答えた。

「功績ある輝かしい名は、ガキが軽々しく口にするものではないが、スバラと呼んでかまわんぞ」

鳩は羽をつくろいながらつづけた。

「あー、おれは、その、話せば長くなる……。要するに、おれは手助けするためにやってきたってことだ」

「わかった。でもどうしてわたしが一緒に行くの？」

「不心得者（ふこころえもの）め！　おまえは〝ダルマ〟をわかっとらんのか？　ダルマはいわば〝法〟だ。〝守るべき正しい道〟

といってもいい。つまり、これはおまえの使命なんだぞ！　この〈時の静止〉は流行り病のように広がる。〈眠れし者〉が目覚めているかぎりはな。次の新月までにやつを止めないと、おまえの母親は永遠にこのままだ。それでいいのか？」

アルは顔がかっと熱くなるのを感じた。

もちろん、このままでいいわけない。でも、突然世界が逆回転しはじめて、アルはまだうまくバランスをとれていないような感じだった。

「……えっと、名前はスバラだっけ？　でも三文字って呼ぶときにちょっと多いかも」

アルは不安になってきた。

「助けるために来たってことは、こまったとき呼ぶんだよね？　ス、バ、ラっていってるあいだに手足がなくなったらこまる。スーでいい？」

「それは女の名前だろう。おれは男だぞ」

アルは、シッターのシェリリンがよく聞いているジョニー・キャッシュのヒット曲を思い浮かべた。あの曲のスーは男の子だった。

「そんなことない。『スーという名の少年』って歌があるよ。ほら、お父さんが出ていっちゃう曲、三歳のときに……」

「そんな貧乏くさい曲を持ちだすでない」スバラはむっとして、ゾウの口もとにパタパタと飛びあがった。

スーが気に入らないなら、なんて呼ぼうか、バーもなんだし……。

「ブーがいいか！　ブー？」アルはためしに呼んでみた。

そう呼ばれてスバラは、うっかりふり返ってしまった。それから自分のあやまちに気づいた。悪態をつき、ゾウの鼻のてっぺんに止まる。

「おれとしたことが、ふり返ってしまった……無念だが、いたし方ない、今回はゆずってやる。しかしおれがおまえだったら、その得意げな笑みなんぞ、さっさと消し去るがな。いいか人間の娘、笑っている場合ではないのだぞ。おまえのやったことが引き金となって、深刻な事態が次々に起こる。おまえがこの時代のパーンダヴァならば、それを解決する使命を負わねばならん。八百年以上、パーンダヴァにそこまでの使命はなかったんだがな……。だが、パーンダヴァになることはもちろん母親から聞いておるのだろう？」

ブーはアルの母親をじっと見た。

「聞いておるだろ？　よもや……」

アルは黙って、これまで母さんから聞いた話を思い返した。

たいしたことのない話ばかりで、ここで静止したみんなを助けることができそうな話は思い当たらない。ムクドリの群れがどうしてザワザワいうかとか、どうして物語がほかの物語にそっくり入りこんでしまうことがあるのかとか、チャイをいれるときどうしてミントの葉を最後に入れるのかとか。

だけど、使命とかいうものには心当たりがない。アルは、自分がパーンダヴァのひとりだという話も、どうして自分がそんな立場になったのかも聞いていなかった。

それに、万が一、この世を終わらせる引き金を引いてしまったらどうすればいいのかについても、なんの説明も受けていなかった。

おそらく母さんは、アルにそんなことができるとは思っていなかったのだろう。

英雄になりたいなどというとてつもない願望を、アルに抱かせたくなかったのかも。

アルは、こういうことについてはウソがつけなかった。いいのがれをして魔法のようにいつのまにか問題が解決したりする状況ではない。

「なんにも聞いてない」アルは顔をあげてブーを見つめ返した。

ブーの表情を見て、思わず両手をにぎりしめる。

鳩は目を細くして、鳩としてできるかぎりの、とがめるような表情をしている。だめなやつだといいたげにアルを見くだしている……が、それはちがう。

アルはヒーローの血――血じゃなくて魂だけかもしれないが――を引いているのだ。（少なくともそういう感じのはず。アルは転生の正確な仕組みがわからなかった）

「何も知らなかった。でも、これから学べるよ」アルはいった。

ブーは首をかしげた。

そのとき、アルの口にウソが次々とこみあげてきた。自分をなぐさめる言葉。悪意なきいつわりの言葉。

「先生に天才っていわれたことあるし」

体育の先生がいったのはいい意味ではなかったが、それは黙っておいた。

アルは一周一六〇〇メートルを一四分という遅いほうの最高記録を持っていた。二度目に走るときは全員、自分の最初の記録を更新するのが目標だった。そこでアルは、これしかないとトラックを無視し、校庭を歩いてつっ切ってゴールした。そして先生に嫌味をいわれた。

――自分を天才か何かとでも思ってるのか？

さらにアルは主張した。

「それにわたし、Ａの生徒だよ」たんに名前がAで始まるということだ。こんなふうにあることないこといいつのっていくと、本当のことは半分程度しかなくても、アルは元気が出てきた。言葉には力があるのだ。

「よかろう。心配無用ということだな」ブーはそっけなくいった。「では、行くぞ。時間がおしい」

クルッポーと鳩がひと声鳴くと、ゾウの口が大きく広がり、あごが地面に着いて、どこかへつづく通路の入口になった。どこからか吹きつける風が、博物館のよどんだ空気をかきまぜる。

アルは正面から風を受けた。

一歩ふみだしたとたん、アトランタから遠く離れた、まったくの別世界を歩くことになる……心は一瞬おどったが、同時に自分がしたことへの罪の意識も心に刺さった。

もしうまくいかなかったら、母さんは、この博物館のほこりにまみれた収蔵品のようになってしまう。

アルは母親の動かない手を、そっと指でなぞった。

「わたしがなんとかするから」アルはいった。「約束する」

「そうとも。できなかったら、ただじゃおかんぞ！」

ブーの強い声が、ゾウの鼻の上から聞こえた。

第5章

もうひとりのパーンダヴァ

ゾウの牙を手すりにして、アルはゾウの口の中に入った。

内部はひんやりとして乾燥しており、ありえないほど広かった。

石と大理石をけずった広間の天井はとても高い。アルはあっけにとられた。

いつもよりかかっていたゾウの内部に、こんな広間への通路が隠されていたなんて……。

ブーはすーっと通路を飛んでいき、アルをせかした。

「こっちだ、ほら早く！」

アルは走ってついていった。

背後の通路は、ひとりでにふさがった。

やがて、とじられた扉（とびら）が見えてきた。扉のすき間から明かりがもれている。

ブーがアルの肩に止まってアルの耳をつついた。

「イタタッ。なんでつつくのよ」アルは文句をいった。

「名前を変えてくれたお返しだ」

鳩（はと）はさも当然といわんばかりだ。

「さあ、〈あまたの扉〉に告げろ。『目覚めたきょうだいのもとに行きたい』とな」

きょうだい。

アルは急に気持ちが悪くなった。

母さんはほとんど毎週末出かけている。本当に仕事？　それともわたし以外の子供に会うため？　わたしより一緒にいたい子供なの？

「わたし、ひとりっ子だよ。どうして、きょうだいがいるの？」

「うむ、人と人のつながりは、血縁だけじゃない。おまえときょうだいはどちらも神々とつながりがある。おまえは神々の子だ。ということは、おまえの魂は神がつくったということだ。だからといって遺伝子が変わるわけじゃない。遺伝子なんて、おまえの身長は一五〇センチ程度とかを決めるだけだからな。おまえの魂とは関係ない。魂には、身長なんかないだろ。ま、そういうことだ」

アルの耳には「おまえは神々の子だ」からあとは、何も入ってこなかった。

アルはここまで、自分がパーンダヴァのひとりだというのは、なんとなく頭ではわかったつもりになっていた。でも本当にパーンダヴァだというのなら、それは神々のだれかが自分をつくることにかかわったということだ。その神がアルを自分のものだとみとめているということ……わが子だと。

アルは胸に手を当てた。体の中に手をつっこんで魂を引っぱり出したいという奇妙な衝動に駆られる。そして魂を裏返して見てみたい。Tシャツみたいにタグがついてたら、なんて書いてある？《天界製》とか？　実際にタグでも見ないと、とても現実とは思えない。

アルはそこで、父親が神ということよりもっと不可思議なことを思いついた。

「もしかして、わたしって女神とか？」

（だったら、そんなに悪くないかも……）

「ちがう」ブーがすかさず否定した。

「でも、パーンダヴァは半神だよね。天界の武器なんかも使うし。それならわたしも半女神ってことじゃない？」

アルは両手をしげしげと見つめ、スパイダーマンが蜘蛛の糸を投げるときみたいに曲げてみた。

「ってことは、わたしも魔法を使えたりする？　何かパワーがそなわってるとか？　そうだ、ヒーローといえばやっぱりマント？」

「マントなど、ない」

「何か、かぶったりは？」

「かぶるものも、ない」

「テーマソングは？」

「もう、かんべんしてくれ」

アルは自分の着ているものを見おろした。

長いこと離れればなれだったきょうだいに会うなら、スパイダーマンのパジャマ以外のものを着ていたかった。

「どうなるの？　その……次の、もうひとりのパーンダヴァに会ったら」

ブーは鳩っぽい角度に首をかしげた。

「そうだな、まずは〈異界〉へ行く。すっかり変わっているとは思うがな。あそこは人間の想像力とともにちぢみつつある。いまではちょっとした物置程度のサイズだ。いや、もう靴箱くらいかもしれん」

「そんなとこに、どうやって入るの？」

「空間ができるからな」

ブーはなんだか浮わついている。

「最盛期はすごかったぞ。ナイトバザールでは、夢をひもの先につけて売っていた。歌がうまければ、歌と引きかえに月明かりをちりばめたライスプディングが買えた。あんなすばらしいものは食べたことが――いや、やっぱり一番うまかったのは悪魔のスパイシーフライだ。あの歯ごたえといったら」

ブーは、悪魔のスパイシーフライと聞いてアルがぎょっとしたことには気づかないふりをした。

「〈異界〉の次は〈天界法廷〉だ。そこで〈守護神評議会〉から正式におまえたちの使命を聞くことになる」

評議会と口にしたとき　ブーの羽毛が少し逆立った。

「そこでおまえたちは武器を授かる。うまくいけばおれは本来の栄誉ある座にもどり、もうあやまちはおかさん。とにかくおまえと兄弟次第。いや、今回は姉妹か。いやいや、なんともはや……」

「武器？　どんな武器をもらうの？　そんなこと、学校じゃ教わらない。どうやって〈眠れし者〉が破壊神に会うのを阻止するの？　わたし、弓とか矢とか撃てないよ？」

「まったくそこから教えなきゃならんのか。いいか、矢を弓で射るんだ！」

「そうそれだよ。射る、ね。知ってたよ」

アルは体育が苦手だ。先週も、鼻の中をひっかいて鼻血が出たふりをして、ドッジボールをさぼった。

「どうやらおまえの力は眠っておるんだろうな。ぐっすりとな。おれが思うに、深く埋もれているんだろう」

ブーは横目でちらりとアルを見ながらいった。

「でも、神々が存在するなら、どうして助けてくれないの？　どうして『生意気なだけで頭がからっぽなガキども』にまかせるの？」

「神々はな、たまには手助けするが、自分たちに影響がなければ、むやみに手は出さない。あっちにとっては人間はただの〝寿命さだめられし者〟。まつ毛の先のちっぽけな塵にすぎないからな」

「じゃあ、神々はこの世界が丸ごとふみつぶされても、どうでもいいってこと？」

ブーは肩をすくめた。

「〝時〟でさえいずれは終わる。今回の危機に世界が巻きこまれてしまうかどうかは、おまえにかかってるんだぞ。神々はどちらの結果になっても受けいれるだけだ」

「そ、それって……やばくない？」アルはつばを飲んだ。

ブーはアルの耳をつついた。

「イタタッ！　ちょっともう。それやめて」と、アル。

「おまえは神々の子だぞ！　しゃんとしろ！」

アルは耳をさすった。

神って父親のこと……？　アルにはまだまったく信じられない。

アルはいろんなウソをついてきたが、自分の父親の話はしたことがない。

娘に興味もない相手を自慢するなんてバカみたい。わざわざ無理して実物よりいい人に仕立てあげる必要なんてない。そばにいたことすらない人なんだから。はい、終了。

母さんも、アルの父親のことは話題にしない。

ただ、うちに一枚だけ男の人の写真があった。黒っぽい髪のハンサムで肌は深い琥珀色。目がとても変わっていた。片方が青でもう片方が茶色なのだ。

あれが父さん？　ぜんぜん神さまっぽく見えなかった。〈神々の間〉にあるどの石像にも似てない……。

もっとも、古い石像はたいした手がかりにならない。どれも同じようなみかげ石や砂岩の彫刻で、すりへって笑顔も消えかけ、目は半眼になっている。

どうやらアル自身も神の一種らしいけど、鏡を見るたびに気になるのは、濃いまゆがいつもつながってしまいそうになっていること。神のはしくれだとしたら一本まゆなわけがない。

「さっさと〈あまたの扉〉に『きょうだいのところに行きたい』と告げろ」ブーがせかす。

アルは扉を見つめた。いくつかのシンボルと叙事詩の場面が彫られている。戦士たちが弓に矢をつがえて放っている。

アルがまばたきをすると、木の矢が絵の中を飛んでいくのが見えた。

そのまま手を押し当てると、彫刻された扉が押し返してきた。なんとなくネコが鼻を押しつけてくるような感じ。まるでアルのことを知りたがっているかのように。

「もうひとりのパーンダヴァに会わせて……」アルはそっと告げた。

アルは正しかった。言葉には力がある。「パーンダヴァ」と口にしたとたん、自分が何者かわかった。その感覚が、まるでバネがはじけるように体中に広がった。

悪くない気分だ。

ジェット・コースターに乗りながら、リラックスして、最初の怖さがべつの何か――興奮、喜び、期待――に変化するのを待っているような感じ。

わたしはアル・シャー。

突然、知っているはずの世界が一変した。幕がさっとあいて、想像もしていなかった舞台を見せてくれるように。そこには魔法があり、闇には秘密がひそんでいる。

生まれてからこれまで、くり返し聞いてきた物語に出てくる人たちが、仮面を脱いでこういうのだ――おとぎ話じゃありません、わたしは本物ですよ。

と、アルの顔から笑みが消えた。

母さんがおどろいた顔のまま静止している姿が浮かんだのだ……胸の奥深くに痛みを感じる。

（かならず助けるから、母さん。約束する）

扉があいた。

アルはあふれる光につつまれた。

ブーがクワッと声をあげる。

アルはぐっと前に引きよせられたように感じた。

ジョージア州のおだやかな気候がどこかに行ってしまっている。

すべてが寒くてまぶしい。

まばたきをすると、アルは自分が、大きくてぶかっこうな白い家の前の車よせに立っていることに気づいた。

日は沈みかけている。木の葉はぜんぶ散っていた。

そして、すぐ目の前にいるのは……巨大な亀？

いや、ちがう。女の子だ。小さな身体にふつりあいな巨大なバックパックを背負っている。腕組みをして立っているその子は、目の下が黒く、戦化粧をしてるように見えた。右手に太いペンを持って、左手にはアーモンドの袋。

「ねえ、〈異界〉にも蜂がいると思う？」その子が聞いてきた。

アルを見てもおどろいていないようだ。むしろちょっと責めるような目つき。

来るのが遅いと思ってる……？

「蜂アレルギーがあるかはっきりとはわからないけど、油断はできないでしょ。蜂に刺されると一分で死ぬことがあるの。一分よ。〈異界〉に救急救命室なんて絶対ないよね。治療の魔法とかはあると思うけど、間に合わなかったらこまるから」

その子はきりっとした目をアルに向け、それから探るようにぐっと目を細めた。

「あなたにも蜂アレルギーがないといいけど。薬のエピペンは一本しかないの。あ、これ分け合えるのかな？　半分はわたしがあなたに注射して、残りの半分はあなたがわたしに注射するって感じ？」

アルはその子を見つめた。

この子がふたりめ？　伝説のパーンダヴァ姉妹、神々の子のひとり？

少女はバックパックの中にある何かを探しはじめた。

ブーが芝生に顔をうずめてうめくのが聞こえた。

――ああ、神よ、なぜおれなんだ……。

第6章

見えないものをつかめ！

「ここに来たってことは、そっちも家族が静止しちゃったのね」

　声は少しふるえていたが、少女はなんとか平静をたもっているようだ。

「ねえ、念のためにお金持ってきてる？　お母さんの財布から持ちだそうと思ったけどできなかったの。なんだか悪い気がして」

　そこでくしゃみをすると、目を丸くした。

「やだ、まさか魔法アレルギー？　くしゃみが出るって――」

「ちょっと待て」ブーがいまいましそうにさえぎる。「おまえがパーンダヴァなのか？」

　その子はうなずいた。

「早く答えんか！」

　アルはつま先でブーをついた。

「ねえ、うんって、うなずいてるよ……」

「それじゃわからん」

「だからー、芝生に顔つっこんでるせいでしょ」

ブーは芝生につっぷしたままだった。

正面に建っているのは、この子の家のようだが、なんだか平凡だ。アルが想像していた神々の子が住む家とはまったくちがう。芝生は、いかにも郊外の家らしくきちんと刈りこまれていて、色にも魔法をにおわせる毒々しさがない。

ブーは苦労してあおむけになった。

アルはため息をついて、ブーを両手ですくいあげ、その子の顔の前にさしだした。

「これが、わたしたちの、えっと……」

「うむ、魔法にかけられたお目つけ役、相棒、息ぬき担当、まあ、呼び名はなんでもかまわん」

ブーはアルの手の上でそっくりかえったままつづけた。

「ゴホン、叙事詩（じょじし）『マハーバーラタ』で語られる英雄は、鷲（わし）の王や、かしこき猿の王子などの助けを得ていたものだ。だが、それもいまは昔。世界はすっかり輝くすべを失ってしまった。それで……まあ、おれというわけだ」

「ってことで、昔の英雄（ヒーロー）には鷲の王がついて、わたしたちには——」アルは大きく咳ばらいをした。「この鳩（はと）だよ。かつてはえっと、名の知られた〝まごうことなき存在〟だったんだって」

〝まごうことなき〟という言葉は映画でおぼえた。アルはその言葉を「きわだった」のような意味だと理解している。映画では偉大な女帝に対して使われていた。その女帝の顔は、素顔がわからないほど濃くぬりたくられていたからだ（あんなまゆ毛の人いないよ）。でも映画の登場人物たちはそれを女帝への侮蔑（ぶべつ）の言葉ではなくほめ言葉のように使っていた。げんにブーも、「まごうことなき」といわれてアルの手の中で姿勢を正し、翼を広げてうなずいた。

その子は〝本気じゃないよね?〟というまなざしをアルに向けた。

アルは肩をすくめた。鳩を元気づけるためのウソかもしれないし、本当かもしれない。アルはついこんなふうに話してしまう。いつもそうしてきたから。たいしたことないことでも、大げさに、さもすごいことのようにいう。

「わたしはアル」

その子は目をぱちくりした。

「あ、ミニです」

「え?」

「ミニです」その子はくり返した。

「たしかにミニサイズっぽいけど、あだ名じゃなくて——」と、アル。

「そう、これが名前なの」

「おっと、そっか……」

「それはいいけど……わたしたちって姉妹なの? 血のつながりはないけど。魂のつながりって意味で」

ついさっきパーンダヴァだと知らされたばかりのアルとくらべて、ミニは落ち着いて見える。

「そんな感じかな……」と、アル。

「なるほど」

アルはこのミニという子にいろいろ聞きたかった。

ミニは自分が何者か、親から聞いていたのだ。だからミニなりに準備をしていた。それに、何が起きてるかちゃんとわかってるようだ……アルと自分につながりがあるとわかるのは、ミニもまたパーンダヴァのひとりだからだ。

でも、この状況は、ぶかぶかの靴で歩いてるみたいに落ち着かない。

アルは百パーセント正直にいうと（そこまで正直になれるのは自分に対してだけだ）、胸が痛くなるほどがっかりしていた。

でも、何を期待してたんだろ？　すばらしいことを期待して、そのとおりになったことなんてないのに……。

去年の卒業生をまねくホームカミングデイもそうだった。ダンスパーティーがあると聞いて、アルはインドのボリウッド映画を連想していた。きらきらの会場に入ると、どこからともなく吹いてくる風に髪がなびき、みんながいっせいに踊りだすみたいな。実際には会場に入っても風は吹いてこなかった。そのかわりにアルはだれかにくしゃみを浴びせられた。炭酸飲料はどれもぬるくて、食べ物はぜんぶ冷めていた。みんながいっせいに踊りだすなんてこともなかった（みんな踊れるチャチャスライドはダンスに入らない）。会場に流れる曲は、ヒワイな言葉をピー音で消してあるのに、男子も女子も踊りながら異様に盛りあがっていた。監視役は「そんなにくっつかないで！　離れなさい！」とどなりつづけ、そのセリフはパーティーの終わり頃には「そこ、いちゃいちゃしない！　まったくもう！」になっていた。おまけに古いエアコンが途中でついに息を引きとってしまったので、帰る頃には、むっとする体臭の川をわたっている気分だった。はっきりいって最悪だ。

このミニという子との出会いは、あのダンスパーティーよりはぜんぜんましだが、アルはやはり損な役回りのような感じがした。

本当は〝ずっとあなたに会いたかったの〟的な笑顔でむかえられたかった……なのに実際に目の前にいるのは風変わりな見知らぬ女の子。それと、じょじょに正気を失いつつある鳩だ。

でも、もしかしたら本来すべての物事は、こういうものなのかもしれない。こういう〝ガッカリ感〟もふくめて使命なのかも。

わたしはヒーロー（っぽいもの）だから、がまん強いところを見せて、パーンダヴァの役割をこなせるところを証明する。それができて初めて、すごい魔法が起こるのかも。

そこで、アルは親しげな笑顔をつくってミニを見つめた。

ミニは一歩さがって、エピペンをしっかりとにぎりしめる。

パーンダヴァの生まれ変わりらしく見えないことにかけては、ミニはアルといい勝負だ。

しかも、ミニとアルとはぜんぜん似ていない。ミニはつり目で、肌は薄めたハチミツのような色。いっぽうアルの肌はもっと濃い栗色だ。まあ、それも当然か。ふたりのルーツであるインドは広大で、十億もの人が暮らしている。州によって暮らす民族もちがうし、話す言葉もちがう。

ブーはアルの手から飛び立ち、ミニの顔の前で羽ばたいた。

「こっちがミニで、そっちはアルだな。そしておれはおかんむりだぞ。あいさつはすんだな？　よし、〈異界(いかい)〉へ行くぞ」

「えっと、オカンムリさん？　どうやって〈異界〉に行くの？」と、ミニ。

ブーは目をぱちくりさせて、ミニを見た。

「おまえが何か力を受け継いでるといいな。とりあえず皮肉を受けとる力はないみたいだが」

「肉はあまり食べないの。そのせいかな？」

ブーはまた芝生に倒れこみそうになり、アルがすかさずキャッチした。

「おっと。ねえ、ブー、これから行くところがあるんだよね？　〈眠れし者〉は行く先々で人々の時間を止めていて、九日以内にそれを阻止しないと、みんな……」

アルは息をのんだ。声に出したとたん、急に現実味を帯びてきた。

「みんな静止したままになる」

「そうとも、〈異界〉へ行くぞ！」ブーがさけんだ。

それは劇的なひと言になるはずだった。バットマンが「バットモービルを！」とさけぶような。でも実際にはほとんど聞きとれなかった。ブーがアルの両手につつまれていたからだ。

アルは、ブーを近くの枝にとまらせた。

「行き方はおぼえてないの。一度行ったことがあるけど、そのときは車酔いしちゃって」と、ミニ。

嫉妬がアルの体を駆けめぐった。

「え、〈異界〉に行ったことあるの？」

ミニはうなずいた。

「お兄ちゃんが十三歳になったとき、両親がわたしも連れていったの。シッターさんが見つからなくて。子供に半神のきざしがあらわれたら、親は〈異界〉に連れていくものだから。そっちはちがったの？」

――そっちはちがったの？

アルはこの質問がきらいだった。いろんな状況で似たようなことをずっと聞かれてきた。

――お母さんが遠足にサンドイッチをつくってくれたの。そっちはつくってくれなかったの？

――うちの親はいつも合唱の練習についてくるの。そっちはついてこないの？

――ごめん、放課後あんまり時間ない。ママがむかえに来るから。そっちはむかえに来ないの？

アルの母親は、どれもしてくれなかったし、これからもしてくれない。こっちはちがう。

アルのこわばった表情が答えになっていた。

ミニはこまったような顔をした。

「きっとそのつもりだったのに、できなかったんじゃない？　そういうことってあるよ」

アルはミニを見た。まゆ根をよせている。同情してるんだ……。

アルは、蚊に刺されたときみたいに心がちくっとし、そのあとむずむずした。刺された跡は小さいけど、イライラするにはじゅうぶんという感じ。

アルの頭にはべつの疑問もわいていた。ミニが母親からすべてを聞いていたとしたら、母親同士の関係は？

たがいに話したことはあるのだろうか……だとしたら、どうしてわたしだけは知らなかったの？

サルスベリの木にとまったブーは、羽づくろいを始めた。

「そういうことだ。さあ、〈異界〉への行き方の説明をするぞ。まず――」

「え、車じゃないの？」と、ミニ。

アルは顔をしかめた。魔法のことはよくわからないが、〈異界〉が車で行くような場所とは思えない。

ブーは首を横にふった。

「おいおい、それは危険だ。〈眠れし者〉はおまえたちを探してるんだぞ」

アルの腕に鳥肌が立った。

「どうして？〈眠れし者〉はただ破壊神シヴァを目覚めさせたいだけなんだよね？　なんでわたしたちを探すのよ？」

「〈眠れし者〉のねらいは、おまえたちの武器だ。破壊神シヴァは天球の中にいる。その天球を壊せるのは不滅の武具、つまり神々の武器だけだ」

アルは頭が痛くなってきた。

「ちょっと待って。えっと、わたしたちは戦うために武器が必要。でもそれは自分たちの武器が武器に……ならないようにするため？　うーん」

「でも、武器なんてないわよね。少なくとも、わたしは持ってないけど……」

そういってから、ミニの顔から血の気がひいた

「もしかして、持ってないといけなかったの？　アルは持ってる？　これから手に入れても間に合う？　武器は指定されてるのかな、ほら共通試験のときはＨＢの鉛筆を使うって決まってるみたいな、それか――」

「ええい、やかましいっ！」ブーがどなった。「いまは武器はなくていい。特別な武器は特別な場所で手に入れるものだ。そういうことは〈守護神評議会〉にまかせてある。連中は〈異界〉で待っているはずだ」

ブーはふたりの前におりてきた。小さな円を描くように歩きながら、くちばしで地面をつついている。

「〈異界〉へいたるコツは、手をのばすこと。見えないものをつかまねばならん。さしずめ希望の糸をつかむようなもんだ。希望とかチャンスとかを『つかめ』っていうだろ？　イメージして、見つけて、つかむ。かんたんだろ」

「は？　希望の糸？　見えないものをつかむ？　ありえない……」と、アル。

「ありえたら、だれでも行けてしまうだろうが！」と、ブー。

ミニはメガネをちょっと押しあげてから、手を目の前にのばした。空気に噛みつかれたらどうしようというように、びくびくしている。

でも、何も起こらない……。

「きょろきょろしないで横目で見てみろ。たいていはそれで〈異界〉の入口が見つかる。肝心なのは見て見ないこと。信じて信じないこと。そのふたつの狭間をねらえ」

アルはとりあえずやってみた。ばかばかしいと思いながら横目で見ると、信じられないことに、何もなかった道の真ん中に、光のすじのようなものが垂れているのが見えた。

世界はじっとして、何も起こらない。

美しい家並みは、近くにありながら、はるかかなたにある。

手をのばせば、薄いガラスにさわることができそうな気がする。

「狭間をつかんだら、目をつぶれ」

ミニはブーの指示にしたがった。

アルもつづいた。何も求めず、同時に必死に何かを求めながら……。

はじめ、アルの指には何も感じなかったが……何かがふれた。温かい水の流れのようなものだ。

アルは、ある夏の日を思い出した。めずらしく母さんに連れられて湖に行ったあの日。湖の水はひんやりしていたが、ところどころ温かい水が渦巻いているところがあった。日ざしで温められた水が、リボンのように体に巻きついてくる。

だれかが水中でオシッコした、とかだったら最悪だけど。

つまり、そんな感じだ（温かさのことで、オシッコのほうじゃない）。

アルがその流れをつかんでみると、手にしっかりした出っぱりのようなものが感じられた――。

ドアノブ？

本物ではなく、魔法でドアノブのように見せかけているもののようだ。冷たい金属の感触なのに、身をよじらせてアルの手から逃げようとする。ギーギーと怒っているような音がしたが、アルはさらにしっかりとにぎった。考えを一点に集中する……入らせて！

ドアノブがわざとらしく咳ばらいをした。

アルは手前に引いた。

すると、小道や、しなびたサルスベリ、少しゆがんだ郵便箱があった場所に……光のパネルがあらわれた。

後ろでブーの翼の音が聞こえる。

三人は光の入口に足をふみいれた。

（もっとも、ブーはアルの頭の上にいて、歩いてはいないが）

目が少しずつ明るさに慣れて、アルが最初に見えたのは、頭上に広がる天井のようなものだった。そこは、星がちりばめられた巨大な洞窟だった。小さな光が通りすぎる。

「きゃあ、蜂！」ミニが悲鳴をあげた。

アルは目をしばたたかせた。

飛んでいるのは、光でも蜂でもなく蛾だった。羽が炎でできているようだ。そばを飛ぶたびに、かすかな笑い声が聞こえる。

洞窟の壁は影におおわれていた。どこにも出入口がない。外界からとざされた場所のようだ……。

アルは足もとの奇妙な床をよく見た。

色は灰色がかった白で、なんだかごつごつしている。タイルはどれも大きさがばらばらだ。実際に見れば見るほど、なんというか――。

「これ骨だね！」前のほうで声がした。「アルは骨って興味ある？　こんなに集めるなんてものすごく時間がかかっただろうね。すごく歩きやすいけど、歯には気をつけたほうがよさそう。糸切り歯がまざってるみたいだから」

アルはその場で凍(こお)りついた。

ミニはバックパックを探って吸入器をとりだした。

小さな光る蛾が、闇の中にある何かに集まっていく。ひとつまたひとつと羽をひらめかせ、そのままじっとしている。

影の中にいるだれかにボタンをかけていくように。その姿がはっきりとしてきた。

それはクリスマスツリーの小さなライトの上を転げまわったせいで、ライトが体じゅうにくっついてしまったワニのように見えた。ただ、色は明るい青で、大きさは三階建ての家くらいある。ワニのうれしそうな顔を見て、アルはぎょっとした。

ワニはうれしそうなんじゃない。空腹で、わたしたちを見てにやりとしてる……。

第7章

〈守護神評議会(しゅごしんひょうぎかい)〉

「食べないで食べないで食べないで」ミニがまくしたてた。

「食べるだとお？」怪物(かいぶつ)はおどろいたように目を丸くした。

その目は昆虫の目のようだった。七色にあやしく光り、よく見ると、プリズムがびっしり集まったテレビのスクリーンのようでもある。

「おぬしたちは食べられそうには見えんがのう。おお、すまない。けなしたわけじゃないんだぞ」

アルはけなされたとは思わなかったが、ここは黙っていることにした。

ブーがアルの肩からおりた。

「マカラよ！〈異界(いかい)〉の入口の守護者よ！」

アルはあっけにとられた。

本物のマカラ？　写真で見たことある……たいていワニみたいな姿の石像で、寺院や建物の入口を守っている。たしかガンジス川の女神が川をわたるときに乗るといわれている。

アルはつねづね、マカラって神の船みたいなもの？　それとも番犬っぽいもの？　と思っていた。うれしそうにしっぽをふってるところを見ると、番犬なのかも。

「マカラよ！　こたびのパーンダヴァ兄弟を連れてきた。ふたりのために道をあけ――」

「兄弟？　どちらかというと姉妹に見えるがのう」マカラは顔をしかめた。

「たいして変わらぬ！」ブーがいい返す。

「待て……おやおや、おぬしかあ」マカラはのんびりいうと、ブーをしげしげと見た。「おぬしなのか、これまた以前とはずいぶんちがうなあ」

「うむ、えー、そうだ。まあ、いろいろあってだな……」ブーは口ごもった。「とにかくだ、英雄たちが〈評議会〉に使命のことを聞きに来たのだ」

「おお！　また〈世の終わり〉の危機がおとずれたのだな！　それはそれは。また客が来ないかと思っていたところでな。なかなか来なくてなあ。前に〈宣告〉の場への扉をあけたのはいつだったか……そうさな、ずいぶん前よのう。もう何年たったかわからん。数えるのは苦手だからなあ……」

　マカラはきまり悪そうにいった。

「数えようとすると、いつも気が散る。話しててもなあ、ちょいちょい、こう……」そこで昆虫っぽい目をしばたたいた。「それより腹がへったなあ。もう帰っていいかな？」

「マカラよ」ブーが声を低くした。

　マカラはおどおどと床に身をかがめた。

「〈天界法廷〉の扉をあけてくれ」ブーがつづけていった。

「おお！　そうだった。もちろん、あける、あけるぞ！　でもその前に、この者たちがおぬしのいうとおりなのか、たしかめんとな。それで、だれだったか……ん？　人間か？　いつだったか動物図鑑でハタネズミを見てなあ、本物はまだ見たことがないんだが。ひょっとして、この者たちはハタネズミか？」

「わたしたち人間です」思わずアルが答えた。

「それにしてはまた、ちっこいな。本当にハタネズミじゃないのか？」

「これからもっと大きくなります」ミニがいった。「小児科の先生には、一五五センチ、つまり五フィート二インチ以上にはならないだろうっていわれたけど」

「五足(フィート)、ふうん、足が五本生えるのか？」マカラはごろりとあおむけになってずんぐりした足を上にあげた。「ほれ、足は四本でじゅうぶんだと思うがなあ。五本もあったらバランスが悪い。まあ、これはわしの意見だが」

マカラは頭を持ちあげ、ふたりの内部まで見すかそうとしているようだ。

プリズムの目の奥で何かが光っている。

すると、アルには、博物館のドアをあけてポピー、アリエル、バートンの三人をむかえる自分が見えた。それから、ライターの炎がランプの口に近づいていくところも。

マカラの瞳の奥でまた何かがチラチラときらめく……。

次に見えたのはミニだった。ソファーで静止した両親に気づいたところだ。テレビには映画が映っている。少年はミニの兄だろう。放りあげたボールが空中で止まっている。

まずミニはリビングの床にうずくまって、泣いて泣いて泣いた。しばらくして、二階へ行ってバックパックをとりだした。鏡に映る自分を見て、母親のアイライナーを手にとり、自分のほほにぐいっと線を引いた。戦士の化粧だ。それから、動かない両親にキスをし、動かない兄にハグをしてから、外に出て、どんなに邪悪な相手とでも対決する、という覚悟を決めた。

ミニは勇敢だ。アレルギーと魔法の蜂だけは怖がるけど。

アルは顔が熱くなるのを感じた。ミニとくらべたら、自分はまったく意気地がない。

「なあるほど、おぬしのいったとおり、本当のようだなあ！〈評議会〉も信じてくれるといいなあ」

「まさしく」ブーがわざとらしく咳ばらいをした。「おれはウソなんかつかん」

アルは内心、自分はブーと同じことはいえないと思った。

ミニがアルを見つめていった。

「ランプをつけたのって、アルなの？」

（ああほら、きっと、責められる……）アルは身がまえた。

アルを怒らせたと思ったのか、ミニはあわてていった

「起こるべくして……ってやつよ。お母さんがいってた。〈眠れし者〉はいつもわたしたちと戦おうとするって。だいじょうぶだよ、べつに怒ってるわけじゃないの。だって、ランプが何をするかなんて、知りようがなかったでしょ」

それはそうだけど……アルはランプに火をつけてはいけないことは知っていたのだ。ただ、母さんはその理由を話してくれていなかった。だからアルは、どこの親もよくいう注意だくらいに思っていたのだ。「外に行

くなら日焼け止めをぬりなさい、真っ赤になるから」みたいな。

日焼けといえば、地元のヒンドゥー教の寺院がおこなったサマーキャンプの世話役が、しつこく「外に行くなら日焼け止めをぬりなさい、しみができたら〝嫁のもらい手〟がいなくなるわよ」といってたっけ。大きなお世話だよね。真っ赤になるほど日焼けしたことなんてないし、そもそも十二歳で〝嫁のもらい手〟なんていらないし。

この世に日焼け止めはあるけれど、魔物止めというものはないのだろう。結局、事実はひとつ。ランプに火をつけてはいけなかったのに、つけてしまった。起こるべくして起こったことだとしても、やったことが消えるわけじゃない。罪悪感が胃を駆けめぐり、アルは吐き気を感じた。

輝く蛾が、アルとミニとブーの目の前でひらひらと舞っている。光る羽を大きく広げて飛びまわるようすは、星の光で描く飾り文字のよう。輝きながら舞う群れに、ふたりと一羽は完全につつまれた。

「達者でなあー、食べられないちっこい人間とスバラよ！」マカラの姿はもう見えず、声だけが響いた。「この先おまえさんたちが出会う扉がすべて開かれんことを！　そして、たたき出されたりせんようになあ！」

蛾の群れがすっと消えると、三人は広い空間にいた。

ここが〈天界法廷〉？

見あげると、雲がまだらにかかり、周囲には輝く光の帯がある。

かすかに音楽が聞こえてくる。

あたりにはいい香りがただよって。夏の嵐が去ったあとの草原にいるかのようだ。

ハチミツとミントと夏草……世界がいつもこんな香りならいいのに、とアルは思った。

となりでミニが、ウッと胃をおさえた。「ねえ、下にあるの……くも？」

「とくに蜘蛛がきらいなの？」と、アル。

「虫の蜘蛛じゃなくて……空の雲……わたし、高所恐怖症なの！」

「高所？」

アルは下を見て、見たことを後悔した。自分たちが地表のはるか上空に浮いているように見える。というか、実際に浮いているのだ。

アルの足には雲の切れはしがからみついている。

その下は……何もない、底なしの空。

「その雲のスリッパは脱ぐなよ」ブーはふたりの横で羽ばたいている。「脱いだら、大惨事になるぞ」

「ねえ……〈評議会〉ってここであるの？」ミニは半べそをかいていた。

「そうだな、〈評議会〉の集まりは毎週火曜と木曜、満月の日と新月の日、それとドラマ〈ゲーム・オブ・スローンズ〉の初日と最終日だ」

玉座といえば……見まわすと、たしかに玉座のような大きな椅子が七脚、浮いている。すべて黄金でできているようだ。

一脚だけ輪からはずれたところに浮いている椅子は、色あせてさびついている。玉座の下のほうに消えかかった文字があり、かろうじて《U》《A》《L》《A》の四つのアルファベットだけが読みとれる。

ほかの玉座の名前はくっきりしていてぜんぶ読めそうだ。
読んでいくうち、アルははっと息をのんだ。母さんの話に出てきたり、博物館の展示品についてる名前ばかりだ——。

ウルヴァシー。精霊アプサラスのひとりで、天女たちの女王。天界の歌と踊りの担い手でもあり、絶世の美女といわれている。

ハヌマーン。猿の顔を持つ神。風神の息子で、驚異的な強さで知られる半神だ。叙事詩『ラーマーヤナ』のラーマ王子が魔王と初めて戦ったとき、この猿神が不思議な術で王子を手助けしたという。

ウルーピーとスラサー。それぞれ蛇族ナーガの女王の名前だ。

ジャーンバヴァーンは熊の王で、クベーラは富の神といわれている。

ここに名前のある神々は不死であり、守護神として人々に大事にされているが、インド神話の主要な神々とは少しちがった存在の神々だ。

ブーから〈評議会〉と聞いてアルが想像していたのは、サマーキャンプのきびしい指導員みたいな人たちだった。まさか、小さい頃からくり返し聞いてきた神話や伝説に出てくる神々だなんて……。

ああ、こんなときにスパイダーマンのパジャマを着てる……悪夢だ。スターが集まる映画の初日にレッドカーペットを歩くとき、パーティーグッズのとんがり帽子かぶってアヒルのゴム長はいてるレベル！　なんでこんなことに？

「ねえ、ミニ、わたしのいまのかっこうって、十段階評価でどれくらいひどい？　レベル10が〝そんな服いますぐ焼きすてろレベル〟だとして」

「そうね、焼きすてたら素っ裸になっちゃう」ミニはあきれている。

「つまり……レベル10のひどいかっこうだけど、これでがまんするしかないってこと？」

ミニは黙りこんだ。「うん」といったのと同じだ。

「まあ、肌むき出しよりパジャマのほうがましだろう」と、ブー。「もっとも、倒した魔族の皮をはいで着ておるというならべつだがな。それなら英雄にふさわしかろうよ」

魔族の皮なんて重くて、くさそう。アルはあきらめた。

「それならポリエステルでいいや」

「ポリー・エステル？　そいつの皮をはいだのか！」

ブーの声がうわずった。鳩としてはこれ以上無理というほど動揺した顔をしている。

「いまどきの中学生ときたら、ああ恐ろしい」

アルとブーの会話が不毛になってきているのに気づいたのか、ミニがさえぎった。

「見て、半分になってる玉座もあるのね。どうしてかな？」

アルは円形に並べられた玉座に近づいた。

いくつかの椅子が部分的に透きとおっている。

「うむ、〈評議会〉の守護神は、全員が同時にそろうとはかぎらない。世界を救う必要がないときに全員集合しても意味がないだろう？　この十年、いや二十年間はだれもランプに火がつくなど思ってもいなかった。〈眠れし者〉へのそなえなど、まだまだ先だと思っていたんだ。なのに、だれかさんが……」ブーはここでアルを見た。

アルはとぼけて目をぱちくりさせた。

（え、だれ？　あ、わたしか）

横でミニが、よせばいいのにまた足の下を見てふらつき、「吐きそう」とうめいた。

「おいおい、かんべんしてくれ！」

ブーは、ミニの前で羽ばたきながらミニの鼻をつついた。

「ふたりとも、守護神たちの前でおれに恥をかかせるなよ。ほら、気をつけ！　羽を整えろ！　くちばしをまっすぐ！」

「待って、何が起きるの？」と、アル。

いつもなら人に会うくらいで緊張したりしないが、ウルヴァシーやハヌマーンはそこらの人とはちがう。伝説上の神々だと思っていたのに、これからその本人たちに会うというのだ。

「いいか、つまるところ〈評議会〉の任務は、使命を告げるってことだ。〈眠れし者〉は出現したばかり。これから天界の武器を手に入れ、それを使って破壊神シヴァを目覚めさせようとしている。おまえたちは先に武器を授からねばな」

「わたしたちだけで？」と、ミニ。

「おれさまがついてる」ブーがすましていった。

「なるほど。『かかってこい、魔族』ってセリフ、たしかに鳩の相棒にぴったりだもんね」

「おい、そろそろ、いいかげんにしろよ」ブーはむっとしている。

「うん、それなら悪くないよね！」ミニはつとめて明るい声を出した。「で、〈評議会〉の人たちはわたしたちを助けてくれないの？」

そのとき、だれかがシャンデリアにさわったようなシャラシャラという音がした。笑い声だった。

「このわたくしにそなたたちを助けるすじあいがあるとでも申すか？」よく通るすんだ声がした。

さっきまでは夏の嵐が過ぎ去ったあとの草原の香りがただよっていた。いまは世界中のすべての花を集めて抽出した香水のような香りだ。いい香りというには強烈すぎる。

ふり返ると、この世で最も美しい女性がすわっていた。玉座の名前を見ると《ウルヴァシー》とある。

黒のレギンスの上に白いシャツをはおった姿……インドの民族衣装サルワール・カミーズだ。シンプルな白シャツは一見ふつうのコットンのようだが、よく見ると月光を編みこんだようにしっとりと輝いている。両の足首にはグングルーと呼ばれる小さな鈴を連ねたアンクレットを着けている。長身で肌は褐色。耳の横で編んだ髪が少し乱れていて、踊りの練習からぬけてきたように見える。天界では踊りの名手としても知られるウルヴァシーだから、本当にいままで踊っていたのかもしれない。

「これか？　この世を救うためにおまえが連れてきたのは。これではわが身にみずから火をつけ、破壊神の手間をはぶいてやるほうがましというもの！」

アルは少したってから気がついた。ウルヴァシーが話しかけている相手はアルでもミニでもない。ブーに話しかけている。

天界の舞姫ウルヴァシーの左から、低く力強い笑い声が響いた。

「はっはっは、ウルヴァシー殿、こやつにお召し物を台なしにされたこと、貴殿はまだ、うらんでおられるのか？　あれからもう千年にもなろうというのに」

猿神ハヌマーンが玉座に姿をあらわした。シルクのブレザーに木の葉柄のシャツを着ている。しっぽを玉座の背にひっかけ、片方の耳に小さな王冠のような宝石をぶらさげている。

「あれはただの服ではない。大猿ごときに何がわかる。このわたくしに目をうばわれた者どもの、はねあがった鼓動を集めてつくったもの。縫うだけで何百年もかかったというのに！　そのことをスバラは知っていたのにだ！」ウルヴァシーは激しくいいつのる。

「ナニ？　そやつなどいまは鳥ではないか。ハナから期待などしないほうがよかったのだ」と、ハヌマーン。

「おれは鳥ではない！　わかっておろうが！」ブーがどなった。

アルはこの言い合いに面食らっていたが、しばらくしてミニが自分のそでを引っぱっていることに気づいた。

ミニはさびついた玉座の文字を指さしている。

さっきの《U》《A》《L》《A》だ。

そのとき、アルにも消えている文字がわかった。《S》と《B》だ。

文字が消えている場所に入れると——。

《ＳＵＢＡＬＡ》——スバラだ！

ブーは守護神のひとりだったのだ。

だが、ブーはほかの神々のようには見えない。輝きも力もない。それに、ブーの椅子は玉座の輪からはずれている。いったい何があったのだろう。

「なぜおれがここに来たかは、わかっているだろう」ブーは守護神たちにいった。「このふたりが、こたびの選ばれし英雄（ヒーロー）だ」

ウルヴァシーはいやそうに鼻にしわをよせた。

「わたくしたちの役目は、人々の救世主を育て助けることから、子守りに変わったとでも申すか？　まったく、ばかばかしい」

「わたしたち、子供じゃありません」アルは真っ赤になった。

「えっと、アル……わたしたちまだ子供だよ。シッターが必要だし」ミニがアルにささやいた。

「じゃあ……思春期の若者です」

「それも同じじゃない？　言葉はちがうけど」

「まあね、でも聞こえはましだよ」アルもミニにささやき返す。

「どちらにせよ、同じこと。わたくしの、手を、わずらわす、価値、など、ない」

玉座のひじかけをビシッとたたくと、ウルヴァシーはそのふきげんなまなざしをブーに向けた。

「正直に申せ。どういうことで、ただの人間の子供ふたりを連れてきたのだ？」

「どうって、いつもどおりの手順で、だ」ブーはむっとした。「それに、ふたりはただの人間の子ではない。パーンダヴァの魂を持っている。これは本当だ」

「ほう、この者たちがパーンダヴァなら、おまえが守護者に選ばれるとはなんとも皮肉なことだこと。胸のすく、いい気分だのう」

ウルヴァシーの笑い声がグングルーの鈴のように響いた。

「それにしても、信じられぬ。パーンダヴァの魂はしばらく眠りについておろう。なぜ、いまになってあらわれたのだ？」

アルは、胸に猛烈な怒りがわいてきて、話に割りこんだ。

「〈眠れし者〉が目覚めたからです。それに家族を救うために助けが必要です」

となりで、ミニも真剣な顔でうなずいている。

アルはつづけた。

「だから、武器をください。そして、何をすればいいのか教えてください」

ハヌマーンが、きびしい表情でアルたちをじっと見つめた。

「何？〈眠れし者〉だと？」しっぽが後ろでぴんと立った。「恐れていたことだ、のう、ウルヴァシー殿。われわれが心配していたのはすべて……やつのことだ」

そのとき、足もとの空が消え、パチパチという静電気の音とともに巨大スクリーンのようなものがあらわれた。

ハヌマーンがぱっと手で払うようなしぐさをすると、スクリーンに映像が映しだされた。

最初の映像は《古代インド文化芸術博物館》の前の通りだ。風に飛ばされた葉は、落ちることなく空中にとどまっている。動いているのは雲だけだ。あたり一帯は静けさにつつまれているが、心地よい静けさではない。墓場のような静けさ——孤独で、不気味で、なんの変化もない。

次の映像は郊外の通り、アルが最初にミニと会った場所だ。少年がふたり、漫画本をはさんでしゃべっている途中で静止している。バスケットボールを手にした少女は、シュートの姿勢のまま空中で止まっている。

アルのとなりで、ミニが大声をあげた。

「おとなりの子よ！　みんなだいじょうぶなの？　ねえ知ってる？　十二時間も水を飲まないとどうなるか。死ぬこともあるのよ。どうしよ——」

「まあ静止している者たちは、いまは無事だ。だが、〈眠れし者〉を新月までに止めねば、終わりだろうな」

ハヌマーンがいった。

アルはのどがつまった。

映像の中の、会ったこともない人たちまで危険にさらしているのは、ランプに火をつけてしまったせい……つまり、わたしのせいだ。

「〈眠れし者〉はすぐそこまでせまっている。おれたちの居場所を探している」ブーは重々しくいった。

「『探す』などという、おとなしいものではなかろう。あやつは『狩り』に来るのだ」ウルヴァシーがいった。

アルは背すじがぞくっとした。

でも、どこか腑(ふ)に落ちない。もし〈眠れし者〉がアルたちを探しているなら、ランプをつけたとき、なぜそのまま博物館にとどまらなかったのだろう。

本当に探している（『狩る』という言葉は却下！　わたしたちは女の子であって、狩られる獲物のウサギじゃない）としても、何かたくらんでいるのはたしかだ。少なくともわたしが魔族ならそうする。自分を倒そうとする相手がいるなら、とにかく相手を煙に巻いておく。チェスみたいなものだ。なるべく相手に動きを読まれないようにする。最後の目標、キングをとるためには、まず相手の守りをはずすのが定石(じょうせき)だ。

「あの……ほかにも何か起きているんですか？」と、アル。

ウルヴァシーはうんざりしたように口をすぼめ、あざ笑った。

「ふん、この世界がゆっくりと止まっていく以上の、何があると申すのだ？」

だが、ハヌマーンはアルの問いかけをわかってくれた。しっぽをピシッとまっすぐにすると、ゆっくりといった。

「乗り物がな……神々の乗り物がなくなったのだよ」

アルは母親から伝説を聞いていたおかげで、ハヌマーンのいう「乗り物」が車や自転車のようなものではないと気づいた。神々が使う特別な乗り物のことだ。たとえば、新たな始まりの神、ゾウの頭をした神ガネーシャはネズミに乗る。

（ゾウを運ぶなんて、かなり筋肉ムキムキのネズミだろうね）

幸運の女神ラクシュミーの乗り物はフクロウ。神々の王である雷神インドラの乗り物は、七つの頭を持つ堂々とした馬だ。

「〈眠れし者〉は天界の力を弱めることも、もくろんでおる」

ウルヴァシーの目がだんだん大きく開いた。

「あやつはまさしくこちらの足を切り落とすつもりだ……それにしても、まことに目覚めたのなら、なぜ天界の使いが……このような小童なのだ？」ウルヴァシーは激しく手をふってアルとミニをしめした。

ミニはバックパックをぎゅっと抱きしめた。目をうるませ、いまにも泣きだしそうだ。

「でも……わたしたちはたしかにパーンダヴァなんです」

アルはウルヴァシーをにらみつけ、声がふるえないようにこらえた。

「それに、〈評議会〉の仕事っていうか、えっと――」

「これは〝ダルマ〟だ」ブーが小さな声でいった。「守護神としておこなうべき〝正しき道〟だ。今回は〈眠れし者〉と戦うパーンダヴァたちを最後に一度だけ助けることだからな」

戦う？　最後に一度だけ？　アルにはぜんぶ初耳だ。

守護神のふたりも、ブーの言葉に顔をこわばらせている。

「そう、そういうことなんです。だからわたしたちを助けてくれますよね」と、アル。

「まことか？　……では、われこそはパーンダヴァだと申すなら、証しを見せよ」ウルヴァシーの声は、とてつもなくひややかだった。

ハヌマーンは自分の玉座の上に立ちあがった。

「いや待て、ウルヴァシー殿！　われらは、準備のできていないものを無理やり、〈宣告〉のもとに置いたりはせぬぞ。これまでのパーンダヴァたちは、少なくとも訓練を受けていたではないか」

そういってハヌマーンはアルとミニを見おろした。

「それに、この者たちは、まだほんの子供だ」

ウルヴァシーは冷酷な笑みを浮かべた。

「掟（おきて）によれば、在任の守護神が全員一致でこの者たちを半神とみとめる必要がある。さて、わたくしはみとめぬ。この者たちが、まだほんの子供だというなら、無理してやらねばよいだけのこと」

アルが何かいおうとすると、ミニに先をこされた。

「証明します」

ミニはおろした両手をぎゅっとにぎりしめている。

ミニのこのありったけの勇気を見て、アルの胸に誇らしさがこみあげた。

でも、ブーはとくにこみあげるものはないようで、パタパタと以前の自分の玉座に飛んでいき、鳩としてできるかぎりの、まじめくさった顔をした。

「よろしい。では、〈宣告〉を受けるがよい！」ウルヴァシーが宣言した。

〈天界法廷〉が影の中にすっとさがった。

すると玉座があったところに、べつのものがあらわれた。

五つの大きな石像だ。

ここが空の上じゃなくても、石像の頭は雲の中まで届きそうだ。

アルの胸は早鐘を打ち、さっきまでの元気はどこかへ行ってしまった。

「〈宣告〉っていわれたけど、わたしたち、何を宣告すればいいんだろう？」と、アル。

「保険とか、控除に必要なものかな」ミニが割って入った。アルの困惑もおかまいなしだ。

「あ、それって申告だっけ。うちのお母さんは税理士で、よくそういうことといってたから」

「おまえらじゃない。〈宣告〉をおこなうのは神々のほうだ。パーンダヴァ五兄弟はそれぞれ父となる神がちがう。これでおまえたちの父親がどの神かわかるぞ」ブーがいった。

母さんから聞いた話では、パーンダヴァの兄弟は五人。

上から三人の、ユディシュティラ、ビーマ、アルジュナは、それぞれ死と正義の神、風の神、雷の神の息子だ。

つづく双子の弟、ナクラとサハデーヴァは、医薬と宵の双子神アシュヴィンの加護で生まれた。

そして、本当はもうひとり。カルナという知られざるパーンダヴァの兄、太陽神の息子がいる。

父親だけでなく母親もちがったりするのに、五人がどうして兄弟と呼ばれるのかわからない。前にブーがいったように、血のつながりではなく、魂の神性が兄弟をつないでいるのかな、たぶん……。

「待って。それじゃ、天界から手がおりてきて、品定めとかされるの？『おお、これがおれの子か？』みたいな感じ？」と、アル。

「書類とか必要なのかな、それとも話し合いですむ？　ううんそれとも、針で何か採取されちゃう？　親子のＤＮＡ鑑定みたいに」ミニの声はうわずっている。

ブーは、何が起こるか知っていたとしても、答える気はまったくないようだ。ふたりを無視して、大きな石像のひとつに歩みよった。

「さあ、おれが告げる神の名にプラナーマしろ」

プラナーマは、足にふれるおじぎだ。寺院で僧に対してするほか、敬意を払うべき年配者に会ったときもする。

「母方のおじいちゃんとおばあちゃんが来ると、いつもやらされるの」ミニがひそひそとアルにいった。「おじいちゃんの足が、すっごいもじゃもじゃで……」

「お父さんのほうのおじいちゃん、おばあちゃんにはしないの？」と、アル。

「しない。フィリピン人だから。ロラの、あ、これタガログ語でおばあちゃんってことだけど、ロラの足にさわっていいのは、マッサージするときだけ」

「静かにせんか！」ブーがふたりをたしなめた。

「どうやったら、どの神がわたしたちを〈宣告〉してるってわかる？」アルが聞いた。

「うむ、かんたんなことよ。神は〈宣告〉すれば、その者を殺さない」

「こ、殺す？」ふたりは同時に声をあげた。

〈天界法廷〉をかこんでいた光の帯が、チカチカしはじめた。

「心配無用だ。おれがパーンダヴァをまちがえたことなんか……」ブーはすまし顔でいった。「一度しかない」

「ちょ、その人どうなった――」

「アル、あぶない！」ミニがさけんで、アルを押した。
光の帯がゆっくりとばらけて小さな光の粒に変わる。
しかし、近づいてくると、光る粒は星くずなんかじゃないことがわかった。
矢の先だ。
そして、その矢はいっせいにふたりに向かってきた。

第8章

父親はだれ？

アルはよく映画を見る。たぶん見すぎだ。本人はそんなこと気にしていないが。

これが映画だったら、いまこそ自分の人生が走馬灯のように見えて、まわりの人たちがこう泣きさけぶところだ。

「そっちに行っちゃだめ！」「その光のほうへ行くな！」

アルとミニをめがけて、矢はどんどんせまってくる。

ヒュッ、シュッという空気を切りさく音――。

アルはがらんとした空に視線を走らせた。

いまは映画のお約束を気にしている場合じゃない。ここから出られるなら、トンネルの向こうにあるあやしげな明かりだってなんだって、かまわず追いかけてやる……。

だが、矢の雨は、いきなり止まった。まるでだれかが一時停止ボタンを押したみたいに。

「心配するな。矢は本当に刺さったりはしない。叙事詩『マハーバーラタ』の五人の父なる神にきちんとあいさつするまではな」ブーがいった。

アルとミニは身をよせ合ってうずくまり、頭のすぐ上でぶるぶると振動しながらとどまっている矢を見あげていた。

無数の矢が、ふたりを射ぬくのを待ちきれずイライラしているように見えるのは、気のせいだと思いたい。

「それは、いいニュースだね」アルが切り返した。

「冥府神ダルマラージャよ、お越しください」ブーは重々しい声でいった。

死と正義の神、冥府神ダルマラージャの像がぬっとあらわれた。

灰色のするどい牙がくちびるの両はしからのぞいている。いっぽうの手には死後に魂を罰するという〈ダンダの杖〉を、もう片方の手には死んだ魂をとらえるための投げ縄を手にしている。

この神の息子はパーンダヴァ兄弟の長男、ユディシュティラだ。高潔で公正で賢明なことで知られている……そう思うと、アルは息苦しくなった。

ダルマラージャが父親だったら？　うーん……一番かしこくて公正な神の子は、なんだか荷が重すぎる。

「さあ、プラナーマの礼をせんか！」ブーがささやく。

ミニとアルはあわてて像の足にふれた。

「雷神インドラよ、お越しください」と、ブー。

次は、天界の王である雷神インドラの像があらわれた。肌は雷雲の色。手には稲妻を象徴する金剛杵を持っている。

さすがにわたしがインドラの娘ということはないだろう、とアルは思った。インドラの息子のアルジュナは、まさに勝者だ。パーンダヴァ兄弟の中でもとりわけ有名で、冒険譚も一番多く、信じがたいほどの弓矢の腕前で知られている。

かしこく公正なユディシュティラで荷が重いなら、あらゆる伝説の中でもダントツの英雄アルジュナだったらどうなる？

それは遠慮します、とアルは心の中でつぶやいた。

「風神ヴァーユよ、お越しください」と、ブー。

あ、ヴァーユの子ならそんなに悪くないかも、とアルは思った。

あらわれた風神ヴァーユは、そよ風を身にまとっていた。褐色の肌でインドのボリウッド映画に出てくるかっこいい俳優を思わせる。進む方角を知らせるための、はためく三角旗を手にしている。ヴァーユの息子のビーマはとにかく強い。バカみたいに大食いで、おまけに気が短い。

アルはそういったことを考えて、ビーマなら自分でもいけそうだと思った。

「双子神アシュヴィン、ナーサティヤとダスラよ、お越しください」と、ブー。

馬の頭を持つ二体の像がうなった。明けと宵の双子神は医術の神でもある。その息子も双子だ。美しさのナクラとかしこさのサハデーヴァ。

美しさで知られるなんて悪くないな、とアルは思った。かしこさのほうは不安だけど。

ミニとアルは、神々にうやうやしくひざまずいてプラナーマのあいさつをした。

最後のプラナーマが終わると、ふたりは神々の輪の中で背中合わせに立った。

頭上では、大量の矢が、待ちきれないとばかりに音をたてて振動している。どう猛な獣が獲物を引き裂く前にする武者ぶるいに近い。

もうだめかも……矢は当たらないとブーが保証したのは、プラナーマが終わるまでだ。

ふたりともプラナーマをやり終えてしまった。

空(くう)を切るするどい音――針の雨が降りそそぐときのような音？

矢のうちの一本が、アルの足もとにつき刺さった。

ミニが悲鳴をあげる。

さらに数本が足もとに刺さる。一度にではない。そんな生やさしいものじゃない。

だれかが神々をそそのかしているのだろうか。

どちらがお気に召しました？　命を助けるのはどちらにします？　さ、お考えください、と。

アルは両手で顔をおおい、指のすき間からようすをのぞこうとした。

「逃げよう！」ミニが、アルを像の輪の外へ押し出そうとした。

アルは後ろによろけた。さっきまで立っていた場所のすぐ上で、矢が束のようになって静止している。

「落ち着け！」ブーがどなった。

「矢が飛んでくるのに、だれが落ち着けるっていうのよ！」アルがどなり返した。

「たしかに、それは神くらいだな」

「わたしたち、神さまじゃない！」ミニがいった。

「ああ、よく気づいたな！」と、ブー。

あせったミニは、バックパックを手にアルのそばへ来ると、小声でいった。

「隠れようよ」

そんなことして役に立つだろうか。矢はどうやってもふたりを見つけそうだ。

アルは、石像の冷たく表情のない顔をじっと見た。

(神々は、わたしたちのことなんて、どうでもいいの?)

アルは、石像の足の指を一本引っこぬいてやろうとした。その指を矢に向かって投げ返せば、何も変わらないにせよ、抵抗した気にはなれるかもしれない。

だが石の指はびくともしなかった。

目の前にまた矢がつき刺さる。

一本はアルの足の小指のすぐそばだった。耳もとをシュッとかすめた矢もある。

見あげると、矢はコウモリの集団のように見えた。

「もう、おしまい……」ミニはバックパックを手にうめいた。風神ヴァーユの像の足にぴたりと体を押し当てている。

アルは、そのとなりで身がまえた。

矢が風を切ってうなりながらアルに向かってくる。

矢の巻きおこす風が顔に当たる。

アルは両手を広げ、目をぎゅっととじてさけんだ。

「止まれ！」

うなっていた風がやんだ。

アルはそっと目をあけた。両手は広げたままで。

アルは一瞬、自分が矢を止めたのかと思った。

が、目の前で網（あみ）が自分を守っていた。バチバチと火花を散らしている。まるで稲妻でできているみたい……。


足もとを見ると、何もない。体が浮いて光につつまれていた。

この瞬間アルは、ひどくばかげたことをふたつ思いついた。

1　ライオン・キングの歌『サークル・オブ・ライフ』を大声で歌いだす。
2　吐（は）く。

見えない力にぶらさげられたアルは、いや、どちらもやめておこう、と思いなおした。

見まわすと、矢は消えており、石像の位置が入れかわっていた。

先ほどまでアルは風神の像によりかかっていた。

しかしいまは、雷神インドラがアルを見おろしている。

その顔は石のままだが、無関心だった表情が……いまはおもしろがっている。どうやら、アルがだれの子かわかったようだ。

おお、これがわれの娘か、と。

アルは——アル・シャーは、雷神インドラの娘だったのだ。

第9章

三つの鍵(かぎ)

ヒンドゥー教徒はたいてい牛肉を食べない。アルのクラスのユダヤ教やイスラム教の子が豚肉を食べないのと同じだ。学校で昼にハンバーガーが出る日、そのかわりにアルが恐竜の皮のような見た目（味もそんな感じ）の茶色いキノコをいつまでも噛(か)んでいたら、同級生に同情された。

——うわ、何それ。ハンバーガーを食べられないなんて、なんか損(そん)してるね。

アルはそう思っていなかった。一番おいしいのはピザだし！　そもそも食べたこともないものを食べられなくても、べつに損じゃない。

たぶん父親の存在も同じだ。アルは母さんとふたりでもなんとかやっている。おかげさまで。

だけど、父親はハンバーガーではない。ハンバーガーを食べるかどうかは自分で選べるが、父親がいないのはアルが選んだことではない。

そのことについて考えていると、アルは腹が立ってくるのだった。アルの父親は、どうして母さんとアルのもとを去ったのだろう。

アルは自分のことを、われながらすてきな子だと思っている（もちろん身びいきもあるけど）。

それに、母さんは美人で聡明（そうめい）で上品だ。同時にさびしげでもある。もし父さんがそばにいたら、きっと母さんだってもっとしあわせなんだ……母さんを悲しませるようなことをした人がいると思うと、アルはくやしかった。

だが、アルは真実を知り、皮肉にも、まるで雷に打たれたような気分だった。

雷神インドラが自分の父親だなんて、いままでなんのきざしもなかった……よね？

アルは小さい頃から、稲妻が光って雷が鳴るような嵐が大好きだった。怖い夢を見たときに、嵐が起こって稲光が空を明るく照らしてくれることがあった。まるでアルを安心させる子守歌のように。

もしかして、あれはインドラのしわざ？

もしインドラが父親なら、アルはアルジュナの転生ということになる。最も偉大な戦士だ。アルとは何ひとつ似ていない。

アルジュナは、善良で高潔で完璧な人物だ。ただ、神話だからさすがに話を盛りすぎなんじゃないかと、アルは思っている。母さんが教えてくれた話では、アルジュナは約束を守るために十二年間も、森に追放されることをいとわないほど高潔だったという。

昔の支配者によくあることだが、インドの王たちには妻が何人もいた。しかし、妻が複数の夫を持つことはきわめてめずらしい。

だが、貞淑で美しいドラウパディー姫は、パーンダヴァ兄弟全員と結婚していた。ただし、妻は一年ずつ夫のひとりと過ごすことにしていた。

五人の夫を持つなら、これはいい方法だとアルは思った。

想像してみてほしい。家に帰ったときに「あなた、いるの？」と声をかけて、五人に返事をされるところを。

いるとも！

ああ！

いますよ！

ここに！

ここだ！

五兄弟は決まりをつくり、妻のドラウパディーがその年の夫と過ごすあいだ、ほかの兄弟は割りこまないことにしていた。

あるとき、アルジュナは魔族の一団を撃退してくれとたのまれた。英雄である以上、たのみには応じなければならないが、ひとつ問題があった。アルジュナの特別な弓矢は居間に置いてあったのだが、そこではドラウパディーがその年に過ごす夫と食事をしていたのだ。夫婦の場を邪魔したら、罰として追放される決まりだ。

しかし、罪のない人々が魔族におそわれるよりは、自分が罰を受けるほうがましだと、アルジュナは決まりを破るほうを選んだ。

それで、アルジュナは十二年間も追放されて森で暮らしたのだ。

アルはこの話がきらいだった。追放する必要なんかどこにもない。ドラウパディーとその年の夫はアルジュナから「弓矢をとりに居間へ入っただけだ」と聞いて、アルジュナをゆるしたのだ。

そもそも居間に入る必要あったの？　ノックして声をかければよかったのに。

「ちょっと失礼。わたしの弓矢がそこにあるからとってもらえないか？」と。

トイレで緊急事態にドアをちょっとだけあけて、友達にトイレットペーパーをさし入れてもらうみたいに。

しかし、アルジュナはそうしなかった。おそらくそれは正しかったのだろう。アルからすれば、十二年という時間をむだにしただけに思えるけど。

アルは石像を見あげた。アルジュナに似ているところが何もなくても、天界の王、雷神インドラが父親だというのは悪くない。それも、うっかり〝世界の終わり〟の引き金を引いてしまった、いまのようなときなら……。

アルのまわりにあった稲妻の網は消えていた。そのかわり、ピンポン玉ほどの金色の珠（たま）がひとつ浮いていた。手にとり、左右の手のひらで転がしてみる。これなんだろう？

ちょうどそのとき、ミニのすすり泣く声がした。

ふりむくと、ミニが、雲にすわってバックパックをしっかりとかかえていた。

冥府神ダルマラージャの像も位置が変わっていて、いまはミニの前にぬっと立っている。

石像の手から〈ダンダの杖〉が飛び出し、ミニをねらった矢を粉々にしていた。

「うっうっ……冥府神？」ミニの声がかろうじて聞こえた。「わたし、冥府神の娘なの？　死と正義をつかさどるというダルマラージャ？　ってことはわたしは〝死の娘〟？」

ウソいつわりなく、アルはすごくかっこいいと思った。

パーティーで「わたし、冥府神の娘なの」と名乗るところをイメージすればわかるはず。パーティーの主役、まちがいなしだ。それに、こんなセリフもすごく効果的になる。

「父が知ったらただじゃすまないわよ」

しかし、ミニの目からは涙があふれている。

「もう……ぜんぶ台なし！　医術の神でもあるアシュヴィン双子神のどっちかだと思ってたの……それが死をつかさどる冥府神の娘なんて、医学部が入れてくれると思う？」体を前後にゆすって大泣きしている。

アルの目の前を、影が横ぎった。

見あげると、ブーがふたりの上でぐるぐる飛びまわっている。ブーの影はどこかおかしい……鳩（はと）にしては異様に大きい。

ブーはアルの肩におりたつと、アルの顔をのぞきこんで、それからミニのほうを見た。もう一度、同じ動作をくり返す。

ブーの考えは読みとりやすかった。ミニのところへ行ってなぐさめてやれ、というのだ。

アルはため息をついてからゆっくり歩いていき、ミニのとなりにしゃがみこんで肩に手をかけた。

「何？」ミニは鼻をすすっている。

アルは、自分を元気づけるとしたらどうするかを考えた。頭の中でちがう状況を考えてみる。つまり、ちがう角度から見てみるのだ。

「そんなに悪くないよ。叙事詩(じょじし)ではさ、ユディシュティラはダルマラージャの息子だけど、だれもそのことをいやがったりしてなかった。どっちかっていえば、みんなからたよりにされてた。すごく頭がよくていつも公平で、とてもいい王だったし……それに医者になるなら、冥府神の娘のほうがいいんじゃないかな。患者の容態が悪くなったら、だれよりも先にわかるんだから。死のきざしをかぎ分けられるなんて、犬みたい！」

ミニは顔をあげた。

アルはつづけた。

「こんなふうに考えたらどう？　冥府神の娘なら、すごくたくさんの人を救えるって。それなら、世界一のお医者さんになれるってことだよね」

ミニはもう一度鼻をすすりあげた。

「そう思う？」

（うーん、たぶん）

「もちろん。大事なのは、自分の持っているもので何をするかだよ。だよね、ブー？」

ブーはむすっとしていた。

「ほら、ブーもそう思うって。ブーはウソつかないし！　ブーはわたしたちの守護者っていう感じの立場だし、だましたりしないって」

そのとき、ブーの表情から何かが消えた……。

だが、ブーは少しうつむいて「そのとおり」と静かにいっただけだった。

ミニは立ちあがった。ふっと笑顔を見せると、いきなり両腕を広げてアルをぎゅっと抱きしめた。

ブーも巻きこまれ、クェーッと声をあげる。

ミニはさらに力をこめていった。

「ありがとう！」

アルはまったく動けなかった。これまでウソをついてお礼をいわれたこともないし、こんなふうにお礼に抱きしめられたこともなかった。

でも、ミニにいったことは完全なウソというわけではなく、想像力を働かせただけ、べつの角度から物事を見ただけともいえる。それは悪いことじゃないはず。こういう考え方なら、友達をなくすより、つくるほうの役に立つかもしれない。

アルも、ミニを抱きしめ返した。

空に雷が鳴り響き、ふたりはびっくりして離れた。

パーンダヴァの父神たちの石像は消え、〈天界法廷〉はもとの姿にもどった。

天女ウルヴァシーと猿神ハヌマーンが玉座から身を乗りだして目を大きくしている。

「それでは、まことなのか」ウルヴァシーの静かな声は、畏怖の色を帯びていた。「この者たちは、まことに……その……本当に彼らなのか」

「パーンダヴァがふたたび、戦のために目覚めていたとはな」ハヌマーンはあごをなでている。

「いまはまだ全員ではないのだな。転生した魂はユディシュティラとアルジュナだと申すのだな」ウルヴァシーはふたりを見た。

「ああ、いまのところはそのようだ。だが〈眠れし者〉が止まらなければ、いずれ残りの者たちも目覚めるだろう」ハヌマーンの声が暗くなる。

アルが下を見ると、地上の木々と川が小さく見えるだけだった。

あのどこかに、べつのパーンダヴァの魂を持つ人がいる……その人たちはいまは何をしているのだろう？ほかの人と同じように静止してしまっているのだろうか。ミニのように、自分が何者かすでに知っているのか。それともアルのように……まだ何も知らないのだろうか。

「残りの者は必要なときに目覚める。闇が広がれば、それに応じて光もあらわれる。混沌が起ころうとも、この世はバランスを求めるものだ」ブーがおごそかにいった。

「ねえ、いまって、『スター・ウォーズ 帝国の逆襲』でヨーダが『やるか、やらないかだ。やってみるという選択はない』って告げたときみたいなかっこいい場面？」と、アル。

ブーはアルをにらみつけた。

「ふむ。〈眠れし者〉が破壊神を目覚めさせようとするなら、まず天界の武器を求めるはずだな。この意味はわかるか？　パーンダヴァよ」ハヌマーンが聞いた。

「〈眠れし者〉が使えないように、武器をぜんぶ壊せってことですか？」と、アル。

「先に自分たちで手に入れろってことですか？」ミニもほとんど同時にいった。

「そっか、そっちもありかも」アルはつけくわえた。

ハヌマーンはきまじめにふたりを見つめた。

「冥府神の娘のいったとおりだ」

アルは「冥府神の娘」がミニのことだと気づくまで、少し時間がかかった。

だったら、アルはどう呼ばれるのだろう。「ドーター・オブ・サンダー（雷の娘）」かな？　なんだか競走馬の名前みたい。

「おまえたち、わたくしが使命を伝える前に、まず神々よりの〝賜(たま)わりもの〟を見せよ。〝賜りもの〟は神々のご意志のあらわれ。それは、おまえたちの旅を助けるもの」ウルヴァシーがいった。

〝賜りもの〟？

そこでアルは思い出した。インドラの稲妻が消えたあとにあらわれた、あの黄金の珠だ。パジャマのポケットから引っぱり出した。「これのことですか？」

ウルヴァシーの口が不満そうにゆがんだ。

ミニはバックパックの中をかきまわして小さな紫色のコンパクトを出した。

「これがあらわれました、その――」ダルマラージャのところで声がつまった。「――がわたしに宣告したときに」

じっと見ていたウルヴァシーは「おもちゃに……鏡か……」といってからハヌマーンに目を向けた。

「ハヌマーン殿よ、これまでの英雄への〝賜(たま)わりもの〟は、駿馬(しゅんめ)ではなかったか？　鎧(よろい)のひとつでも？　せめて剣(つるぎ)では？」

アルの気のせいかもしれないが、聞かれたハヌマーンが心配そうな顔をしたように見えた。

「その、雷神インドラと冥府神ダルマラージャには……不可解(ふかかい)なところがあってな」

「どういう意味ですか？」ミニは心配そうにまゆをよせた。

「いつもしかめっ面(つら)とか？」と、アル。

「アル、それは不愉快(ふゆかい)でしょ」

「つまりだな」ハヌマーンの声が大きくなった。「おぬしたちの父親はわかりにくいことをするのだ。しかし、かならず理由はある。だから、その〝賜りもの〟は少し奇妙だが、おぬしたちの使命をかならずや助ける」

アルはからかわれているような気がした。魔族と戦うのに、この珠がなんの役に立つというのだろう。これじゃ、スプーン一本で雪崩(なだれ)を食い止めろというようなものだ。

「ハヌマーン殿はそうお思いか？　もしかしたら、神々はこの世が破滅してもよいとお考えかもしれぬぞ」ウルヴァシーがいった。

「あるいは、いままでとちがうヒーローが求められておるということかもしれん」ブーがするどくいい返した。

「……ヒロインですよね」ミニは小声で訂正した。

ヒーローにしろ、ヒロインにしろ、本当に自分のことなのだろうか。それとも、アルは盛大に失敗した張本人(ちょうほんにん)として、すべてをもとにもどせといわれてるだけなのかもしれない。

ウルヴァシーは口をかたく結び、遠くを見るような目をしていた。しばらくすると、ウルヴァシーは肩を落として、あごをあげた。

「よかろう。こちらへまいれ、娘らよ。使命を伝える」

アルとミニはもつれるように進み出た。

ふたりは宙に浮いた。突然巻きおこった風につつまれて、アルは身ぶるいした。

もうジェット・コースターみたいだと楽しんでいる場合じゃない。雷神インドラによって稲妻の網が張りめぐらされた瞬間、アルは気が重くなった。使命という言葉はかっこよく聞こえる。でも現実には、使命には多くの人の命がかかっている。

だからスーパーヒーローはマントを身に着けるのかも。あれは本当はマントじゃなくて、心をなぐさめてくれる毛布なのかも。アルがいつもベッドの足もとに置いていて、寝るときはすっぽりくるまる、どうしても手放せない毛布。スーパーヒーローがマントを首に巻いているのは、あれがあればどこへ行っても気持ちが落ち着くからなのかも。正直いって、世界を救うなんて考えると怖い。それをみとめるのは悪いことじゃないはず。

（いつもの毛布があればいいのに）。

ウルヴァシーは玉座からさらに身を乗りだした。そして使命を告げた。

「〈眠れし者〉は、破壊神を自由にするために天界の武器を求める。そこで、おまえたちはそれより先にみずからの武器を目覚めさせねばならぬ。まずは扉を通って〈冥界〉へ行くがよい。そこに〈過去の池〉がある。池の中をのぞけば、〈眠れし者〉を確実に打ち破る方法がしめされるであろう」

「……眠ってる武器、死の国、変な池……よし、おぼえた。さあ、さっさと終わらせよう」

アルはそうつぶやいてから、ウルヴァシーに聞いた。

「あの、ところで〈冥界〉の扉ってどこですか？　ここにあるんですか？　それとも――」

「〈冥界〉とは死後の世界。ふつうは死んでからおもむくところであろう」ウルヴァシーがいった。

アルとミニは不安げに顔を見あわせた。

ふたりのうちどちらかが先に立って〈冥界〉への扉を通ることになるんだ……。

ミニは急に、順番を決める遊びを始めた。

「どちらにしようかな、てんのかみさまの――」といいながら、自分とアルを交互に指さす。

アルも「先にたたいたもんの勝ち！」と、べつの遊びを始め、すかさず自分の鼻をたたいた。

ミニの顔色が変わった。「えっ、負けちゃったの……？」

アルの勝ちだ。

「よく聞け、娘らよ」

ウルヴァシーは手をあげてふたりを止めた。

「死なずに〈冥界〉の扉を通る方法はある。ただし、それには三つの鍵が必要だ。鍵は隠されておるから見つけねばならぬ。ひとつめの鍵は〈若さの小枝〉。ふたつめは〈青二才のひとかじり〉。そして、三つめは〈老いらくのひとすすり〉だ。」

アルはウルヴァシーを見た。

「それって、ホームセンターのどの売り場に置いてあるんですか？」

ミニはあまりの恐怖に発作的に笑いだした。パニックになっている。〃わたしもう絶対死んじゃう〃的な笑いだった。

「よいか、娘らよ。おまえたちに〝地図〟を授ける。その地図には鍵の印がしめされている。それぞれの印にふれれば、その鍵の近くまで運ばれる。しかし、そこで本物の鍵を見つけられるかどうかは、おまえたち次第だ」

ウルヴァシーは手を開いて、ミニとアルに見せた。

指先からひじにかけて、びっしりと模様が描かれている。

メヘンディだ……ヘナという植物からとった粉で一時的に肌を染めるタトゥーみたいなもの。結婚式やお祭りのために女の人が体に描くことが多い。

アルはこれまで、ウルヴァシーの手にあるような模様は見たことがなかった。

しかも、このメヘンディは動いている。

「これが〈若さの小枝〉」見ると、ウルヴァシーの手首に描かれた枝に花が咲いた。

「これが〈青二才のひとかじり〉」ウルヴァシーの小指の下、手の側面で、描かれた本が開いたりとじたりしている。

「これが〈老いらくのひとすすり〉」ウルヴァシーの指全体に波がおどっている。

だが、ウルヴァシーの手のひらの中心だけは模様がなかった。

「新月まではあと九日。いや、ここの時の流れは、〝寿命さだめられし者〟の世界とは異なるから、もっと短いやもしれぬ。パーンダヴァよ、天界の武器が〈眠れし者〉の手に落ちるのを阻止し、〈過去の池〉よりあやつの倒し方を見つけだすがよい。そののち、パーンダヴァとしての訓練は、〈評議会〉のみなで授けることとしよう」

ウルヴァシーはそこでいったん言葉を切り、髪の毛を肩の後ろへ払った。

「そのときはわたくしも訓練を授けてやるから、光栄に思え。わたくしとともにいるためなら、人を殺すことをいとわぬ者もおるくらいなのだ。ふふふ、実際おったしな」にやりとする。「うまくいけば、おまえたちを導く不名誉な守護者も、〈評議会〉に返り咲くことができよう」

ブーは、アルの肩の上で体を左右にゆらしながら、こういった。

「こいつらが、うまくやるのはわかっている。おれが導いているんだからな。おれだって〝まごうことなき存在〟なのだ」

「〝まごうことなき存在〟だった、であろうが」

ウルヴァシーはそういうと、ブーを無視してアルとミニの手をとった。

アルが見ていると、同じメヘンディの地図が自分の手にもあらわれた。

「さあ、それが〝地図〟だ。善(よ)きに戦え」

初めてウルヴァシーが親しげにほほえんだ。だが、その笑顔はどこかさみしげでもあった。ウルヴァシーは優雅にあぐらをかくと、両手をひざに置いた。美しく輝いていて、古(いにしえ)の物語に出てくる人とは思えない。

アルは知っていた。ウルヴァシーは英雄たちを訓練しただけでなく、愛したのだ。結婚して子供もいた。だが、人間には寿命がある。ウルヴァシーは愛した人が死んだあともずっとずっと生きているんだ……。

「こんなに若いのに……酷(こく)なことよ」ウルヴァシーは小さくつぶやいた。

その言葉と同時に、ウルヴァシーはいなくなった。

ハヌマーンはアルとミニを交互に見た。

「そうか、インドラの娘と、ダルマラージャの娘か。これはまた暴勇（ぼうゆう）よのう……そうだな、ここを去る前に、ふたりに話をひとつ聞かせよう」

ボウユウ……？　勇敢と同じような意味？

ほめられたのだろうか。アルはほめ言葉だといいなと思った。

去年クラスで、ネットにある『ダイバージェント』の性格診断をやった。いくつか質問に答えると、ＳＦアクション映画『ダイバージェント』に出てくる五つの共同体のうち自分にぴったりなのはどこかわかる、占いみたいな遊びだ。「勇敢・無欲・博学・平和・高潔」の五つの共同体と、それにあてはまらない「異端者」の集団があって、アルは「勇敢」の共同体だった。勇気があって恐れを知らない人々が住む共同体。

ハヌマーンがいった「ボウユウ」っていうのも、それに似た感じのことかな？

この猿神ハヌマーンが、アルたちを「暴勇」だというなら、悪い意味ではないのかも？

しかし、アルは自分の手にある不思議な三つの鍵の印を見て（そもそも〈老いらくのひとすすり〉っていったい何？）、胃が逆流しそうだった。いや、やっぱりほめ言葉じゃないかも。

ハヌマーンが手を開くと、その上に小さな太陽が浮いていた。

まぶしくて、アルはサングラスがほしくなった。

ハヌマーンはどこか照れたような、楽しげな口調で話しだした。

「聞いてくれ、われは若かった時分に、太陽を果物とまちがえて、天にとりに行ったことがある。それでいろんなやっかいごとを起こしてしまった。惑星とぶつかったり、日食の予定をだめにしたりな。そのときおぬしの父親、インドラが猛烈に怒った。そしてあの有名な雷を使ってわれを空から落としたんだ。横っ面に当たったんだぞ。あごもくだけた。それでわれはハヌマーンという名になったのさ。〝つき出たあご〟という意味だよ」

ハヌマーンはここであごをそっとさすり、ふっと思い出し笑いをした。

「それに、寺の坊主たちにもしょっちゅういたずらをしての。それであやつらに呪われたのだ。まあ、たいした呪いではなかったがな。人間のいたずらっ子をこらしめる程度の呪いだった」

「おしおきが、呪いだったの？」と、ミニ。

「いたずらしただけで？」アルもつづけた。

ひどすぎる……。

「ああ、その呪いとは『だれかに教えてもらうまで自分の力や強さを思い出せない』というものだった。そうだなあ、われわれは、だれでもそういう呪いが多少はかかっておるのかもしれん」

ハヌマーンの手の上から太陽が消えた。猿顔の半神は、ミニとアルの頭をやさしくたたくと、最後にブーにうなずきかけてから姿を消した。

ふたりと一羽は、からっぽの広い空にぽつんと残された。

「よし行くぞ、パーンダヴァ！　その地図があれば最初の鍵の場所にたどり着ける。そこからは、おまえたち次第だな」ブーがいった。

アルは最初の鍵、手首にある花の小枝の絵を指でさわった。

胃をぐっとつかまれたような感覚があり、息がつまった。

気づいたときには、一行は、小型ショッピングモールの駐車場に立っていた。

ここは……？　アトランタではなさそうだ。枯れ枝が雪で白くなっている。

駐車してあるのは車二台と輸送用のヴァンだけだ。

女の店員が、手にしていたタバコをとり落とした。女の子がふたりと鳩がどこからともなくあらわれたことにおどろいたのかもしれないが、何もいわなかった。

アルは急に気がぬけた。あの女の人が動いてるなら、こっちはまだ〈眠れし者〉に見つかってないということだ。あくまでも、まだ、ってことだけど。

「きゃっ、何か出たよ！」ミニが声をあげた。

「どうしたの？」と、アル。

ミニは手をあげてこちらに見せた。手のひらの真ん中に何かの印があった。

「それは、新月までの残りの日数だな」ブーが、けわしい顔をした。
「これが？」アルは自分の手のひらを横目で見た。ミニのと同じものが出ている。「すごい変な形の９だね」

「サンスクリット語の文字だ」と、ブー。

ミニは自分の手をじっと見て、そっとつぶやいた。「これ9じゃないよ、アシュタ、数字の8」

アルの腕に鳥肌が立った。もう一日過ぎてるんだ。

「なんでわかるの？」アルは少しくやしかった。

「十までの数え方は、十五カ国語、おぼえてるの！」ミニは得意げだ。

「そんなのおぼえるの、時間のむだって気がするけど……」

このアルの意見には、ブーでさえうなずいた。

ミニは、アルとブーをにらんだ。

「でも、たったいま役に立ったでしょ。世界中が静止して時間が止まるまであと八日しかないってわかったのはだれのおかげ？」

アルは背すじをのばした。冷たい風が髪をなびかせる。

そのとき、なんとなく、しつこい追っ手の視線を感じたような気がした。

「ブー……武器を見つける前に、〈眠れし者〉に見つかったらどうなる？」

ブーは歩道をくちばしでコツコツとつついた。

「うむ、そうだな……殺されるだろう」

ミニは口をわなわなとふるわせ、泣きそうになった。

アルは心のメモ帳に書きとめた。使命なんてこれっきりにしよう、と。

第10章

炎のビューティー・サロン

言葉を失ったままたっぷり五分が過ぎて、ようやくミニが口を開いた。

「こ、殺されるのね！」声がうわずっている。

「相手は魔族だもんね。そりゃそうでしょ。お茶でもしに来ると思ってた？」と、アル。

歩道をひょこひょことんだり歩いたりしていたブーが、くちばしで小石をつまんでとびあがり、ミニの頭に落とした。

「痛いっ！」

「そりゃよかった！ 痛いか。喜べお嬢ちゃん。まだ生きてるってことだ。ま、いまのところは、だがな」

それからブーは、アルをじろりとにらんでいった。

「それと、おまえは――仲間に対する口の利き方に気をつけろ」

アルは、やれやれというように天をあおいだ。当たり前のことをいっただけなのに。

「でもさ、〈眠れし者〉は自分でとっとと〈冥界〉への行き方を見つければいいのに。どうして、わたしたちを追う必要があるの？」アルが聞いた。

　めんどくさがりの魔族なのかな？

「おまえたちに知覚できるものが、やつには知覚できんからな」と、ブー。

「ねえ、こうしているあいだにおそわれたらどうなるの？　身を守るもの、何もないのよ」と、ミニ。

　これはかならずしも正しくなかった。ふたりにはそれぞれ〝賜（たまわ）りもの〟がある。

　アルは手を開いて金色のピンポン玉のようなものを見た。何かすごいことをしてくれそうには見えない。アルはそれを地面に投げつけてみた。すぐにはね返ってアルの手にもどってくる。アルはさらに遠くに投げてみた。またもどってきた。通りの向こうへ投げてみると、そのまま転がって側溝に落ちてしまったが、一瞬ののちには、アルの手にもどっていた。

「ふーん、ふつうのボールより少しはましかな。でも魔族と戦うのに、これでどうしろっていうんだろ」

「こら、〝賜りもの〟があるだけでも、感謝せんか」ブーがしかった。

「おお、大いなる宇宙よ、感謝いたします。たとえ死んでも、とりあえずこの黄金のボール、名づけて黄金珠（おうごんじゅ）を手にしたまま埋めてもらいます」と、アル。

「そのまま埋葬はないと思うけど。火葬だよね？　ヒンドゥーの埋葬手順にしたがうかどうかにもよるだろうけど……」と、ミニ。

「ミニ、ちなみにそれ、フォローになってないから」

「まだ使い方がわからないだけだ。必要にせまられれば、いずれわかる」と、ブー。

ブーはほかにも何かいいたげだったが、そのとき、ミニが甲高い声を出した。

「きゃあ！」ミニはダルマラージャから受けとったコンパクトを見ている。

え？　ミニの〝賜りもの〟には本当の魔法がかかっていたの？　どうしてわたしの珠には魔法がかかってないの？　アルはミニがうらやましかった。

「ナニナニ？　何か映ってる？」アルは聞いた。

「ニキビが！」ミニは小鼻を押してみている。

「は？」

「これって、大人に近づいてるってことよね！」と、ミニ。

「もしくは、不衛生ってことかな」アルはからかった。

「そっちかもね」ミニはがっかりしたようにコンパクトをとじた。

「とにかく、いまあるのはコンパクトの鏡と珠ってことだよね」アルがいった。

「うむ」ブーがうなる。

「これで魔物と戦う、わけね？」

「うむ」

手に入れたものがこれだけなんて、半神でいることにどんな意味がある？　半神になる魅力の半分は、光り輝く武器を持てることでしょ？　堂々たる馬はどこ？　せめてヒーローっぽいマントでもあれば、もうちょっとその気になれるのに……。

「おそらくだが、三つの鍵を見つけるのにほかの武器は必要ないんだろう」ブーがいった。

「じゃあ、鍵を見つけたら、次はどうするの？」と、ミニ。

「見つけたら、おまえたちをまずはナイトバザールに連れていく」ブーはバッと羽を広げた。

ナイトバザール……なんかイイ響き、とアルは思った。

「わかったわ。とにかく最初の鍵を無事に手に入れることが先決ね」ミニがいった。

そっちは、なんかユーウツな響き……。

ミニはあたりを見わたした。

「ねえ、ここがウルヴァシーさまの地図が導いた場所なら、最初の鍵がこのあたりにあるってことよね。でもここ、ショッピングモールでしょ？〈冥界〉への鍵がこんなところに隠されてるの？」

ふたりと一羽は、そろってもう一度駐車場を見わたした。チャイニーズのテイクアウトの店やクリーニング店がある。スターバックスは看板の文字が一部消えて《スタ　バ　　ス》になっている。

アルは、ほかより少し明るい看板に気づいた。

ビューティー・サロン
炎のようなセクシーさをあなたに！

アルがそのネオンサインを見つめていると、最初の鍵をしめす手首のメヘンディの模様がはっきりくっきりしてきた。

となりでミニも自分の手を見ている。

「アルの手のやつも、最初よりくっきりしてきてない？　あそこに行けってことなのかな……？」ミニは自分の手首に描かれた〈若さの小枝〉の印をつついた。

「たしかめる方法はひとつ。この店に入るしかないね」

ミニははっと息をのんだが、うなずいた。

ふたりでサロンへ向かう。

店頭のすみにある明かりがチラチラしている。窓には、ただよう幽霊が飾られ、店の入口には腐りかけたカボチャが置きっぱなしだ。

なんとなく、年がら年中やっているハロウィーンショップみたい……。

軒先（のきさき）に悲鳴をあげる女の面がたくさんぶらさがっている。細長い顔とぽっかりあいた口で、アルは、美術の授業で見たムンクの『叫び』という絵を思い出した。

「なんだか気味が悪いね」ミニがアルに近よった。「それにちょっと、におわない？」

たしかに、におう。つんとすっぱいような、火であぶったゴムや焼けた木の葉のようなにおいがする。

アルは顔をしかめて、そでで顔をおおった。

「何かが焦げたみたいなにおい。それとも……だれかが、とか？」

ミニは両手を目の上にかざしてガラスの扉に押し当て、店内をもっとよく見ようとした。

「ねえ、何も見えないよ」

扉は黒っぽい鏡になっているようだ。

もしかして向こうからはこちらが見えているのかも……。

アルがマジックミラーというものを知ったのは、じつにくやしい状況だった。

二週間前、職員室のぴかぴかの扉の前で、アルは自分の鼻に何かついていないか見ていた。すると扉の向こうから、先生が咳ばらいをしてこういったのだ。

――おいきみ、べつに鼻くそはついてないから安心しなさい。こちらからはとてもよく見えている。

アルは誇りを傷つけられたように感じた。

しかしいま、そうは感じない。アルは、冷たいものが背すじを走るのを感じていた。

空気がパチッと、たき火のまきのようにはぜた。

うなじの毛が逆立つ。

アルのパジャマのポケットで何かが光った。

黄金珠が輝いている。

店のドアには名前が彫られていた。

主任スタイリスト マダム・ビー・アスラ

アルはこの名前におぼえがあった。でも、なぜだろう？

「ブー、ドアをあけたらおとなしくしてて。いつもみたいなのはだめだよ」と、アル。

「どういう意味だ？」ブーはむっとした。

「鳩(はと)らしくしててってこと！　わたしたちの守護役だってばれないように」

「おれを外で待たせる気か？」

「ドアはあけたままにしておくからね」ミニはとりだしたビスケットをくだいて地面にばらまいた。「はーい、鳩さん、おやつよ」

「おれは、落ちてる、ものなんか、食わん、ぞ！」

アルは苦いような煙のにおいをかぎとった。

「鳩らしく、落ちてる、ものとか、食べてて、ね！」小声でブーにいいかえす。「いいから、わたしたちが中を調べてるあいだ、そこでおりこうにしててよ」

アルがドアをあけると、ドアベルが鳴った。

ふたりはそっと店に入った。

ミニがわざと少しあけておいたドアのすき間から、ふたりを見守る鳩のビーズのような目が片方だけ見えた。

店内は、ラピスラズリのようなあざやかな青で統一されていた。

アルは壁にそっとふれてみた。冷たくてかたい……光る石でできている。

床と天井には鏡が張られている。

すわり心地のよさそうな大きな椅子が、壁ぞいにずらりと並んでいるが、椅子の前にあるのは鏡ではなく、美しい女の肖像画ばかり……どの絵もしあわせそうには見えない。

どの女も悲鳴をあげているのだ。店の軒先からさがっている面と同じように。

サロンの椅子は、果てしなく並んでいるように見えた。悲鳴をあげる女の肖像画と同じく、七十脚はありそうだ。

「ないない、ありえないよ。こんな店、ふつうじゃないよ」ミニがいった。

「何かご用かしら、お嬢さんたち？」

部屋の奥から、美しい女がふたりのほうへ歩いてきた。

天女ウルヴァシーはバラの花のような美しさのある人だった。洗練されていて魅力的だった。

だが、この女の美しさは、空を切りさく稲妻のよう……恐ろしいほどの、つき刺さるような美しさだ。

女はすらりと背が高く、輝く黒髪を頭の上にふんわりとまとめている。笑うと、三日月のようにカーブしたするどい歯が真っ赤なくちびるからのぞく。

「ヘアカットがお望みなのかしら？」

「あ、いいえ」と、ミニ。

アルは、ひじでこづいてミニを止め、自分で返事をした。

「いえ、ちがうんです、お願いできますか？」

アルは、このすてきな人ともっと一緒にいたいと思った。そばにいるだけで、うっとりした気分になる。なぜか突然、この人を喜ばせたいという思いに駆られていた。

「だめだよ」ミニは、ここを出ようというようにアルの腕をとった。

「何がだめ？　どっちみち中を見なきゃいけないんだし」

アルはぶつぶついいながら、ミニの手をふりほどいた。この人は髪を切りたいだけなのに……それに……とても美人だし。

「このところ、少し仕事がひまだったの」

女はいつのまにかふたりの目の前に立っていた。

「あたくしはマダム・ビー。かわいいお嬢さんたち、お名前をうかがおうかしら？」

「ミニ……です」声がうわずっていた。女から目をそらし、壁の一点を見つめている。

「アルです」

「どちらもかわいい名前ね」

マダム・ビーはささやくようにやさしくつづけた。

「ふだんはもーっと年上の人しかカットしないのよ。あの方々の美しさって、なんていうのかしら、そう、効き目があるの」マダムはここでにっこり笑った。「それをじーっくり抽出するの、紅茶みたいにね。そうすると、長持ちするのよ。さあ、お席にどうぞ」

ふたりは空いている椅子にすわらされた。

「あ、ちょっと失礼するわ。裏から、必要な道具を持ってこなくちゃね」マダム・ビーは去りぎわにほほえんだ。

アルは、そのほほえみで、大量のワッフルを食べたような気分になった。温かくてシロップたっぷりで……眠くなった。

「アル、これ見て！」ミニが、アルの顔をつかんで壁のほうを向かせた。

すぐそばにある肖像画の女は、悲鳴をあげたままだ。でも、どこかおかしい。

目が……目が動いている！　肖像画に描かれた目が、アルとミニの姿を追って動いている。

アルは寒気を感じて、目が覚めた。

「あのマダム・ビーって人が、この女の人たちをとじこめたのよ。逃げなくちゃ！」ミニが小声でいった。

アルは椅子からすべりおりた。ミニのいうとおりだ。

でも、ただ逃げるわけにはいかない。

「でも最初の鍵はここにあるんだよ」アルが手をあげると、鍵の印がますますくっきりした。「逃げる前に〈若さの小枝〉を見つけなきゃ！」

ふたりは部屋を見わたした。塵(ちり)ひとつない。

床と天井が鏡になっているのだから、すぐに見つけられそうなものなのに、メヘンディの印のようなものは、どこにも見あたらない。

「ここのどこかにあるはずよね……」と、ミニ。

「なんで、もっと役に立ちそうな〝賜(たまわ)りもの〟をくれなかったのかな……その、神さまたちは」アルがぶつぶついった。

雷神インドラを「父さん」とは呼べなかった。そんなの、かなりヘンだ。

ミニがコンパクトをとりだしてあけると、奇妙なことが起こった。

小さな鏡には、ふたりが立っている部屋の、まったくべつの姿が映っていたのだ。

壁は光る石でできているのではなく、骨のかけらでできていた。ぴかぴかの鏡のように見える床は、土がむき出しの土間だった。ミニが鏡を動かして、悲鳴をあげる女たちの肖像画を映すと、まったくちがうものが映った。女たちは骸骨(がいこつ)だった。

「このコンパクト……魔法を見すかすんだ……」ミニの声は恐怖にふるえている。

そのとき、物音がして、ふたりはとびあがった。

マダム・ビーが歩いてくる。小さな壺(つぼ)をふたつのせたトレイを手にして。

「おふたりの灰にちょうどいい、小さな壺を見つけたわ」そういってにやりと笑った。

アルとミニはコンパクトをのぞいた。

美しいマダム・ビーがいるところを見ると、その本当の姿が見えた。

魔物だ……。

そこにいるのは、魔族であるアスラのひとりだった。

髪は黒い巻き毛ではなく、渦巻く炎だ。歯は歯ではなく、牙が黒く薄いくちびるから、にょきっとつき出している。肌は美しい深い琥珀色ではなく、青白い。

そして、頭の上に何か着けている。きれいな青いヘアクリップのようなものだ。

いや、ちがう、小さな青い花のついた小枝だ。色をべつにすれば、メヘンディの地図にある模様と同じ。

〈若さの小枝〉だ！

きっとあれが〈冥界〉への第一の鍵……。

第11章

死のいないいないばあ

「あらまあ、ふたりとも椅子からおりたりして、どうしたの？」

ミニはつばを飲み、パチンと音をたててコンパクトをとじた。

「え、そうですね、見学してました。とってもすてきなお店ですね。マダムにぴったりです」アルがすかさずウソでごまかす。

マダム・ビーはにっこりほほえんでから、片まゆをあげ、髪を肩の後ろへはねあげた。

「何年もかけて美しさを集めてきたの。だから、あたくしは美しいのよ。さあ、ふたりとも、おすわりなさい。どうしたの？　どちらから切る？」

「あの……どちらから切るって、髪のことですよね？」

マダム・ビーは首をかしげた。

部屋の明かりが壁からぬけていくようだ……ビロードのような、なめらかな影が、蛇のように入ってくる。

「いーえ、ちがうわよ」

持っていたトレイを床に放り出し、マダム・ビーはふたりにとびかかってきた。

アルはギリギリで身をかわし、ミニを自分のほうへ引きよせる。

「あらあら、乱暴なんて下品なことはしたくないの。だから、じっとしててくれないかしら」

アルとミニは店の中を逃げまわった。

アルは足をすべらせて、椅子にぶつかりそうになった。

体勢を立て直し、必死に足を前に出すのに、店の出口がどんどん離れていくように見える。

アルは天井を見あげて、鏡に映るマダム・ビーの姿を探した。

だが、鏡には映っていない。

アルは一瞬、マダムが消えたのかと思った。

そのとき、冷たさが全身に広がった。

すぐ後ろ、アルの首すじでマダムの声がした。

「さあ、こっちへおいで、お嬢ちゃん。あたくしは美しさを失いかけている。あなたたちだけじゃあじゅうぶんとはいえないけど、少しは足しになるわねえ」

アルはとびあがってふりむいた。

しかし、マダム・ビーはポンとはじけるような音とともに消え、べつの場所に姿をあらわした。

「かーくれんぼしましょ、切らせてちょうだい、出ておいで！」マダム・ビーはごきげんな感じで歌っている。

消えたりあらわれたりしながら近づいてくると、カラカラと高らかに笑いながら、円を描くようにふたりの周囲をまわっている。

魔族アスラはきげんがいいとき、そういう行動をとるのだ。

「アル、こっち！」ミニがささやいた。

壁ぎわにある、ハガキやヘアブラシやヘアスプレーのボトルでいっぱいの大きなテーブルの下から、ミニが顔をのぞかせた。

アルもあわててテーブルの下にもぐりこむ。

マダム・ビーは笑いながら、ゆっくりとついてきた。まるで時間はたっぷりあるとでもいうように。

「ブー、助けて！」アルはさけんだ。

アルの声は外に届いたのかもしれないが、鳩は入ってこなかった。

「はん、おまえたちが何者か、気づいてないとでも思ったのかい？」マダムがささやいた。「パーンダヴァの小娘でしょう？　わざわざ出向いてくるなんて、気が利くわ。ありがたく美しさをちょうだいするわね。翼のあるお友達は呼んでもむだよ。あたくしの結界には入ってこられないのさ。そして、おまえたちも結界からは出られない、ほほほ」

「神さま、どうしたらいいの？」ミニはひざをかかえてつぶやいた。「灰になったら、親はどうやってわたしを見分けるの？　確認書類なんて歯の診療記録とか――」

「そうだ、ミニ、コンパクト出して！」アルがささやく。

マダム・ビーが店に鏡のかわりに絵を置いているのは、何か理由があるはず。

アルは、さっきマダム・ビーが美しさについて話していたのを思い出し、あることを思いついた。ポケットの中を探って、光る黄金珠を手にとる。

突然マダム・ビーは身をかがめ、顔を逆さまにして、テーブルの下をのぞきこんだ。

「いないいない、ばあ！」と、節をつけていうと、ぞっとするような笑みが顔中に広がる。

アルは、背中を走る悪寒を無視して、マダム・ビーを見すえた。

「さっきいったことはウソ。あんたなんか、ぜんぜんきれいじゃないよ。ほら！」

アルの言葉を合図に、ミニがコンパクトの鏡をマダム・ビーの顔に向ける。

するとその顔からみるみる血の気がうせ、髪がバチバチとはじけた。まるで自分の醜さで電気ショックを受けたみたいだ。

「いやあああ！　ちがう！　こんなのは、あたくしじゃない！」マダム・ビーは悲鳴をあげながら、床で身をよじっている。

アルとミニは、そのすきに後ろへさがった。

アルは黄金珠が熱を帯びていることに気づいた。見ると、小さな太陽のように輝いている。

「よくも、こんな目に！　つかまえて血祭りにあげてやるわ！」マダム・ビーが金切り声をあげた。

アルは黄金珠をマダム・ビーの顔めがけて投げつけ、こうさけんだ。

「目が見えなきゃ、つかまえられない！」

黄金珠の輝きに目がくらんで、マダム・ビーは後ろへ倒れた。

「ああ、目、目が！」と、うめいている。

赤みがかった黄金色の光がサロンに満ちた瞬間、アルは奇妙な光景を見た。

だれかが、何百もあるバケツに夜明けの最初の光を集めている……。

「ううっ、呪われし天光……か」マダム・ビーは、いや、魔族アスラはうめいた。

（そうか、この黄金珠にはそんなものが入ってるんだ……）

どうやら、まったくの役立たずというわけでもなさそうだ。

アルが手をあげると、黄金珠はすぐにもどってきて手にすっぽりとおさまった。

ミニはコンパクトを持ったままアルの珠を見ていて、はっと息をのんだ。

ミニの空いているほうの手に、アルのと同じ黄金珠があらわれたのだ。

「え、なんで——？」と、アル。

ミニがにぎろうとすると、黄金珠は消えた。

幻影なのだ。

「どうやったの？」と、アル。

「わ……かんない。アルの手にある黄金珠を見たとき、自分の頭の中に浮かんだんだけど、そのせいかな？でも、本物じゃないよ！」ミニは混乱していた。

「出ておいで～　パーンダヴァはどこにいる～　こちらにおいで～」マダム・ビーがまた、しぶとく歌っている。

ふたりはそっと後ろにさがった。

マダム・ビーは床に這いつくばり、首を左右にふって部屋中を探っている。

アルの心臓がちぢみあがった。

マダムの視力はもどりつつある……。

「ねえ、どうしよう。どうやったらあの〈小枝〉をうばえるの?」ミニの声はかすれている。

アルはずっと気になっていることがあった。

この煙のにおいは、どこから来てる? マダムが何かを燃やしているのはどこ?

「ミニ、もう一度、この部屋をコンパクトに映して」

ミニが鏡をあちこちに向けた。

さっきは気づかなかったことが、ひとつあった。

魔法が消えた部屋のようすに大きな変化はないが、あちこちに手形がついている。灰のついた手形だ。もしかすると、この煙のにおいは、マダム・ビー自身からただよってきているのかも。

アルの中で何かがカチリとはまった。すべてに説明がつく。

そうか、サロンの名前もヒントだったんだ。ビー・アスラ……ビアスラ……バスラ……。

アルは声を落としてミニにいった。

「あいつの正体がわかった。バスマースラだよ! アスラのひとりで、その手でさわったものすべてを灰にする!」

「それって、いい情報？」ミニがささやく。

「やっつける方法がわかるってこと」

「やっつけるの？」

「やっつけるよ」アルはきっぱりいった。「コンパクトはそのまま持ってて。真実の姿を見せるだけじゃなくて、幻影もつくるみたいだから」

「あ、なるほど。さっきの珠は、そういうことだったのね」と、ミニ。

そのときバスマースラがすばやく近づいてきて、ふたりをあやすようにこういった。

「あらあら、お嬢ちゃんたち。知らないのかしら？　魔族の顔に天界の光を当てるなんて、お行儀が悪いわよ。だって……いろいろ見えてしまうだろうが！」

ふたりの目の前で、みるみるうちにバスマースラの顔が変化した。肌がシワシワにたるみはじめ、ぬけた歯がしぼんだくちびるにこぼれ落ち、鼻がのびて顔全体が獣（けもの）のようになった。二本の牙ものぞいている。

アルは息が止まりそうだった。

バスマースラは、さっとふたりのほうを向いた。舌なめずりをして、やわらかくはずんだ声で「おや、そこだったのね」というと、這いずってくる。

「あたくしの本当の姿を見たわね。はん、まあいいわ。いつも思うのだけど、女というものは、幻想を見破ってしまうからねえ」

ミニは手をコンパクトに当ててふるえていた。

アルは、ミニの空いているほうの手をにぎった。

「かわいそうなパーンダヴァの小娘たち。ヒーローになれると思っているなんてね！　ちゃんちゃらおかしいわ」バスマースラは笑った。

それを聞いて、ミニは顔をしかめた。

「ちがう、ヒロインだよ。わたしたちは女子だから！」

バスマースラはそれも鼻で笑った。這う速度が増した。気味の悪い蜘蛛の化け物のようだ。

「ちょっと待って！　わたしたちを倒してほんとにいいの？　よーく考えて。なんかなくなってない？　とりもどさなくていいのかな？」アルはまくしたてた。

アルがうなずいてミニに合図を送った。

ミニの額に汗が光っている。

ミニはジャケットのポケットから輝く青い花のついた小枝をとりだした。そして、前へつきだすようにした。

バスマースラは歯をむき出す。

ミニはひるまずに、バスマースラの顔の前で小枝をふって見せた。

「くそっ、いつのまにそれを？」バスマースラは甲高い声でさけんだ。

「さっきだよ。倒れたとき髪から落ちたの気づかなかった？　そのときいただいたの」と、アル。

ミニはゆっくりと後ろへさがり、テーブルのドライヤーを後ろ手でつかんでかまえた。

そしてアルに向かって「あんまり長く持たないからね」と声に出さず口だけを動かした。

幻影の〈若さの小枝〉をかかげるミニの指先は、力を入れているせいで白くなっている。

もう少しだ、あともう少し。アルはタイミングをはかった。

バスマースラは自分の頭のまわりをそっと探っている。死をもたらすその手で、うっかり自分にふれないように。

本物の〈若さの小枝〉が爪の先をかすめると、バスマースラがフンッと鼻で笑った。

「まぬけなウソつきさんだこと。すでに〈眠れし者〉は枷から解き放たれたんだよ。あたしくしたちはみな、もう憂うことなく祝うのさ。おまえたちときたらまったく――」

「ミニ、いまだ！」アルがさけんだ。

ミニはドライヤーのスイッチを入れた。

バスマースラは、顔に熱風を受けて悲鳴をあげた。顔にまつわりつくべとべとした長い髪を、なんとか手でさわらずに後ろに払おうとしている。

ミニはぎゅっと目をつむったまま前へ駆けだし、ドライヤーをバスマースラの手にふりおろした。

ドライヤーで押さえつけられて、バスマースラの手が頭にふれて、ブスッという音がした。

バスマースラの甲高く恐ろしい悲鳴が、空気を切りさく。

手から炎がふきだしている。

アルはミニを引きもどした。

たちまち、店中に何かが焼けるにおいが立ちこめた。

輝きがあたりを満たし、アルは顔をおおった。

バスマースラの悲鳴が耳の奥に響いている……。

まわりが見えるようになると、アルは、ミニが床に手をついて何かを探しているのに気づいた。

しばらくするとミニは立ちあがり、得意げな顔をした。

「よかった、ちゃんとドライヤーの風で飛ばされてた！」誇らしげにさしだしたミニの手には、〈若さの小枝〉が輝いていた。本物のほうだ。

ミニの足もとでは、魔族バスマースラの灰が小さな山となり、まだ煙をあげていた。

第12章

次の行き先はどちら?

ミニは〈若さの小枝〉を体からできるだけ離すようにして持っていた。

「なんでそんな持ち方してるの？」

「だってこれ絶対、雑菌だらけよ！　何かに感染したらどうするの？　どのくらいの期間か知らないけど、魔物の髪の中にあったのよ。待って、さわったものはすべて灰になるのに、どうやって髪につけたのかな？」

　アルはサロンにあった道具や壺のことを考えた。

「たぶんだけど、さわって燃えるのは生き物だけとか？」

「小枝って生き物じゃないの？」

「〈冥界〉への鍵だし。〝死〟のお仲間かもよ？　死んでるものはそれ以上殺せないし」

「うーん」ミニはますます疑わしげに、小枝を見た。「これ、持ってるだけでひどい目にあったりしないかな？　永遠に年をとらなくなっちゃうとか？」

「年をとらないって。ひどい目じゃなくない？」

　しわができないなら悪くない。永遠に子供なら、いつも列の一番前に並ばせてもらえる。それに、アイスクリームの食べ放題なんかも子供料金で食べられそう。

「ひどいに決まってるでしょ！　ずっと身長一二〇センチのままでいるなんて！　そんなことになったらどうしよう……」

アルは、ポケットからくしゃくしゃのティッシュをとりだした。

「心配なら、これ使いなよ。〈若さの小枝〉にじかにさわらなくてすむよ」

ミニはそのティッシュを疑わしげに見た。

「ねえそれ、使用ずみじゃない？」

ギクッ……。

「ち、ちがうってば」

「じゃあどうしてそういう状態でポケットにあったの？」

アルは顔をあげた。

「あー、ほら、イギリスの王室の人は、いつも丸めたティッシュを持ってるんだよ。それをハンカチーフって呼んでるわけ」

「そんなわけ――」

「身長一二〇センチのままでいいの？　ほらほら！」アルはティッシュをつまんで左右にふった。

ミニはため息をついてティッシュを受けとり、それで小枝をつつんだ。

ふたりはバスマースラの灰を最後にもう一度見てから、サロンの出口に向かった。

「はじめて魔族をやっつけたね！」アルはハイタッチをしようと手をあげた。

だが、ミニはためらった。

「ねえ、まじめな話、人の手にむやみにさわらないほうがいいよ。風邪をひく一番のきっかけなんだから。インフルエンザもね。ワクチンを打ってなければ死ぬかもしれないんだよ」

「そ、そうだけどさ。でも、死んだら終わりってわけじゃなさそうだよね。たしかバスマースラも大昔に殺されたはずだし」

「なるほど、だとすると魔族の魂も転生するのかな？　わたしたちみたいに」と、ミニ。

魔族も転生するなんて、うれしくない考えだ。アルはしかたなく手をさげた。

（ハイタッチしようと手をあげて、ハイタッチしてもらえないのはかなり気まずい……あげた手をしばらく放置されて、のびをするふりでごまかせないときは、なおさら）

しょんぼりしたアルを見て、ミニは提案した。

「ね、かわりに、ひじタッチにしない？　なんといっても衛生的で、楽しいよ！」

「病院にあるポスターみたいなことをいうね」アルは顔をしかめた。

「うん、ああいうポスター好き……勉強になるし。それにカラフルだしね」

「了解」アルは笑った。

そして、ふたりはひじタッチをした。

外へ出たとたん、アルは何かヘンだと感じた。

サロンに入る前は、外は少し風があって肌寒かった。

いまは風がぱたりとやみ、気温はさっきよりぐっとさがっている。ここに着いたのは午後なのに、いまはもう夜になりかけて、空は痣（あざ）のような色をしている。

駐車場の向こうに生えている枯れ木から、一枚の葉がゆっくりと螺旋（らせん）を描いて落ちていく。少しゆっくりすぎる気がする……。

上から羽ばたく音がしてきた。

アルはのけぞってさけんだ。

「来るな！〈眠れし者〉、こっちには武器だってある。見くびらないで！」

だが、翼の主はブーだった。

「この命知らずめ！　やつの名を大声でさけぶとは！」ブーは怒った。おりてくるなり、ふたりの髪をくちばしでつつき、頭の中身はだいじょうぶかというように、耳をのぞきこんだ。

「えらく時間がかかったな、何やってたんだ？」

「コホン、いっときますけど、わたしたち、頭脳派の戦士なんです」

アルはいい返しながら、しわくちゃのパジャマをなでつけて少しでも威厳（いげん）をとりもどそうとした。

「えー、われわれはまず作戦を練り、状況を分析した。それから――」

「悲鳴をあげて、あやうく死にそうになって、魔族をドライヤーでなぐり倒したの」ミニがしめくくった。

「まったく、手柄（てがら）話もそこまでにしとけ。この、能なしのオタンコナスたちめ、びっくりさせおって」ブーはかんべんしてくれといわんばかりだ。

ミニは〈若さの小枝〉をふった。

「見て、ひとつめの鍵よ。あとふたつね！　次は〈青二才のひとかじり〉かな」

アルはにやりとしたかったが、駐車場の向こうにある木から目が離せなかった。それに、薄いパジャマでは寒さが身にしみる。

「いいか、おまえたちが助かったのは、まったくの幸運にすぎん」ブーは怒って羽をふくらませた。

いい返そうとして、アルは気づいた。ブーはふたりを心配していたのだ。

「ブーってば、なんだかんだいってわたしたちのこと大好きで、心配してたんだ！　へー」アルはからかった。

「ククク一ッ」ブーは鼻を鳴らした。「何をいう。おまえたちが死んだら、おれの評価がさがる。そ、そうだ、そういう意味で、その……心配した」

アルは勝ちほこったような顔になったが、そのあとのブーの言葉で真顔になった。

「心配ごとはもうひとつある。あのアスラは、おまえたちに気づいていたか？」

アルは身ぶるいして、マダム・ビー、つまりバスマースラがささやくようにいった言葉を思い返した。

――かわいそうなパーンダヴァの小娘たち。

ミニが、ブーに向かってうなずいた。

「むむ、まずいな。本当にまずい」ブーは落ち着かなげに地面をつついた。「〈眠れし者〉は手下を探しているんだ。第二の鍵の地図を見せろ」

ミニが手をさしだす。そして手のひらの側面にある、ページがめくれている本の絵を見せた。

「ナイトバザールの中か。……あの鼻持ちならない〈季節〉どもを説得して、防具を手に入れるのはなんとかなりそうだが、うーむ」ブーは考えこんだ。

「〈季節〉ども?」と、ミニ。

ブーはそれには答えず、ぶつぶつと独り言をつづけた。

「……あまりにも近すぎる。〈眠れし者〉がバスマースラに話していたとすると……これは、思っていたよりかなりまずいな」

「ねえ、ブー、〈眠れし者〉がバスマースラを知ってたなら、どうして第一の鍵を直接もらわなかったの?」と、アル。

「やつには鍵が見えないんだ。それにバスマースラも、その小枝がなんなのかは知らなかったんだろう。どうせ、美貌(びぼう)をたもつ魔法の小道具とでも思っていたんだろう」

「待って。ちょっと状況を整理させて」

ミニが口をはさんだ。

「〈眠れし者〉には鍵が見えないのね? でもわたしたちには見えることを知っている……それってつまり、いますぐにでも追ってくる可能性が……」

アルが凍えそうに感じるのは、冬がすぐそこまで来てるからってだけではない……あいつのせいだ。

駐車場には、さっきタバコを吸っていた女の店員がまだいる。いまは前かがみで携帯電話をのぞきこみ、口もとをゆがめたまま……完全に静止している。

「ねえ、あの、ミニ、ブー」

「なんだ？　まずは、見つかったときにどうするか、さっそく計画を立てねばな」ブーがいった。

「うん、だからそれ……もう見つかってる気がする」

空に黒い線が走るのを見て、アルはぞっとした。

だれかが夕暮れのファスナーをあけて、その下にひそむ夜の闇があらわれたかのようだ。

「ここから出ないと！」アルはさけんだ。

ミニは〈若さの小枝〉をバックパックに押しこみ、とびあがったブーをつかんだ。

「〈異界〉への行き方を思い出せ」ブーが声を殺していった。「手をのばして、見えないものをつかむんだ。見て、でも見ないこと！　それから第二の鍵の印にふれ――」

残りの言葉はかき消された。

突風がアルたちを押しもどしたのだ。

アルはサロンのドアにたたきつけられそうだったが、ミニが腕をつかんでくれてふみとどまった。

ふたりそろって自分の手の横にある第二の鍵の印にさわった。

風がうなる。

アルは視界のはしに、見おぼえのある光のすじをとらえたと思った。

が、そのとき、ほかのことに気をとられた。

暗い影が、駐車場のコンクリートの地面からあらわれ、インクと氷をよりあわせたような大きな塊になった。

そして、そこから笑い声がした……。

アルのうなじの毛が逆立った。

知っている声だ。アルがランプをつけたときに聞こえた、あの笑い声……。

〈眠れし者〉が一歩ふみだすと、足もとからなめらかな氷が広がり、通った場所がすべて凍っていく。

アルの体を、激しい痛みがつらぬいた。

静止しているすべてのもの――木の葉や石や人を見てアルが思い出すのは……母さん。

猿神ハヌマーンは、母さんはなんの苦痛も感じていないと保証していたけど、そんな状態があとどれだけつづくの？

手のひらの中心で、8を表していたものが形を変えはじめた。

時間が失われていく……。

すでに〈眠れし者〉に見つかってしまったし。

「アル！　早く！」ミニがさけぶ。

ミニは、アルの数歩先で、光の切れ目に片足をつっこんで、アルに向かって腕をのばしている。

アルは駆けよってその手をつかもうとした。指がミニの手をかすめ、おぼえのある〈異界〉の引力を感じた。

だが、そのとき、引力がぷつりと切れた。

何かがアルをつかまえて、前に進めなくしている。

「アル、こっちだ！」ブーがけたたましくさけぶ。

力いっぱいふみだそうとしたアルは、しめつけられて息ができない。

視界のすみで闇がのたくっている。

そのとき、黒い蛇のようなものが、アルの腰に巻きついた——アルはとらわれた。

「……う、ごけない！」アルが声をしぼり出す。

ミニが、アルの腕をつかんで、明るい切れ目へ引っぱりこもうとした。

アルも前進しようとふんばった。

と、耳もとで声がした。

「アルよ、おまえは母親そっくりだなあ。こずるくて、ウソつきだ」

はためく翼がアルの顔に当たった。

「放せ！　放せ！　放せ！」ブーはさけび、アルの腰に巻きついたものを激しくつついた。

ぐるりと巻きついていたものがふるえ、少しゆるんだ。

アルはすかさずポケットから黄金珠をとりだした。黄金色の輝きはにぶく、バスマースラと対決したときほどの明るさはない。

「お願い、力を貸して！」

アルはあせる気持ちを黄金珠に注入した。輝きが増すとか、剣に姿を変えるとか、光の蛇になるとか、ここからぬけ出せるなら、なんでもいい……アルは心の中でいろいろと思い描いた。

すると、珠から光がほとばしり、アルに巻きついていた蛇が、ついに地面に落ちた。

アルは飛ぶように入口に向かう。

〈眠れし者〉の怒りのこもったさけび声が追ってきたが、アルは〈異界〉に飛びこむことができた。

なんとか、おしりで着地した（思った以上に痛かったのは、クッションになるほどのお肉がついていないかしら）が、そこは森の奥だった。

まだあいたままの〈異界〉と現実の狭間から、男の手がのびてきて、ふたりをつかまえようと左右に動いて探っている。

ミニは〈若さの小枝〉でその手をたたきはじめた。

「あんた　パシッ！　なんか　パシッ！　だいっ　パシッ！　きらい！」

アルからするとそれほど激しいののしり言葉ではないが、さけんでいるのがミニなので、それなりに乱暴といえるのかもしれない。

ミニの最後の一打で、男の手がひっこんだ。

入れかわるように、ブーが裂け目から飛びこんできた。くちばしで光のすじをつつき、ファスナーを引きあげるようにして入口をとじた。

光のすじが消えると、入口も男の手も完全に消えた。

アルが手を開いてみると、黄金珠はちゃんともどっていた。

ブーは地面に舞いおり、力つきて翼をだらりとさげた。

アルはブーをひろいあげ、ぎゅっとハグした。

「ありがとう」

「そういうのは、よせよ！」ブーは乱暴にいったが、アルの手をのがれようとはしなかった。

「あれが〈眠れし者〉だよね？」と、アル。

あの声、いや笑い声にまちがいない。アルは罪悪感につらぬかれた。

あいつをこの世に解き放ったのは、ほかでもない自分なのだ。

「あいつ、わたしたちの居場所をつきとめてたのね。それに、第二の鍵の場所までばれちゃった……」ミニはバックパックを抱きしめる。

ブーはアルの手から飛び出した。

「いや、まだだ、見つかってはおらん。最後の最後で、目的地がばれないよう、行き先を変えた」

三人のいるところは手つかずの森だった。人の気配がない。

ブーの設定した行き先がどこだとしても、先ほどのサロンとは時間帯がちがうようで、ここはまだ昼間だ。もっとも、日光はあまり届いていない。頭上に堂々と枝を広げたオークの木が光をほとんどさえぎり、ココア色の地面には、わずかな光しか届いていない。

「いまはとりあえず安全だ。だが、ずっと安全というわけではない。〈眠れし者〉はあらゆる魔術の痕跡(こんせき)を監視している。第二の鍵のあるナイトバザールに行く前に、さらに安全を確保しておかねばならん」

「安全の確保？　旅行保険みたいな？」と、ミニ。

「それってなんだ？」ブーが聞き返す。「いやいい、いまの質問は忘れてくれ」

「神々に助けを求めるとかは？　まさか、ピンポン玉とちっこい鏡だけわたして、それっきりってことはないよね？」と、アル。

アルは、魂の父親が自分のことを心配してくれると期待するのは、ばからしいのかもしれないと思った。それでも、枝のすき間から空を見あげずにはいられなかった。稲妻で書かれたアルへのメッセージがないかと。

「いっただろう、神々は人間のいとなみによけいな手出しはしない」

「半神のいとなみにならどう？」と、アル。

「手出しはしない。それが神々の掟だ」

「じゃあ、だれが助けてくれるの？」

ブーはしばらく考えこんでるようだった。ぐるぐると歩きまわり、それから倒木のわきにある小さな蟻塚にゆっくり近づいて、じっと見つめた。そしておもむろに口を開いた。

「おまえたちに興味を持ちそうなやつに心当たりがあるんだが……そうだ、あいつさえ見つければ。うーむ、あ、待て！　これだ！　いたいた、わかるか？」

ブーは少し先の地面を、くちばしの先でしめしている。

アルとミニは心配そうに顔を見あわせた。

ミニは「ブーの頭、だいじょうぶかな？」と頭の横で指をくるくるまわす。

「おれの頭は問題ない、これを見ろ」ブーはふたりをにらんだ。

アルが近づいてみると、蟻の行列が倒木から落ち葉の山までつづいていた。

「よし、この蟻の列をたどるぞ」

「やっぱり頭どうかしたのかも」アルはミニにいった。

「蟻を追うんだ。すべての蟻はヴァールミーキへ通じる」

「えー？　あのヴァールミーキ？　生きてるの？　だって何千年も前の人よ！」ミニは目を丸くした。

「おまえたちだって、いわばそうだろうが」ブーはそっけなく返した。

「ヴァールミーキって何者だっけ？」と、アル。聞きおぼえのある名前だが、よく思い出せない。

「ほら、詩人の聖仙（せいせん）。『ラーマーヤナ』を書いた人だよ」と、ミニ。

『ラーマーヤナ』は『マハーバーラタ』と並ぶインドの有名な古い叙事詩（じょじし）だ。最高神ヴィシュヌの転身、ラーマ王子が妻を助けるために、十の頭を持つ魔物と戦う物語。アルの母親が集めた美術品の中には、ラーマ王子の冒険を描いたものもあったが、アルは蟻塚にすわる聖仙の絵を思い出した。それと同時にその聖仙のやったことも思い出した。

「そういえばヴァールミーキって、人殺しの盗賊じゃなかった？」

「うん、最初はね」ミニがいった。

「たった一回だったとしても、人殺しは人殺しだよね……」

「だがな、やつは心を入れかえた」ブーがいった。「何年ものあいだ、ヴァールミーキは瞑想して『マーラ』という言葉をとなえつづける苦行をしたんだ。『殺す』という意味だ。そしてずっととなえるうちに言葉が変わり、『ラーマ』となった。それはある神のべつの名で――」

「えー、その苦行のあいだ、蟻の大群がヴァールミーキに群がり、それが名前の由来となった！　サンスクリット語で『蟻塚生まれ』の意味である！」ミニがブーの語りに調子を合わせてしめくくった。

人が本当に変われるのか、アルにはわからなかった。

母さんは何回も、こんな生活はやめるからとアルに約束した。約束は、長くて六日しかつづかなかったけれど。その間アルは学校まで歩いて送ってもらい、まともな食事をして、母さんが最近手に入れた美術館の収集品のこと以外の話だってした。

でも結局はもとにもどってしまうのだ。

それでも、静止している母さんより、いつもの母さんのほうがいい……アルはこみあげる想いをぐっとのみこんだ。こんなところでぐずぐずしていられない。天界の武器を手に入れないと。それもいますぐに！

「そうさ、人は変われるんだ」ブーがつぶやいた。その目はアルの心を読んだかのようで、わかってるさといいたげだった。

アルは、ブーの口調が少しむきになっているようだったのを聞きのがさなかった。

「うん、変われるのかもね。でも、どうしてその人に会うの？」アルは聞いた。

「ヴァールミーキは聖仙だ。あいつのところにはすべての〈マントラ〉が集まる。おまえたちの助けとなる聖なる言葉だ。だがな、気をつけろ。とにかくやっかいなやつで……」

「どうして？　盗賊だったから？」アルは動揺した。

「もっとやっかいだ。あれは……」ブーは声を落とし、うんざりしたように首をふった。「物書きなんだよ」

ブーとミニは、蟻の列をたどって歩きだした（といっても、歩いたのはミニで、ブーはミニの肩の上だ）。

あたりは暗くて、蟻を探そうにも、黒い布の上で黒コショウをひろおうとするようなものだった。

「もう蟻も何も見えないよ」と、ミニ。

「携帯のライトを使えばどう？」アルがいった。

「だめなの。アルたちがうちに来る前にバッテリーが切れてて。アルの携帯は？」

アルは一瞬、答えにつまった。

「あ、ない。えっと、持ってないの。母さんが来年までは持たせないって」

「こうすればおれはよく見えるぞ」ブーはミニの肩からおりて草むらを注意深く進んでいく。

ついに鳩の相棒が本領を発揮するときが来たようだ。

前方に細い木が何本かあり、そのあいだに黄褐色の丸い大きな岩があった。

遠目にそこを見たときは、そんなものはなかったはずなのに……。

ブーはその岩に歩みよって、くちばしで二回つついた。

「ヴァールミーキよ！　おぬしの助力を借りたい！」

アルは気のせいかなとも思ったが、その岩が少し動いたように見えた。

「たのむ、そこから出てきてはくれんか……」

アルは少し近づいてよく見てみた。

丸い岩のようなものは巨大な蟻塚だった。

アルは身ぶるいをして、足を片方ずつふった。

蟻が体を這いあがってきたらどうしよう？

塚にいた蟻がいっせいに動きを速め、蟻の列が文字をなし、そして言葉をつむぎはじめた。

命なけレバ　呪イを望ム
韻ふみ語レバ　時代(じだイ)はちぢム

第13章

伝説の詩人とラップバトル

「まったく、これだから……」ブーがいった。
「何これ？」と、アル。
「いちいち韻をふむから詩はいやなんだよ」
蟻が隊列を組みかえると、ヴァールミーキの次のメッセージがあらわれた。

　　そんなこという
　　おぬシが憎シ

「ほらな？　いちいち韻をふんでて、大げさだろう？」
「あのう……」ミニがおそるおそる声をかけた。

　　必要なのは　あなたの援護
　　だから一期の　願いあり
　　あなたと語レば　誉レなり

「えっと、それから……」ミニはなおもつづけた。

ブーがイヤでも　わたし（ミー）はヤじゃない
命（イのち）おしいシ　イつわりないシ
どうかお願イ　いたシます
援護（エンご）がなければ　使命はエンド

ミニが韻をふみながら話していることに、アルは目を丸くしていた。
韻文なんてつくったことがない……つくるのにかなり時間がかかりそうだ。
蟻塚（ありづか）は、しばらくじっと何かを考えているようだった。
やがて蟻の列がこんなメッセージを表した。

おぬしの韻（いん）は　ズサンなり
それでも求めは　ガテンせり

そして、蟻塚にひびが入りはじめた
池に張った薄い氷のように、少しずつ土が割れていき、やがて男の頭があらわれた。
片方の目がこちらを見ている。明るい茶色の目だ。そのうちもう片方の目もぱっとあいた。

と同時に、蟻塚がぱっくり割れた。

そこには、サングラスをかけた初老の紳士があぐらをかいてすわっていた。白髪まじりの黒髪を頭の上で団子にまとめ、あごひげをいじっている。着ているTシャツの胸には《これはオシャレ系のひげではない》という文字。

男は、どこからともなくあらわれた流行(はや)りの広口びんに手をのばした。オレンジがかった色の飲み物が入っている。

もてなしの茶は　このウコン
好調邪魔され　わしは苦悶(クモン)
書き出しからして　思案中(しあんチュウ)
目印たどって　来たこの連中(れんチュウ)

「書き出しですか……えっと、わたしたちのことから書き出すのはものすごくめんどうそうですし、蟻塚が割れたあたりからでよくないですか？」と、アル。

ミニは、よけいなことをいうな、とアルをにらみつけた。

「み、身を守るもの、必要だ。だ、だ、大至急——」アルは必死でなんとか詩になるようにつづけようとした。

ヴァールミーキはアルに向かって静かにいった。

説得するには　韻ふみ必須（ヒッス）
でなけりゃおまえは　機会を逸（イッ）ス

そのとき、どこからともなくタイプライターがあらわれ、ヴァールミーキはいきおいよく文字を打ちこみはじめた。

アルは、タイプライターに紙がセットされていないことは指摘しないほうがいい、と判断した。

これってなんかのパフォーマンス？　なんとなく〝見て見て！　ただいま執筆中！〟的なアピールしてるみたい。やっぱり物書きってかなり変な生き物なのかも。

「おい、少しはミニの韻を見習え」ブーがアルをしかった。

――見習え、か。この先、何回も同じことをいわれそうだ。むっとしたアルは、ブーのくちばしをつまんでとじてやった。

ミニとくらべられたくはないが、ミニの韻のうまさに、アルは嫉妬（しっと）より尊敬を感じていた。アルにできるのは、授業で習ったばかりのビート調の詩くらい。一九五〇年代に流行ったもの。ラップっぽくリズムに合わせて指を鳴らしてさけぶならできるかな。もしヴァールミーキがそういうの好きなら。

そのとき、またミニが交渉を始めた。

　　鍵はうばうよ　魔族ドモから
　　防具はもらう　……

ミニはそこで言葉につまり、助けを求めてブーを見た。

「ああ、それなら……〈季節〉ドモから、だな」ブーは、いまいましそうにいった。

「ナニ？〈季節〉ドモだと？」

ヴァールミーキは片まゆをあげ〝おぬし、韻を甘く見とらんか？〟という顔をした。

そしてそのあと〝めちゃくちゃ急ぎの用件じゃん！〟みたいな表情になったから、こちらの事情も伝わったようだ。

ミニが急いでつけくわえた。

　　悪より守る　あなたの呪文（マントラ）
　　ほんとのことなら　ナントカください！

これを聞いたヴァールミーキは、蟻塚によりかかり、あごひげをゆっくりとなでた。

ひげのなで方にはふた通りある。ひとつは悪人の〝悪人でもひげはやわらかいのさ〟的ななで方。もうひとつは〝このひげのせいで悪人に見えたらどうしよう〟的ななで方。ヴァールミーキのなで方は、後者だった。

おぬしが望ムは　まともなハカライ
お先に求ムは　正しきシハライ

こういわれて、ミニはバックパックを開いて見せた。

お金はナイです　持ってナイ
ひょっとしたらば　アルはアル？

アルはポケットをたたいて「ぜんぜんない」といいかけて、韻をふもうとやってみた。

お金ナイです　ぜんぜんナイ
ショウがないナイから　この鳩でドウ？

「こら！　おれを商品にして、ドウすんだ！」
アルはため息をついた。「これ以上、韻をふむのは無理、意気消沈……」
あれ、韻をふめたかも？

売レルモノなぞ　ほシくもないシ
語レルモノくれ　おぬシの話(はなシ)

ヴァールミーキはいつのまにか身を乗りだし、タイプライターの上で両手の指を合わせている。

アラたな英雄　ふたりも来タリ
パーンダヴァ伝説　ネタ切れタリ
アラたな読者に　次なる語(カタ)リ

ぬしらの人生　一日クレりゃ
望みのマントラ　クレてやる

ヴァールミーキはアルとミニの本でも書きたいのだろうか？　もしそうなら、すごいことだ。アルはもう心の中で本のタイトルを考えはじめた。

『アル・シャー伝説』『アル・シャー戦記』うーん……。

「アル？　この人のいうこと信じてだいじょうぶかな？　なんかいやな予感がする」ミニは冷静だ。

そうだ『アルとミニ年代記』がいいかな……アルはまだ妄想している。
「待て待て！　かんたんに人生の一日をわたしたりするな！　どんな平凡な日であろうとそれは大切な一日だ。ヴァールミーキよ。そもそも〝寿命さだめられし者たち〟の一日は二十四時間と決まっている。すまぬが、たのみを聞いてくれ、さもなくば神々の力でしたがわせることもできるんだぞ」ブーがいった。
アルにはできない交渉術だ。鳩の守護者がいてくれてよかったと感じたのはこれで二度目だ。
ヴァールミーキはしかたないというように肩をすくめた。ややふきげんそうに、こういい放った。

物書きの仕事は急カセナイ！

ブーはすかさず、こう返した。

おまえの力が欠カセナイ！

アルは、ブーが答えてくれてよかったと思った。自分では「急かす」と合わせる韻は「すかす」くらいしか思いつかなかった。伝説の詩人相手に、オナラ系の韻はさすがに気がひける。
ヴァールミーキが「では、あと払いならどうだ？」といいだした。

よいならうなずけ　同意のシルシ
さすれば取り立て　のちのちイクシ
それまでやること　ぼちぼちアルシ
さあ行けやれよ　ぶちのめシ

アルはにやりと笑って、首がもげそうなほどいきおいよく何回もうなずいた。

ミニはいつもどおり、もっと慎重だった。しばらくヴァールミーキをじっと見て、それからうなずいた。

ヴァールミーキは笑みを見せた。

ささヤク言葉は　命の相場(そうバ)
輝ク光は　目くらまシ
目くらまシには　リズムが命
リズムなければ　食われるシ

ミニとアルは、やっと聖なる言葉〈マントラ〉が聞けそうだと耳をかたむけた。

どうやら魔族から命を守ってくれるというより、目くらましに役立つ〈マントラ〉らしい。

ヴァールミーキはゆっくりと、こうとなえた。

見ナイ　見エナイ　わたしはイナイ

力強い呪文が、アルの体内を通りぬけていった。アルは一瞬、呪文につつまれているような気もした。

アルとミニがお礼をいおうとしたときには、かがみこんだヴァールミーキをすでに蟻塚がおおい隠していた。

「よし、これで〈マントラ〉を手に入れたぞ。あらためて第二の鍵のところへ向かうとするか。今度は〈眠れし者〉に見つからないはずだ」ブーがいった。

見つからないはず、か……。

アルは覚悟を決め、ミニと声を合わせて〈マントラ〉をとなえた。

見ナイ　見エナイ　わたしはイナイ

いまのいままで、アルは言葉や文章を味わうなんて考えたこともなかった。もちろん意地悪なことを口にして、あと味が悪かったことはある。でも、ヴァールミーキの〈マントラ〉をとなえたとき、舌の上で言葉の魔力がパチパチキャンディーのようにはじけるのを感じた。

メヘンディの第二の鍵の印にふれる直前、別れをおしむように蟻塚をふり返ると、新しい言葉が並んでいた。韻文蟻（いんぶんあり）がつづったのは、出来の悪い、叙事詩（じょじし）の下書きのようだった（下書きというものは、なんでも目も当てられないシロモノなのだ）。

それは暗い　嵐の夜（ヨル）
鳩と少女ら　ここへヨル
〈眠れし者〉を　押しとどメ
ふせぐはシヴァの　その目覚メ

第14章

〈異界(いかい)〉専用(せんよう)スーパーへ

〈異界〉に放り出されるとき、何かがアルにふれた。

はっと見ると、鉤爪(かぎづめ)が視界をよぎった。

きちんと〈マントラ〉をとなえたのに……だれかに見られているような気がして、髪の生えぎわがぴりぴりする。

下を見ると、全身の血が凍るかと思うほどぞっとした。

星を埋めこんだような黒の太い尾のようなものが、とぐろを巻いていたのだ。

それが、アルの足の上を這いずった。

アルはぶつぶつと〈マントラ〉をとなえつづけた。

「見ナイ　見エナイ　わたしはイナイ。見ナイ　見エナイ　わたしはイナイ……」

わずか一分ほどの出来事だった。

マントラをとなえているあいだ、アルの頭には〈眠れし者〉の声が響いていた。

——アルよ、おまえは母親そっくりだなあ。こずるくて、ウソつきだ。

なぜ、〈眠れし者〉が母さんを知っているの？　ひょっとして母さんもミニのお母さんも前はヒーローだったの？　なぜいろいろなことをミニは知っていて、わたしは教えてもらっていないの……（アルがこういうことで思い悩むのは、初めてではないし、これが最後でもない）。

　上から光がさしてきた。見まわすと、アルはさっきとはべつの駐車場にいた。

　ミニとブーも一緒だ。

　どこの街かはわからないが、魔族のサロンがあった場所より少し暖かい。

　ここにはまだ秋の美しさが残っていた。空は明るいが、雨をたたえたような雲が低いところに見えている。

「どうしていつも駐車場なの？」と、ミニ。

「まあ、車道のど真ん中に出てくるよりましだろ」ブーはそっけない。

　そこは倉庫で業務用の品などを一般客にも売る巨大なスーパーマーケット《コストコ》の駐車場だった。真っ赤な買い物カートが飼料置き場の横に並んでいる。木々の葉はあざやかな赤やサフラン色に燃え、まるで一枚一枚、箔（はく）でつつんだかのようだ。

　手のひらがむずむずして、アルは手を開いてみた。

　8を表すサンスクリット文字が消え、新しい文字が光っていた。

「今度はいくつ？　大いなる宇宙のお慈悲で、『ごほうびに魔族のいない日にしてやる』なんて意味だったり

しない？　まさか3じゃないよね、形は3っぽいけど」

ミニはアルの手をしげしげと見た。

「うん、3じゃない」

「よし！」

「6だよ」

「はい？」

「シャット、つまり6ね」ミニは納得のいかない顔でブーをふり返った。「でも、きのうは8だった。どうして？」

ブーは翼をふるわせた。

「じつはな、〈異界〉を通るにはそれなりの代償が必要になる。ここでの時間は、人間の時計どおりに進むとはかぎらんのだ」

「待って、それじゃ……それじゃ、わたしもう七十二時間も睡眠をとってないことになる！」ミニの声がうわずった。「死んじゃう！　もしかして、とっくに死んでたりする？」

アルがミニの腕をつねった。

「痛いっ！」

「はい、元気、ピンピンしてる」

ミニは腕をさすりながらアルをにらんだ。

「おまえたちはパーンダヴァなんだぞ。そこらの人間みたいな食事や睡眠など、とらなくても平気だ。もちろん、能力の維持にはいくらかは必要だがな。そうだな、ここで菓子でも買うか」

「やった！　お菓子買ってもいいの？」と、アル。

それ、大歓迎。ココアクッキー、オレオの業務用巨大パックこそ、まさにいまアルが何よりほしいものだ。

と、ブーがえらそうに説明を始めた。

「いいか、ことわっておくが、ここは〈異界〉の住人用の業務用スーパーだ。だれが何を必要とするかによって、店のほうが姿を変える。おれたちのためには、ここはナイトバザールに姿を変えるはずだ。ナイトバザールに変化したら、〈季節〉どもを探して、おまえたちの武具を見つくろってもらう。第二の鍵を探しに行くのはそのあとだな」

アルはかなり本気で、第二の鍵がオレオのとなりに置かれていればいいのに、と思った。しかし、アルのその熱い思いは、ミニの次の言葉を聞いて、あっという間に消えてしまった。

「〈眠れし者〉に見つからないところならどこへでも行く！　さっきヴァールミーキのところを出たとき、アルもあいつを見たでしょ？　あいつ、真横にいた……。絶対、何かをしようとしてた。それに体がふれたの！」

ミニは身ぶるいしてつづけた。

「とにかく、あれって、あいつだったよね？　見たのは太い蛇のしっぽだけだったけど。でも、あれはそうだよね？」

「うん。そうだと思う。それでそのときミニは〈眠れし者〉に何かいわれたりした？」

「ううん、それはない。アルは何かいわれたの？」ミニはけげんな顔をした。

アルはじっと考えこんだ。「さっきじゃなくて、それより前にね。たぶんどっかから移動しようとしていたとき……どこだったかおぼえてないけど。頭の中で声がしたんだ。母さんとくらべるようなことをいわれた。わたしを母さんみたいにウソつきだっていった。気味が悪かった」

ミニの頭の上にいたブーは、これを聞いて、首をすくめているみたいだった。

「ブー、何か知ってるの？」アルは聞いてみた。

「おれが？　知らん、おれはなんにも知らん！」声が裏返っている。「さあ、もう店に入るぞ！」

「ねえ、〈眠れし者〉に最後にいた場所がばれて、さっきみたいに移動中にも見つかっちゃうなら、いくら〈マントラ〉で痕跡を隠せたとしても、また同じことが起こるんじゃない？　もし〈眠れし者〉に追いつかれたらどうすればいいの？」と、ミニ。

「それはな……だれよりも速く逃げることだ！　さあ、遅れたやつがつかまるぞ！」そういって、ブーは店の入口に飛んでいった。

アルはミニに冗談をいおうとしたが、ミニはくるりと背を向けて駆けだし、車と放置された買い物カートが入り乱れている駐車場のどこかへ行ってしまった。

＊＊＊

「みーつけた！　そんなとこいたんだ！　どうしたの？」アルは大声で呼んだ。

アルは駐車場のエリアAを二周したところで、やっとミニを見つけた。

ミニは《うちの子は優等生》という自慢げなステッカーを貼ったミニヴァンのボンネットの上で丸くなっている。

アルが近づいてもふりむきもせず、左手のサンスクリット語の数字を何度もなぞっている。

「置いてけぼりにしようとしたでしょ？」ミニが静かに聞いた。

「は？　なんでそうなるの？」

「わたし、アルみたいにこういう冒険みたいなこと得意じゃない……そもそもわたしは使命を果たすなんて期待されてなかったし。お母さんに初めて〈異界〉に連れてこられたときなんか、吐いちゃったし。あのとき門番たちは通してもくれなかったのよ」

「そんなの、わたしよりましだよ。うちなんて〈異界〉に連れてきてくれたこともないよ。それに、ミニの家では大事なことをちゃんと教えてたでしょ……」

「それは役目があるからよ。うちのお母さんは〈パンチャカニヤー〉だから」ミニは鼻をすすった。

「え、何それ？」アルは、その言葉がふたつの単語の組みあわせだということはわかったが、意味まではわからなかった。

パンチャは「五」で、カニヤーは「女」だとミニはいった。

「伝説に出てくる姉妹衆（しまいしゅう）のことだよ。お母さんはよくその話をするの。古い伝説の女王の転生が、五人いるんだよって。お母さんもそのひとりで、いまのところの役目はわたしたちを育てて守ることなんだって」

「じゃあ、うちの母さんもそのひとりってこと……？　えっと、姉妹衆だっけ？」

「……そうなんじゃない」ミニは少しぶっきらぼうだった。

ミニの口調が変わった理由が、アルにはなんとなくわかった。ミニの気持ちのことを話していたのに、アルの母親の話にうつったからだ。

でも、遠慮なんてしていられない。知らないこと、どうしても知りたいことだらけだ。だからアルは質問をつづけた

「ね、その姉妹衆のほかの人のことは聞いてる？　ミニのお母さんは、ほかの姉妹衆に電話かけたりしてなかった？　あとさ、ミニはほかのパーンダヴァの子に会ったことあるの？　ほかの子もみんな同い年の女子なのかな？」

「そんなの知らない！」ミニは首をふってアルをにらんだ。「何それ。アルはほかのパーンダヴァがいいってこと？　わたしじゃだめってこと？」

「そんなこといってないし……」

「いってなくない……もういい。こういうこと慣れてるから。どうせわたしはなんでも二番目なの。いつも置いてけぼりになるし」

「それって、さっきブーがいってたことと関係ある？『だれよりも速く逃げろ、遅れたやつがつかまるぞ』って」

ミニはうなずいて鼻をすすった。

「気にすることないよ、ブーなんてただのブーでしょ。あいつなんか鳩だよ鳩」と、アル。

まるで、鳩なんだから意地悪で当たり前みたいな言い方になった。

しかし、ブーの逃げろという警告自体は、そのとおりだという気が、アルはしていた。

「わたしはただ……置いてかれたくないだけなの」ミニの目に涙があふれてきた。「いつも置いてかれるんだもの。それが、ほんとにいやなの」

「ひょっとして、これまでにもだれかと一緒に怪物から逃げまわったことあるの？」

ミニはアルのこの冗談に笑ったが、泣きながら笑ったので、鼻水をすすりながらしゃっくりしているみたいになった。

アルは、鼻水がつかないように少し身をひいた。もうすでに魔物の灰をかぶっているのだ。

「そんな経験ないよ、ない」

ミニは〝鼻すすりあげ笑いしゃっくり〟がおさまってから、話をつづけた。

「……アルには……たぶんいまのわたしの気持ちなんてわからないよ。アルなら学校でも人気ありそうだもの。絶対なんでもできそう……〈異界〉に行ったことなんてなくても、さっきもわたしなんかよりずっとうまくバスマースラと戦ってたし。アルは、学校で〝チクリ屋〟なんていわれたこともないでしょ。お誕生会に行ったらだれもいなくて、自分だけ招待状にちがう日付を書かれてたなんてこともないよね……仲間はずれにされたことだってないでしょ」

アルはショックが顔に出ないように気をつけた。

〝チクリ屋〟認定なんて学校生活ではサイアクの部類だ。そんなレッテルを貼られたら、もうだれからも口をきいてもらえなくなる。

「アルは、後悔するようなことってしたことある？」と、ミニ。

アルはミニと目を合わせなかった。

ミニに打ち明けるべきことはたくさんある。人気者なんかじゃないこと。仲間はずれにされるのがどんな気分かはよく知っていること。何よりも得意なことは魔物退治なんかじゃない……何かのふりをすることだ。

アルはしばらく、なぜランプがあんなことになったのか、本当のことをいおうか迷った。あれは事故じゃない。よく思われる必要もない相手によく思われようとして、アルがわざとやったことだ。でも、本当のことはいえなかった。

ほかの人から、自分のことを実力よりすごいと思われるのは、誤解だとしても、それはそれで気分がいい。

そこで、アルはミニの質問に質問で返した。

「もし、チクる前の時間にもどれるとしたら……もどる？」

ミニは顔をあげた。

「ううん、もどらない。だってデニス・コナーはマチルダの髪を切ろうとしたんだよ」

「〝チクリ屋〟って、原因はほかの子のことだったの？　どうして人のことに首をつっこんだりしたの？」

そんなのは、学校ではよくあることだ。アルだったら放っておく。他人のことだから。アルの出る幕じゃないから。

ミニはため息をついた。

「マチルダは病気で、去年休学してた。それで化学療法を受けたせいで、髪の毛が一度ぜんぶぬけちゃったの。あのときは、その髪がやっと生えはじめたばかりだった。それなのにデニスはそれを切ろうとしたんだよ。ゆるせなくて……」

「なんだ。いいことしたんじゃん。デニス・コナーだっけ？　そんな、どっちが名字かわかんないような、変な名前のやつなんかほっときなよ。そんなやつ、どうせろくな目にあわないって。気にしない」

ミニは笑った。

「そんなの、ミニはぜんぜん〝チクリ屋〟じゃないよ……むしろ勲章（くんしょう）もの。もっといえば騎士ってとこ？　ほら、だれかを助ける騎士！」

ミニは手のひらをかかげた。

サンスクリット文字は、いまも逆さまの3に見える。

「でも、騎士があまり強くないときは、どうしたらいいのかな？」

「助けるのに失敗したって、騎士は騎士だよ。……ねえ、もう行こうよ。ブーがいってたよね、ここは〈異界〉のコストコだって。トイレットペーパーが飛んでたりするかもよ。それか限定商品で、大袋につめこまれた願いごととか、業務用サイズのドラゴンの歯とか、いろいろあったりして。あ、もちろん買い物より第二の鍵が大事なのはわかってるってば。えっと、なんだっけ？〈青二才のひとかじり〉だったよね」

ミニはきげんが直ったようで、元気にうなずいた。

「ミニ、第一の鍵はちゃんと持ってるよね？」

ミニはバックパックをたたいた。

「ここに入ってる、まだアルのティッシュにくるんだままでね」

「さっきいったでしょ、ハンカチーフ」

「そうでした」

「では、まいりましょうか、騎士殿」

ふたりが店の入口にもどると、ふつうの業務用スーパーと同じように、この店にもたくさんの客が出入りしていた。

ただ、ここでは入口を通ったとたんに人の姿が変化する――。

たとえば、カートを押して入口に向かう女の客は、外では、町でよく見かけるような人だ。ありがちな靴。ありがちな髪型。ありがちな服。

ところがその人が、店の入口に置かれた店名入りのマットをふんだとたん、全身金色の羽におおわれた巨大な鳥っぽい生き物の姿になった。しかも羽の先には火がついていてパチパチと燃えていて、床に落ちては、溶けたロウソクのようにジュウッと音をたてる。

出口の手前でレシートのチェックを受けていた家族連れは、店のマットの向こう側では、上半身は人間っぽかったが下半身が蛇だった。マットを通って出てくると、家族全員、ふつうの人間の姿になった。

出てきた蛇の少年は、ミニにウインクをした。

気をとられたミニは、思わず柱にぶつかった。

「ちょっとー。冥府神の娘さーん。男子にウインクされたくらいで、柱にぶつからないでよ」アルが小声でからかった。

「そんなんじゃないの！　つまずいただけだよ。そんなんじゃ……ああ、もう。べつに、あの男の子がニッとわたしに歯を見せたとか、そんなことじゃないからね」

「つまり、笑いかけられたってこと？」

「えっと」ミニは真っ赤になったほほを、照れ隠しにこすっている。「まあね」

ブーが、買い物カートの上からふたりをにらんだ。

「おまえたち、何をしてたら、そんなに遅くなるんだ？　待ちくたびれて、じいさんになるかと思ったぞ」

「ブーは年をとらないんじゃないの？」と、アル。

「もし老化したら、〈若さの小枝〉があるよ。若返りに使えるかは知らないけど、ためしに、枝でたたいてみる？」

ミニが提案した。

ブーはアルの肩に止まり、髪の毛の中から頭だけをのぞかせた。

「おい、そんなこと絶対にするなよ。この極悪人、いや極悪ガールか！」

「おじいさんになるっていうから、助けようとしただけなのに」ミニは腕を組んだ。

「ごめんこうむる！　殺されたらかなわん」

それから、ブーは気をとり直してつづけた。

「よし、じゃあ店に入る前にこれだけはおぼえておけ。商品をじっくり見ていると、この店はナイトバザールに変わってくれん」

アルは目をぱちくりさせた。「は？　どういうこと？」

「うむ、しっかり見ずに、ぼーっと意識を飛ばすのが大事ってことだ。まずは冷凍食品売り場に行って、朝食用の食材をかたっぱしから読みあげるぞ。いやというほどあるからな、きっと精神が現実から切りはなされて意識が飛ぶはずだ。意識を飛ばすには、代数の問題を解くのもいい。難解な本を読むって手もある。ジェイムズ・ジョイスの『フィネガンズ・ウェイク』なんかオススメだ。おれがよくやる手だ」

「なんか危険そう……」ミニはいいかけたが、アルにじろりとにらまれて、大きく息を吸ってこういった。「でもまあ、わたしは冥府神の娘だし、そういう危険そうなことを……楽しまなきゃ（だよね、アル？）」

アルはにやりとした。

店に足をふみいれた瞬間、独特の倉庫っぽいにおいがした。こういう店ってどうして何もかもコンクリート製なんだろう？　それにかなり寒い……。

暑さで道のアスファルトが溶けるような真夏でも、スーパーの中はいつも凍えるほど寒い。アルは上着を持ってくればよかったと思った。

ブーも寒いのだろう。アルの肩でアルの髪を集めて、さっきから巣ごもり状態だ。いまはアルの髪をショールにして、やたらと文句をいう、どこかの家のおばあさんみたいだ。

「そっちじゃない！　そっちは家電売り場だ。明るくてギラギラしたものだらけだろ」

店はごった返していた。底にローラーのついたスニーカーをはいた子供を連れた家族もいる。白人、アフリカ系、ヒスパニック系、アジア系……背の高い人、低い人、太った人、やせた人。それに、人間ばかりではない。羽や毛皮におおわれた姿もあれば、牙があったり、ネコっぽい姿もあった。

アルは目を丸くした。

「あの人たちみんな……わたしたちみたいなの？」

「おまえたちみたいとは……おバカさんってことか？」と、ブー。

「そうじゃなくて、えっと――」

「やせっぽっちのヒーロー、ってことか？」ブーは当てずっぽうに失礼なことをいう。

「もうっ、ウガーッ！」

「ウガーッてのが何かはわからんが、とりあえずウガーッともちがうぞ」ブーはすましている。「だが、おまえが知りたいのが、ここにいるやつらが〈異界〉となんらかのつながりがあるのかってことなら……そうだ」

「わたしたちみたいに？」

「あいつらは、あいつらだ。どんなものであれ、あいつらにはあいつらの〈異界〉がある。まあ、ここであーだこーだと議論してもしかたない。世界には、さまざまな者が共存しているんだ。何人もの神々がひとつの世界にいることもある。指と同じだな。それぞれちがうが、同じ手の一部には変わりないだろ」

ふたりと一羽は、鉢植えの木が並んでいるところを通った。

真珠のように輝くリンゴのなった木があった。ナシの木は黄金製のように見える実をつけている。大きなクリスマスツリーまであり、枝には百本ものロウソクの炎がゆらゆらと光っていた。

アルが見ていると、赤毛の少女がクリスマスツリーに手をのばした。その子はふふっと笑うと、アルの見ている前で木の幹に入りこんだ。

ツリーは満足げにぶるっとふるえた。

だが、その子がすっぽりと幹におさまったとたん、赤みがかった金髪で長身の女がツリーの幹をたたきはじめた。

「そこから出といで！　いますぐだよ！」話し方にアイルランドっぽいアクセントがある。「ケルトの神、ダグザの名において、わが――」女は何かをとなえおえると、ツリーの枝をぐいっと引っぱった。

すると、さっきの少女が木の中から引きずりだされた。ふきげんそうな顔をしている。

どうやら女は、少女の母親のようだ。少女に小言をいいつづけている。

「おまえときたら、いつもいつも。だから公園で遊んじゃだめっていってんだよ。メイヴ、ほんとにもう、父さんがこのことを知ったら……」

アルには、その母親の小言のつづきは聞こえなかった。母と娘は、足早に洗濯用品の売り場のほうへ行ってしまったのだ。

「ここってコストコだよね？　ああいう……〈異界〉関係の人たちって……どこに来てるつもりなの？」と、ミニ。

ブーはウインクして、こういった。

「おれは、だれにとってもここが業務用スーパーだ、などといったおぼえはないぞ。そもそもいまおれたちがいるのはアメリカだと思っているのか？　世界ってのは、いろんな顔があるんだよ、お嬢ちゃん方。ただ、一度にひとつの顔しか見せないだけだ。さあ、とっとと行こう。ここだって時間は人間界より速く進むんだぞ。まだ防具も第二の鍵も見つけておらん」

「それも大事だけど、おやつもだよね？」アルはおおいに期待していった。

「ああ、わかったわかった、買っていいのはひとつだけだぞ」

第15章

魔法がかかるとみんなハチャメチャ！

アルとミニは、冷凍食品の広い売り場にたどり着くと、ブーにいわれたとおり、朝食用の商品のラベルを読みはじめた。精神を現実から切りはなすために——。

黒豆スープ、ロールサンド、ピザ、ベーグル、ピザベーグル、モツ、タラ、ナマズ。

どこから見ても魚なのに、じつは魚じゃない〝魚もどき〟は気持ちが悪い。

アルは自分の感覚が変化するのを——コストコがナイトバザールに一変する瞬間を——待った。

テレビの画面がちらつくみたいに視界がちらついたりするのかな……。

しかし感覚の変化はなく、アルが期待していた魔法のトイレットペーパーが飛びかうシーンなんて、夢のまた夢という感じだ。

「ねえ、どの〈異界(いかい)〉の人も、買い物はここでするのかな？」と、ミニ。

「で、そのあと武器選びもするんだよね」アルも、ラベルを見ながら答えた。

もちろん〈冥界〉への鍵もだ。

アルはこれまでスーパーで、牛乳を選んだあと武器を選んだことはない（残念ながら）。

「おい、おまえたちに教えておく。これから行くナイトバザールってのはな、歴史の中で状況に応じて形を変え、いろんなことをこなしてきたんだ。たとえば、よその国に引っ越した移民の家族がその国になじんでいったり、人の想像力がいろんな方向に進化していくのと同じようなことだ」ブーが説明した。

「ふーん、じゃあ、昔はどんなふうに見え――」

「いいからラベルを読め」ブーはアルの質問をさえぎった。

ミニはあくびをした。

「はあい……またピザロール……どうしてこんなにたくさんピザロールの会社があるの？　ピーナッツバターサンド、冷凍サーモン」そこでミニが一瞬、口をとじた。「ねえアル、知ってる？　サーモンで大腸菌に感染することがあるの。死ぬこともあるんだよ」

アルは冷蔵庫の冷気にふるえながら、顔をしかめた。

「なんでも、どんなものでも死ぬことはあるよ！　いちいち教えてくれなくていいから」

ミニは体を起こした。

「お母さんは、いつも『知識は力なり』っていってる。だから、知ってることをふやせば、わたしたちももっと力がつくと思うの」

「うちの母さんは『無知こそ無上の喜び』っていってるよ」アルの声は小さくなった。

無上の喜びってしあわせのことだよね……。

アルはこれまで、何も知らなくてうれしいと思ったことも、知らなくてよかったこともない。なのにいま、自分がだれなのか、どこにいるのか、次に何をすればいいのか、何もわかっていない。母さんは、パーンダヴァにまつわるいろんなことを隠しておきたくて「無知こそ喜び」なんていったのだろうか？

いや、たぶん、アルを守るためだ。

昔から、母さんが隠していたことを、アルが数日後（もしくは数カ月後）に知ることはよくあった。

アルが三年生のときの誕生会に、友達がだれも来なかったあの日——。

母さんは泣きながらアルにあやまった。書類と一緒にまちがって招待状をぜんぶすててしまったせいだと。アルはその日、母さんとふたりで映画を見て過ごし、いつもなら夜には食べないふわふわのパンケーキを、今夜は特別、といって夕食にしたのだ（あれは最高だった）。

一年後、アルは母さんに猛烈に怒ることになった。クラスの子から本当のことを聞かされたのだ。じつはみんな招待状は受けとっていた。来るのがいやで来なかっただけなのだ。母さんは、アルが傷つかないようにウソをついていた……。

アルは、さっきのミニの話を思い出していた。誕生会の招待状で、ミニ宛のだけちがう日時が書いてあったという話。

ミニは、自分とアルがどれほど似ているかをまだ知らない……。

ミニはまた商品名をだらだらと読みあげはじめていた。

「冷凍ワッフル、冷凍パンケーキ、冷凍の星、冷凍の翼、冷凍の――」

「あれ、ミニ、ちょっと待っ――」

「預言、冷凍太陽系、冷凍の黄金、冷凍の鉛――」ミニはぼんやり読みつづけている。

アルはあたりを見て魔法のきざしを探した――。

ついに、ゆっくりとアルの視界が変化した。スーパーの建物が消え、コンクリートの床は土の地面になった。もう天井で蛍光灯はチカチカしていない。

体の芯から重くなり、アルは強い眠気をおぼえた……まるで授業中に寝落ちするときのように、まぶたがついついとじてしまう、完璧にしあわせな瞬間。

と、突然（授業終了の？）ベルが鳴って目が覚めた。

いや、ベルではない。甲高く響くのは、鳥の鳴き声？

天井はすでになく、大きな鳥が頭上高く舞いあがった。大きな翼は、夕暮れから夜にうつろうときの黄昏（たそがれ）の色……。

空の半分には太陽が輝き、もう半分には月が輝いている。

「うわぁ」ミニが息をのんだ。

そこは、古代都市の市場と現代の食料品店がいっしょくたになったような場所だった。

ガラスごしに売り場の通路が見えた。四方八方にどこまでものびている……。

さまざまな陳列棚やショウウインドウ、小さな店やテント式の屋台がひしめいている。

月の光でつむがれたような絹織物が見える。激流でできているリボンのようなものを売っている店もある。

そのとなりはアップル・ストアだ。

買い物カートは……生きている……金属の格子が動物の口のようにのびちぢみしている。真っ赤なハンドルはまゆのよう。毛を逆立てたネコのように金属の突起をつきだして、そばを通る人を威嚇（いかく）しているのがいる。

野生化しているのか？

二台のカートがたがいにうなり合っている。蛇族の女ナーギニーが悪態をつきながら、べつのカートと格闘していた。そのカートは、女に真っ赤なハンドルをおさえこまれて、やっとおとなしくなった。

アルは遠くに浮かぶ三枚のきらびやかな標識（ひょうしき）に気づいた。

何が書いてあるのか、ここからでは読めない。

もっと近づこうとした瞬間、アルは耳を強く引っぱられた。

「ちゃんと並んでろ！」ブーだった。

そのときようやくアルは、自分が長い行列の中にいることに気づいた。

ガラス窓の向こうに見えるナイトバザールに入るための列だ。

アルたちの前に並んでいるのは、蛇族の夫婦だった。

「ったく、これじゃ美容院の予約に間に合わないわ。何カ月も前から予約してたのに」妻が文句をいいながら夫をふり返る。そのときコブラ頭のフードの部分が波打った。

夫のほうがため息をつくと、先の割れた舌がちらりと見えた。夫は後頭部をちょっとなで、ブロンズ色の自分のとぐろに身を沈めながらいった。

「なあ、おまえ、ちがう世界だからしかたがないよ。安全かどうかだって、心もとないんだ。それに、〈神々の乗り物〉がいっせいに消えたってうわさがある」

「アル、いまの聞いた？」ミニがアルのそでを引っぱった。

「もちろん、となりに立ってるからね」

ミニはちょっと赤くなった。

「あ、あの人たちも知ってるかな？〈眠れし――」

そのとき、ブーがミニの手をつついた。やつの名を口にするなという警告だ。

「それなら〝例のあの人〟とかいえばいい？」ミニは小声でいった。

「それじゃ、『ハリー・ポッター』のヴォルデモートだよ！」アルはすかさずいった。

「じゃあ、なんて呼べばいいのよ」

ナイトバザールの入口で〈眠れし者〉のことを話すのは危険だということくらい、アルにもわかる。映画館で「火事だ！」とさけぶようなものだ。

行列に並んでいる人はみんなあきらかに何かを警戒している。みょうな緊張感につつまれ、恐ろしいことが起こるのを待ちかまえているみたいに。

アルの耳に、ひそひそ話が聞こえてきた――。

「――一帯が完全に静止するんだって。で、事件の発生場所に法則性がないらしい。アメリカの南東部のどこかと、中西部のショッピングセンターだったかな？」

「――きっと、何か理由があるはず」

「――人間たちが混乱してて」

穴があったら入りたい……アルは身をちぢめた。

そんなアルを見た人は、こいつが何かやったのかも、とかんぐるかもしれない。

アルはランプに火をつけただけだ。

それは（こんなにすぐだと思っていなかったにせよ）いずれだれかがやると思われていたことだった。アルはなんだか自分がマンガっぽく思えた。小さな雪の玉を投げたら雪崩(なだれ)が起こってしまうやつ……。

行列はわりと速く動いていた。

数分もかからずに、アルとミニとブーは、頭が牛の男の前に出た。筋骨隆々(きんこつりゅうりゅう)だ。

こういう〈異界〉の人を見たことがある。たしか博物館の絵にあった……そうだ、魔族のラークシャサだ！

アルは一瞬、パニックになりそうだった。

でも、すべての魔族が悪とはかぎらない。母さんから聞いた物語では、悪者がときにヒーローになったり、ヒーローが悪に転じたりした。アルはそういう話が好きだった。

母さんはアルによくいっていた。

――どちらが本当の悪者なのかしらね。だれにでも善(よ)いところも悪いところもあるわ。

ラークシャサは、うんざりしたような黒い目を、アルとミニとブーに向けた。

「ポケットのものを出してください。〈遠隔魔法〉がかかっているものはすべて、左のかごに入れて」

見ると、クリスタルガラスのかごがふたつ、左側に浮いている。

右側のベルトコンベアーのベルト部分は、溶かした金のよう。

正面には明かりの点滅するアーチ型の入口があり、空港のセキュリティーゲートそっくりだ。

「〈小型宇宙〉をお持ちの場合は、右のかごへお願いします。未登録の場合は〈惑星食らい〉で処分します。あいにく苦情は受けつけておりません。呪いをかけられている方、魔法にかかった状態の方は、ゲートを通る前にお申し出ください」

ミニがコンパクトを左のガラスのかごに入れてゲートを通ろうとすると、牛頭のラークシャサが手をあげて止めた。

「バックパックの中を拝見します」

ミニはバックパックをラークシャサにわたした。汗をかいて青ざめた顔でいった。

「あ、あの、中身はどれもわたしのじゃなくて、兄のものなんです」

「ああ、みなさんそうおっしゃいますね」ラークシャサはバックパックをカウンターの上で逆さにした。

出てきたのは、オレオの袋（アルはそれを見て〝ちょっと、わたしがあれほどほしかったやつ、持ってるなら持ってるっていってよ〟的な怒りがわいた）、救急キット、ガーゼの包帯、ボーイスカウトのキーホルダー（なんでこんなものをミニが？）、そして、ティッシュにくるんだ〈若さの小枝〉。

ラークシャサはざっとすべてに目を通して、耳にはめた通信器で何かを聞いていた。

それから、ジャケットのえりにつけたボタン式マイクにさわってから、小声でいった。

「了解。〈神々の乗り物〉は見あたらない」

それからラークシャサは、中身をすべてもとにもどしたバックパックを、ミニに返した。

「次の方！」

ブーがラークシャサの肩に飛びのり、耳もとで何かささやいた。

一瞬、ラークシャサの目が大きく見ひらいた。

「ナニ？　そいつは災難だな。貧乏クジ引いちゃったか、同情するよ。よし、通っていいぞ」

ブーはわざとらしく咳ばらいをして飛びあがり、すべるように飛んでゲートをくぐった。

次はアルの番だ。アルが黄金珠(おうごんじゅ)を左のかごに入れて一歩前に出ると、ラークシャサの手にはばまれた。

「靴を脱いでください。〈異界転送セキュリティーガイドライン〉の規定です」

アルは不満の声をもらしつつ、靴を脱いでかごに入れた。

それから前に進もうとすると、またラークシャサに止められた。

「お客さま、その足はご自分のですか？」

「は？　それ、まじめに聞いてます？」

「この仕事で、冗談をいうと思いますか？」

アルは考えた。

「……思いません」

「その足が、本当にあなたのものかどうかおたずねしています。左の掲示板にあるとおり、体の取りはずし可能な部位は、ご自分のものかどうかにかかわらず、〈異界転送セキュリティーガイドライン〉にしたがって、登録の必要がありますので」

「これはわたしの足です。割れたひづめも隠してません」

「割れたひづめがどうかしましたか？」

「い、いまのは、わたしの住んでるジョージア州のジョークです。そういったあとにつけ足すの。『なんちゃって！』って」

ラークシャサはまたえりもとのマイクに話した。

「――そうだ。了解！　可能性は低いが、未登録の魔族だろう」また無線で何かを聞いてから、こういった。「――いや、たいした脅威ではない」

通信を終えたラークシャサは、アルを見ていった。

「けっこうです。どうぞお通りください」

アルは、バカにされた気がして「わたし、たいした脅威になりえますから！」といい返したかったが、そんな場合じゃない。アルはそのまま前に進んで、黄金珠を返してくれるまでラークシャサをにらみつけていた。

最後にラークシャサが口上をのべた。

「ようこそ、ナイトバザールへ。世界の神々と物語の語り部にかわって申し上げます。どうかご無事で、あふれんばかりの想像力とともに帰途につかれますように」

アルが入口のアーチを通ると、ようやくナイトバザールの姿が目前に広がった。

空は、昼とも夜ともいいがたい色にきらめいている。

ナイトバザールはにおいにあふれていた。バターポップコーン、クッキー生地入りのアイスクリーム、できたての綿あめのにおい……永遠に歩きまわっていたい。

アルは、ミニとブーが待っているところへ行くまでもきょろきょろしていた。

あの木の皮は、ガラスでできてるみたい……うわーっ、あのへんの店は文字どおり自分から客を出むかえに前にせりだしてきてる……そしてアルはつまずきそうになった。

「別世界だね！　それに、すごくいいにおいがする。本のにおいかな！　あ、バニラかも！」ミニはごきげんだ。

本のにおいって……アルはミニの嗅覚が心配になった。

ミニはかまわず話しつづける。

「ここまで来たのはお兄ちゃんだけなんだけど、きっとおぼえてないだろうなあ」

「ミニのお兄さんがここに？　どうして？」

ミニの顔はトマトのように真っ赤になった。

「お父さんもお母さんも、最初はお兄ちゃんがパーンダヴァなんだと思ってて……それが、まさかわたしだなんて」

「いつ、ミニだってわかったの？」

ミニはますます赤くなって、トマト人間か何かのようだ。

「じつは先週……なの」声がかすれている。「パーンダヴァってね、まだ能力を完全に使いこなせるようになる前から、危機を察知すると、何かしらの反応を見せるっていわれてるの。いま思うと、お兄ちゃんが何か奇跡的なことをしたときって、いつもわたしがそばにいた。やっていたのは、本当はわたしだったみたい。それで先週ね、お兄ちゃんの陸上競技会に行く途中で、うちの車がスリップして道路の側溝にはまったの。わたしパニックしてたんだと思う。だって……自分でも知らないうちに車をそのまま持ちあげてたから」

「何それ？　わたしもやってみたい！」

「本気でいってる？」ミニはあきれた顔をした。

「だって、ミニが車を持ちあげたんでしょ。入学式もまだなくらいに小さいのに――」

「もうっ、わかったから」声はいやそうだったが、ミニが得意げにちょっとにやっとしたのをアルは見のがさなかった。

ミニってすごい、とアルは思った。と同時に気まずさも感じた。

ミニがセキュリティーチェックのところで、バックパックは自分のじゃないといってたのはウソじゃなかったんだ。使命にそなえていたのは、ミニの兄さんだったんだ……。

ミニが何に対してもひどくためらいがちな理由がやっとわかった。ミニは「おまえはヒーローかもしれない」なんてこれまで一度もいわれたことがなかったのだ。

「〈時の静止〉が解けて、ミニが世界を救ったってわかったら、ミニの家族はなんていうだろうね！」

アルがそういうと、ミニの顔がぱっと輝いた。

そのとき、ブーがアルの肩に飛んできた。

「おい行くぞ。〈季節法廷〉を探さないとならん。ここのどこかにあるはずなんだ……」

「それと第二の鍵もだよね？」と、ミニ。

アルは手のひらの側面にある印をながめた。

第二の鍵の印は本だ。でも本屋が見あたらない。

「おまえたちときたら、ほんとにトロトロしてるなあ。それに姿勢が悪いぞ。まったくどうやったらそうなるのか……」ブーは口うるさい。

「ブー、ずいぶんカリカリしてるね。血糖値がさがってるのかなあ」ミニはバックパックをごそごそやってクッキーをとりだした。「そういうときは甘いものがいいよ、はい、オレオ」

「そんなものいら——」

ミニはおかまいなしにクッキーを小さくくだいてブーのくちばしに押しこんだ。

ブーはしばらく憤慨していたが、結局のみくだした。

「おおお！　なんだ、この美味なものは？」くちばしをカチカチ鳴らしている。「もっとくれ！」

「ください、でしょ」

「いいから、くれ」

ミニはしょうがないなともうひとかけら、ブーの口に入れてやった。

ふたりと一羽はナイトバザールを進み、ようやく、アルが入口で見かけた三つの大きな標識を読めるところまでたどり着いた。

標識は、三つの大通りを指ししめしていた。

→　ほしいもの

↑　必要なもの

←　すてたいもの

「防具と、第二の鍵が必要なんだよね。ということは……真ん中かな？」と、アル。

ブーがうなずいた。

ふたりと一羽は、中央の《必要なもの》という標識に向かって進みはじめた。

たくさんの家族連れが、押しあいへしあい、三つのいずれかの通りをめざしている。

近づいてみると、標識は、なんのささえもなく浮かんでいた。

形は巨大なリボンのよう。丸みを帯びた房飾りがいくつかさがっている。

房飾りの下のほうは、ホタテ貝のような波形仕上げになっていて、アルはネコみたいだと思った。

アルたちが近づくと、《必要なもの》の標識が動きだし、そのままパソコンや周辺機器の店の角を曲がって行ってしまった。

アルとミニとブーは、標識をつかまえようとしたが、標識の動きはすばやかった。

「ちょっと！　遊んでる場合じゃないんだけど！」と、アル。

標識はおかまいなしに、たくさんある、からの買い物カートのかげに隠れた。

みんなでぐるぐるとまわっている買い物カートは、まるでアフリカの草原を走るレイヨウの群れだ。

と、標識がくしゃみをした。

買い物カートたちは、さっと散りぢりになった。

「もう、どうしていちいち大変なんだろ」ミニがうめいた。標識を追跡中にミニは一瞬、亀族の家族にまぎれこみそうになっていた。

ブーは翼をはためかせた。

「いいか、必要なものってのは、求めるだけじゃだめなんだ。追いかけて、つかまえろ！　自分たちはそれを受けとるのにふさわしい者だとしめすんだ！　おれが標識の気をひくから、あとは自分たちでやれ。おまえたちならできる！」

そういうと、ブーはなんの関心もなさそうなそぶりで、標識の前を行ったり来たりした。

標識は少しずつ地面におりてきた。何かを見つけてそろそろとソファーからおりてくるネコみたいだ。

ブーはそこで飛び立ち、角を曲がって姿を消した。

さっきのやつはどこだ？　と、ネコっぽい標識が、身をねじって角をのぞきこむ——。

待ちぶせしていたブーが、すかさず飛びかかった。

「よっしゃ！」と、ブー。

標識は向きを変えようとして、ハロウィーン飾りのネコのシルエットのように背中を丸め、毛を逆だてるポーズをした。

アルとミニは、標識の後ろからゆっくりと近づいた。

アルが、しのび足でヤシの木の後ろを通ると、「あいさつもしないで、行儀の悪い子だね！」と木にしかられた。

ミニはコンパクトでお菓子の幻影を出し、それを標識ネコに見せながら、ネコなで声を出す。

「ほーら、標識ちゃん！　こっちだよ！　ほら、こっち！」

標識がミニをふり返った瞬間、アルが飛びかかり、標識にぶらさがっているネコ足みたいな房飾りをつかんだ。

そのとたん、標識から力がぬけた。

標識はそのまま床にだらりと落ちて、丸まった。

丸まった標識は、やがてトンネル状のものに姿を変えた。

のぞきこんでみると、アメジストのように紫色に輝く螺旋階段が、闇の中へとつづいている。

アルの頭に止まって下をのぞきこんだブーが、うやうやしくこういった。

「レディーファーストだな、お先にどうぞ」

第16章

季節はずれにご注意ください

どこまでつづくかわからないこんな階段を、真っ先におりるなんて、ごめんだ。

となりのミニは、はるか下を見たとたん、気を失いかけている。

「こういうときは、レディーファーストより年長者優先でしょ」

アルはブーに向かってにっこりした。

母さんが出張する週末はシッターをしてくれるシェリリンが、よく「美しさより年長者優先よ」という。食べ物を売るワゴン車が来て、アルより先に注文したいときに。アルはべつにどっちが先でも気にしないけど、だれかに美しいっていわれるのも悪くないと思った。

そこでアルはどきっとした。ランプに火をつけてしまって以来、シェリリンのことまで考えがおよんでいなかった。いまどうしているだろう……無事だといいけど。

先をゆずられたブーは、ウッとうなった。

それから「まったくいまどきの若者は」とか「昔は年長者

にもっと敬意を払ったものだ」とか、ぶつくさ文句をいいながら、闇の中に頭から飛びこんでいった。

アルとミニも階段をおりる。

アルはこのとき初めて、希望を感じていた……なんとなくだけれど。

これまでアルは、自分たちの身を守る以上の〝英雄(ヒーロー)っぽいこと〟はしていない。

でも、アルには仲間ができた。

それに、ランプに火をつけた以外は、アルは状況をさらに悪くするようなことは何もしていない。自分の失敗をとり返すために必要なことをやる……それだけで英雄といえるのだろうか？　失敗をとり返そうと決めただけで、もう英雄？

この先に何があるか、アルにはまったくわからなかった。

《必要なもの》部門は、かなり多様なものがふくまれそうだ。たとえば、水、睡眠、食べ物、それに空気。

アメジストの紫色に輝く階段の一番下まで来ると、アルは強い風を感じた。

それも、三種類のちがう風を順々に感じたのだ。

まず、砂漠の熱風がアルののどをからからにした。

次に、南国の雨期のようなべたつく湿っぽい風。汗でパジャマが背中に張りついた。

次の瞬間には、冷たい霧がきらきらと肌をかすめ、アルは寒さにふるえていた。

となりでミニが、はっと息をのんだ。

アルも顔をあげて、目を見張った。

そこには、ナイトバザールの名残は何もなかった。

あるのは森だけ……。

アルとミニが立っているのは、森の中。円形の空き地の中心で、ブーがふたりの上空をぐるぐると旋回している。

ふたりをかこむ森は、丸いパイを切ったように六つの区画に区切られていた。

区画のひとつは、木々が霜につつまれ、枝のところどころにつららがぶらさがっている。クリスマスツリーに飾るオーナメントのようだ。

となりの区画はどしゃぶりの雨で、木がほとんど見えない。

そのとなりの区画では花が咲きみだれ、ゆたかな土壌に咲く花の香りがあふれている。

四番目の区画は、まぶしく、かわいている。木の葉に木もれ日が落ちている。

五番目の区画は、木の葉が深紅や黄金色に染まっている。

六番目は深い緑でおおわれていた。

「ここ、どこ？」と、ミニ。

「ぜんぶの季節にかこまれてる……」圧倒されて、アルの声は小さかった。

「うむ、ここは〈季節法廷〉だ」と、ブー。「サンスクリット語で『リトゥ』、つまり六つの季節の法廷だ。用心しろよ。センスはいいが物騒なところがあるやつらだからな」

「物騒って……人を食べるとか？」アルの鼓動が速くなった。

「もっとひどい」ブーは翼をふるわせた。「やつらは芸術家ってやつだ」

「ねえ、季節って四つじゃないの？」と、ミニ。

そのとき森のどこかから声がした。

「季節が四つだと？　なんとつまらん！　俗物の発想だな！」

「それはどうかな」アルの後ろからべつの声が聞こえた。「なんだったら、夏だけが永遠につづいてもいい。ああ、それいいな。無限の炎の展覧会ってところかな」

「それでは、人間が燃えてしまう」最初の声がいった。

「おおいにけっこう！　そもそも人間はきらいだよ」

ふたつの季節の区画から、ひとりずつ、こちらに近づいてきた。

冬の区画からは、銀色の瞳の青白い肌の男。髪が霜で真っ白だ。着ているきらきらのブレザーとパンツはガラス製かと思ったが、近くで見ると氷でできているようだ。氷が透明でなく白くにごっててよかった！　とアルは思った。

「わたしは**冬**だ。お目にかかれて光栄というわけでもないが」冷たい声だった。

「ワタシは**夏**」もうひとりが、温かい手をさしだした。

夏が向きを変えると、光の具合で顔が女から男へ、そしてまた女へと変化した。金色の髪を肩にかけて、なでおろす。

とまどうアルを見て、**夏**は肩をすくめてウインクした。

「熱くてホットなことって、どちらかひとつの性に属すわけじゃないよね」

夏は炎のチュニックをまとっていた。肌はくすぶる燃えさしのような色で、炎のような赤い静脈が浮きでている。

冬がアルとミニにたずねた。

「ここへ何しに来た？　そのお粗末なナリの標識に連れてこられたのか？　わたしたちはいまデザインする気分じゃないよ。しかも、予約もしていない初めての、いわば一見の客。そんな者に、なんのインスピレーションもわきはしない」

「まったくそのとおり。ワタシたちは最高のセレブにしかドレスをつくる気はない」**夏**がため息まじりにいった。

ふたつの季節は、アルとミニをちらりと見た。あきらかにふたりをセレブとはほど遠い存在とみなしている。

「あの、あなたたちは、し……仕立屋さんなんですか？」と、ミニ。

「……いまそいつは仕立屋といったのか？」**冬**はあきれたという声を出し、ミニの顔の高さまで身をかがめてつづけた。

「つっこみどころ満載のかっこうをしたお嬢さん、わたしたちは超一流のデザイナーだ。この世界を美しくするのが仕事だよ。わたしは氷や霜といった最も繊細なシルクで地上を飾る」

「ワタシは地上をめちゃくちゃホットなものにする」**夏**が燃えるようにほほえんだ。

雨のふっている森の区画から、三つめの季節があらわれた。灰色の肌の女の姿で、湿った髪が顔にまとわりついている。ずぶ濡れだが、うれしそうな顔をしている。

「**モンスーン**よ。水のドレスで世界をエレガントにしてるわ」

四つめの季節が歩いてきた。つる草が体一面に巻きついている。髪には花が咲き、くちびるはバラの花びらだ。

「**春**よ。地上を色とりどりの宝石で飾っているのがこのわたくし！」と**春**はどこか高慢な感じだった。「わたくしのバラより深いルビーがあって？　わたくしの空よりあざやかなサファイアがあって？　あるわけないでしょ！　そうそう、残りの**秋**と**初冬**は、じきにもどるわ。注文が殺到してててね、外界へ出張中なの。セレブたるもの専属デザイナーが必要でしょ」

春は、アルたちを見おろしてつづけた。

「どこから来たか知らないけど、おまえたちみたいなのには関係ない話だったわね」

「あの、外界に出かけるときは、いつもふたりずつなんですか？」と、ミニ。

「なんと！　いまおまえはこのわたくしに直接質問したのかしら？　ああ、なげかわしい。まあ見のがしてやるけれど、おまえに向かって答えたくはないわね。おまえの横の何もない空間に向かって返事をしてあげるわ！」と、**春**。

こいつどこまで高慢なんだと、アルは天をあおぎたくなったが、なんとかこらえた。

「出かけるのはふたりずつさ！」

夏はあからさまにミニの横の空間を見ながらいった

「過ぎゆく季節と、やってくる季節。そのふたつが行かないとね。季節を先どりすることはとても大事だ。ファッションとはそういうものだよ、わかる？」

アルはずっと着ているスパイダーマンのパジャマを見おろした。

「聞くだけヤボだったか」と、**夏**。

「とりあえず聞いてあげるわ。おまえたち、何がほしくてここに来たのかしら？」**春**はその気がなさそうにたずねた。

「むしろ、教えていただけませんか？」ミニはどんどん赤くなった。「あの……わたしたち、その……ここまで導かれてきたというか、えっと……」

「あの、その、えっと、だって！」**夏**がミニのまねをした。「導かれたって？　このノミ頭のゴミみたいな鳥に？　へー、そいつはゴミンな！」

「ダジャレときたか！」**冬**が手をたたいた。「これまた破壊的で愉快なことだな！　オシャレな残酷さには、流行りすたりはない」

「そろそろ、いいかげんにしろよ」ブーが警告した。

「あら、鳥が何するっていうの？　フンでもかける気？」**モンスーン**が聞いた。

季節たちはそろって笑いだした。

アルは心臓をぎゅっとにぎられた気分だった。すっぱいものがこみあげる。黒ぬりの高級車で学校に来ているわけではないといいふらされたときのことを思い出す……こいつらのやっていることは、アリエルやポピーと同じだ。あざ笑って、相手をおとしめる。

でも、そんなのはまちがい。わたしはアル・シャー……雷神インドラの娘だ。

まあたしかに大失敗をしたかもしれない。でも、だからって、ここまで見くびられるすじあいはない。

肝心なのは使命だ。

〈冥界（めいかい）〉へ安全に行くためには、どうしても身を守るものが必要だ。追加の武器でもいい。

そのために、あの標識はこの〈季節法廷〉への道をしめしてくれた――。

手ぶらで帰るつもりはない。

アルはミニの手をつかみ、胸を張って、顔にかかる髪を払った。

「ミニ、ブー、もう行こう。こんなところより、もっとましなところがあるよ」

ミニはわけがわからないという顔をした。

ブーも首をかしげた。

「あの人たちじゃ、ぜんぜん役に立たない」アルは季節たちをねめつけ、ずんずんと森の中を進みだした。

〈季節法廷〉はサッカー場ほどの広さで、出口のサインが遠くに光って見えた。

ふり返らなくても、季節たちがおどろいてこっちを見ているのがアルにはわかった。

これまであいつらに背を向けた人なんていなかったはず……全財産をかけてもいい。

「アル、どういうつもり？　あの季節さんたちに助けてもらうしかないんだよ！」ミニが小声で聞いた。

「わかってる。でも、あの人たち、何も知らない子供と思ってこっちをバカにしてる。ミニ、コンパクトで大きなサングラスの幻影を出して。三人分。あと、カッコ悪い帽子もね。いかにもセレブがかぶりそうなやつ」

「おい、アル、気はたしかか？」ブーはむっとしている。「おれだってこれ以上がまんしたくはないが、いまは意地を張ってる場合じゃないんだぞ」

「だいじょうぶ。わかってやってるから」と、アル。

こういうことは、毎日学校で経験してきた。自分の立ち位置がはっきりしない、いらだち。存在に気づいてほしいけど、目立ちたくはない……そんな気持ち。

ミニは、アルに帽子とサングラスをわたし、自分も身に着けた。ブーには鳥用サングラスをかけた。

「ばかばかしい、もう知らんぞ」ブーは手きびしい。

「わたしたち、パーンダヴァなんだよ！　季節たちなんか目じゃないよ！」アルは季節たちに聞こえる声でいった。

アルは背中で、木の葉のざわめきのような季節たちの声を聞いた。

「ナニ？　パーンダヴァだって……？　本当か？」

ミニは、立ちどまって季節たちのほうをふり返りそうになった。

アルはミニの腕を引いて歩きつづけた。

「ミニ、かまうことないよ、声かけなくていいから」

夏が三人の前に立ちはだかった。

「失礼。ちょっとした行きちがいがあったようですね。いまパーンダヴァとおっしゃった？　本物のパーンダヴァさまでいらっしゃる？」さっきまでのからかうような声は、手のひらを返すように、温かい響きに変わっている。

「見ればわかるでしょ？」

アルはサングラスをさげ、さっきの仕返しに、**夏**ではなく、その横の空間に向かって話した。

「みなさんは超一流のデザイナーなんでしょう？　それなら本物とニセモノの区別くらいつくんじゃない？　わたしたちは正真正銘、本物ですけど」

モンスーンは**夏**のとなりに来て、**夏**をにらみつけた。

「わたしには始めからわかってたわ。雨はすべてを洗い流すものでしょ。真実を洗いだしてしまうのよね」

「ちょっと、何ほざいてるのよ！」**春**がつかつかと歩み出た。

「いやいや、最初に声をかけたのは、わたしでしたよね。もしかしたらと思ったんですよ」と、**冬**。

「それで、どのようなものをお求めですか？」と、**夏**。

「あ、えっと、身を守るものが必要なの、それか武器を――」

いいかけたミニをこづいて、アルがかわりにこういい放った。

「あなたたちじゃどうせ無理だよ。ちょっと、そこどいてくれない？」アルは手で払うしぐさをした。「そっちの影が、わたしの影をふんでるんだけど」

「まあ、ごめんなさい。悪気はなかったの、うっかりしたわ」と、**モンスーン**。

「べつにどうでもいいけど」と、アル。

「そんなことおっしゃらずに。鎧でもなんでもおつくりします。最高のものをご用意しましょう！」と、**冬**。

「うーん……」アルはわざと間をおいた。「じゃあ、ちょっとやってもらおうかな」

季節たちはそろってうなずいた。

「ここにいるわたしの友達を満足させられたら」アルは、ずれたサングラスを直しているミニをあごでしめした。「お粗末なものでも、受けとってあげてもいいかも」

冬が、かしこまりましたといわんばかりに強くうなずいて両手を開く。

と、アルの前に繊細な氷のマントが広がった。

冬が手首をひねると、マントはダイヤモンドのブレスレットに変わった。

そのブレスレットを黒いベルベットの箱に入れてミニにわたすとき、**冬**はこういった。

「これを投げつけると、どんな敵も凍って動けなくなります。しかも、アクセサリーとしても上等な品。シンプルだがセンスがいい。とてもエレガント。時代を問いません」

「もっといいものがあるわ！」**春**がしゃしゃり出てきた。「パーンダヴァさまとはいえ、まだお子さまですよね」

アルがにらみつけたので、**春**はあわててつけくわえた。

「いえ、悪い意味じゃなくてよ、もちろん！」

春がツタのからむ腕を広げると、何千もの花で編まれたキューブが宙にあらわれた。**春**が指を鳴らすと、それはオシャレな菓子箱に変わった。

箱の中にはピンクのアイシングがかかった小さな四角いものがふたつ……プチケーキだ！　上に花が飾って

ある。

「これを召しあがると、いっぺんに休息がとれ、活力がわきますの！」

春は得意げにいった。

「つまり、これはわたくしそのものの力。冬眠から新たな命を呼びさます力ですの。ひと口食べるだけで、数日休息したように感じるでしょう。空腹は満たされ、体の痛みもすべて消え去ります。それにお肌にもいいの。さあ、おひとつ召しあがれ」

たしかによさそうだ……アルはひとつとって口に放りこんだ。

すぐに、アルの足の痛みが消えた。いままで経験したこともないほど気持ちのいい昼寝から覚めて、それでもなお夕飯までまだ時間があるという感じがした。繊細な味と花の香りは、母さんがパリ出張のお土産にくれた高級なバラのケーキのようだ。オレオより、ずっといい。

ミニもひとつ口に入れた。

そのときアルの目には、ミニがいつもより少し輝いて見えた。

「いかがかしら？」**春**は早く感想が聞きたくてうずうずしていた。

「まあ……食べられるかな」アルは菓子箱を手にした。「まあまあだね、悪くない」

モンスーンがアルたちの目の前に滝を出した。

モンスーンが何かささやくと、滝は小さくちぢんで、グレーのペンダントになった。それをアルにわたす。

「これはわたしからですわ、パーンダヴァさま。水がどこでも通れてどこへでも届くように、このペンダントを投げると、どんな的にでもかならず当たります。それがどれほど遠くても。ただし、ひとつ忠告します。このペンダントは、投げたあとにかならず後悔がともないます。それは確実に当たることと引きかえの代償なのです。ですが、命がけで目的を達成しようとするとき、無謀なことをして後悔するくらい、かまわないでしょう?」

自分の魔法アイテムにだけ「後悔」という代償があるのは不公平な気もしたが、アルにはことわるよゆうはなかった。

ペンダントは**モンスーン**の手から浮きあがって、そっとアルの首にかかった。ひんやりとしていて、少し湿っていた。

夏はミニに頭をさげた。

「パーンダヴァさま、どうぞこちらの品もお納めください」

空気がかすかにきらめき、地面からポッと小さな炎がいくつかあがった。

炎は、螺旋状に舞いあがり、繊細な金箔のようなヘアバンドが編みあがった。バラと蝶の模様が見たこともないほど美しい。アルは蝶の羽のところはステンドグラスみたいだと思った。

「夏！　それは燃えさかる太陽、けだるい暑さ。物忘れという忘却の果実も熟す季節……」

夏はやや芝居がかっている。

「忘却こそ、敵の気をそらす強力な道具となりましょう。敵を力のぬけた不毛な気分にさせることも可能。これを身に着けると、何か重要なものを忘れるのです」

「でも、うーん……ちょっと」ミニは口ごもりつつ、ヘアバンドをうっとりとながめた。

「パーンダヴァさまには、この魔法は効きません。これをつけても何かを忘れる心配はありませんよ」

ミニはゆっくりとうなずいた。喜んでいるのはあきらかだ。

ミニの頭上に《これは絶対にわたしのよ！　だれにもわたさない！　やったあ！》というネオンサインが点滅しているみたいだとアルは思った。

そのヘアバンドは本当にすてきだったが、アルはぜんぜん着けたくなかった。アルが着けたら、顔まわりの髪が広がってエリマキトカゲみたいになってしまう。

そろそろ、〈季節法廷〉も終盤だ。

ブーは呆然とアルを見ていた。

ミニは、新しいヘアバンドを手に、まだにやにやしている。

アルは胸もとのペンダントをつついて、こういった。

「どれも悪くはないね、気に入ったら、もらっ――」

「知り合いみんなに、みなさんのことをほめておきます！」

ミニは笑顔でそういってしまってから、〈季節〉たちを図に乗らせてはいけなかったと、あわてていい直した。

「あ、あくまで、気に入ったらよ。気に入らないかもしれないし」

「まことにありがとうございます！　あのう、自撮りをご一緒にお願いしても……その、インスタグラム用に」

冬がいった。

インスタにのせるよー！　とクラスの半分が集まっていたのを、アルは思い出した。

「インスタの仕組みが変わってないといいんだけど。このあいだみたいに。あのときは、わたくしのイイネが急にへったの」**春**がなげいた。

「悪いけど。写真はやめて」と、アル。

冬は肩を落とした。

「そうでしょう、そうでしょう。ごもっともです。わたしたちの贈り物をお納めいただけるだけで光栄です。あなたがたは、だれよりご親切な方だ」

「だれより寛大」と、**春**。

「だれより愛らしい」と、**夏**。

「だれより……かしこい」と、**モンスーン**。

〈季節〉たちが去るとき、**モンスーン**だけがしばしアルの目を見つめていた。雨に濡れたその顔に笑みが浮かんだとき、アルはパーンダヴァとみとめられ、疑いは消えていた。

アルはパレードの女王のように優雅に手をふり、三人は出口表示のある広い門をくぐった。

ふたりと一羽が通りすぎたとたん、〈季節法廷〉の門が、後ろでとじた。

門の外は、ツタのからまるトンネルにつづいていた。おおぜいが行き来している。

右にいる翼のある女はイライラしていて、携帯電話に向かって何かどなると、電話が灰になった。

トンネルの出入口では、野生化しているらしい買い物カートの群れがぞろぞろと通りすぎた。

ブーは、アルとミニをトンネルのすみに連れていった。

機械じかけの黄金虫が、生きているみたいに頭上でブンブンと音をたてている。ステンドグラスのような羽を広げて浮いているので、ティファニーのランプに照らされている気分だ。

「すごい、すごいよ、アル！　大成功だね」ミニは甲高い声でいい、アルとひじタッチをしてほほえんだ。

アルは少しいい気分だった。**春**にもらったプチケーキのせいだけではない。

これで、あの黒い尾を持つ怪物……〈眠りし者〉に見つかっても、少しは抵抗できそうだ。

ブーはミニの肩に止まって憮然としていた。

「まったく……伝説のアルジュナだったら、こんなことやらないぞ」

「アルジュナじゃないもん」アルは顔をあげた。「わたしはアルだよ」

ブーはハト胸をいっそうふくらませてこういった。

「そんなこと、わかっておる！」

第17章

〈異界〉では本は飛びます

　トンネルを進むと巨大な洞窟があらわれ、その先には壮大な図書館があった。

「本だ！　本！　これこそ必要なものだよね！」

　ミニの目は、絵文字のハートみたいになっている。

「お母さんにナイトバザールの話を聞いたとき、ここが一番見たかった場所なの。すべての本に魔法がかかっててね、あらゆること、あらゆる人の本があるんだって」

「ふーん」

　アルも図書館は好きだ。オーディオブックのコーナーで朗読を聞くのが好き。本棚の前でヘン顔で待ちぶせして、向こう側から本をぬいた人を笑わせるのも好きだ。

　だが、この図書館は何が起こるかわからない。肌にピリッと寒さのようなものを感じるのは、第一の鍵を見つけた直後に駐車場で追われたときと同じだ。

　アルはそっとポケットに手を入れ、黄金珠をにぎってみた。

　熱を持っているが、さいわい前回〈眠れし者〉があらわれたときほどの熱さではない。

「さてと、〈青二才のひとかじり〉はここのどこかに……」

アルがそういいかけたとき、手にある〝地図の〟本の印が光ったような気がした。

「とっとと探せ、もたもたしてると、おれの羽も生え変わるぞ」

「もうっ。いまやってるとこ！」アルはいい返した。

探せというのはかんたんだが、ナイトバザールの図書館の広さは村ひとつ分くらいある。

見あげると、天井はきらきらした黒い石でできている。壁には大きな窓がいくつかある。窓から見える景色がふつうではない。

最初の窓からは海の底が見えた。アカエイがゆったりと泳いでいく。

次の窓からはうっそうとしたジャングルが見えた。

べつの窓からは、夕暮れのニューヨークの街並みが見えた。

ふたりと一羽の目の前に、何百もの本棚があらわれた。

アルは目を見張った。

本が次々と棚から飛びだし、あたりを飛びまわっている。ほかの本とけんかを始める本もある。大きな百科事典の『A―F』の巻が、辞典に小言をいっている。『ゴキブリが転生したら？』という本は、背をそらせて、しおりに「シーッ、静かに！」といっている。

「ふんふん、ここも本の分類方法はふつうの図書館と同じみたいね。ということは〈青二才のひとかじり〉は

Aで始まるから、Aの棚から探してみようっと」

ミニはたくさんの本にかこまれて、天にものぼる心地らしい。

「本とはかぎらないかもよ？　何かに隠してあるとか。本は鍵じゃないし」と、アル。

「ひとつめの鍵の〈小枝〉だって鍵の形じゃなかったでしょ。地図の模様と同じだと考えれば、本だよ、きっと。それに、本はあらゆる事柄の〝鍵〟でしょ」ミニが小声でいった。

アルはしばらく考えて、それもそうかと納得した。

アルは学校の課題図書はあまり好きになれなかったが、母さんが読み聞かせてくれた物語は大好きだった。そういう物語は、ふつうの金属の鍵ではあけられない扉をあけてくれるのだ。すばらしい本に出会うと、心に新しい場所ができる。それで、あのときのあれはどこに書いてあったかとさがして読み返すことすらある。

「ブーはどう思う？」と、アル。

返事はなかった。ブーは落ち着かないようすで天井近くを飛びまわり、何か調べているようだ。

「ブー、まじめに聞いてるんだよ？　翼のストレッチとか、いま必要？　ずっと肩にとまってて、あきあきなのはわかるけどさ」

アルはやれやれと頭をふってブーのことはあきらめ、最初の通路をぶらぶら見て歩いた。

ミニは、早くもどこかから引っぱり出してきた踏み台をふたつ重ね、その上にのぼって、棚の上のほうに並んだ本のタイトルを熱心に読んでいる。

何冊かは棚から身を乗りだし、ミニと同じくらい熱心に、ミニを観察している。

「うーん、棚の一番上のタイトルがぜんぜん見えない。アル、ブーを呼んでくれない？　一番上の段の本を見てほしいの」

「なんか、ブーは天井をつつくのにいそがしそうだよ。まあ、呼ぶだけ呼んでみる。ねえ、ブー、聞こえる？ブー？」

ブーはまだ落ち着かなげに飛びまわっている。

床に落ちるブーの影が、ふつうの鳩の影とちがっていた。広げた翼は小型ボートぐらいあって、尾羽はリボンのように長くたなびいている。

アルがふり返ってトンネルの出入口を見ると、さっきまで図書館にいた人がみんな消えてがらんとしている。いまここには、アルたちしかいない。

アルはいぶかしげに、もう一度ブーを見あげた。

天井のようすがさっきとちがっている。なんだが動いているみたいだ。ぐるぐるまわりながら色がまざり合っている……さっきは大理石の天井だと思っていたが、そもそも石じゃない。あれは……皮膚だ！

アルはもうひとつ思いちがいをしていた。

ここにいるのはわたしたちだけじゃない……。

ブーが急降下してさけんだ。

「やつだ！　逃げろ！」

ミニは踏み台から転がるようにおりてきた。

一行はトンネルに急いだが、出入口がなくなっていた。

後ろで、だれかがケタケタと笑った。

「いつもいつも問題が起こるとただ必死で逃げるだけなんだな」耳に心地よい声だ。「まあ、まだ子供だ。それもしかたないか」

アルはゆっくりとふりむきながら、蛇のような〈眠れし者〉がずるりと這ってくる姿を想像していた。だがどうやら〈眠れし者〉の姿はひとつではないようだ。

天井の皮膚の一部が、アルの目の前にしたたり落ちて集まり、人の形になった。

あらわれたのは、背の高いやせた男だった。前に見た星を埋めこんだような黒い尾はないが、髪は同じ夜空の黒で、髪の中にきらきらと星が埋めこまれているようだ。男のほお骨はつき出ており、どことなく飢えているように見える。インド風のひざ丈のコート、シャルワーニの黒いのをはおり、黒っぽいジーンズをはいて、手にはからっぽの鳥かごをさげている。

アルはまゆをひそめた。〈眠れし者〉は、どうして鳥かごなんか持ってるの？

それからアルは、やつの変わった目に気づいた。片方が青で、もう片方が茶色――。

この男とどこかで会ったことがあるような気がする……そんなはずないのに。

「これはこれは。雷神インドラの娘に、冥府神ダルマラージャの娘よ。わたしのことはおぼえているかな？あれからずいぶんたった……二千年、いやもっとか」

その声を聞いて、アルはランプに火をつけたときを思い出した。

――おお、アル、アルよ……おまえはいったい何をやらかしたんだ？

「アル、せっかくあのおんぼろなランプから解放してくれたのに、話すひまもなくてすまなかったね。することがあったのだ。あるものを回収しなくてはならなかったのでね」

〈眠れし者〉は、ぞっとするほどするどい歯を見せて笑った。

「だが、わざわざ手間をかける必要もなかったようだ。これでは戦いにもならない」

「こっちだって、そんなことはしたく――」アルがいいかけた。

〈眠れし者〉がドンと足をふみならすと、あたりがゆれ、棚から本がばらばらと落ちて散らばった。『あっぷあっぷと流されて』という本は、見返しをパタパタとはためかせて天井近くへ飛んでいった。となりの『あざむくためのガイドブック』が、しおりをふってもどってこいといったが、もどらなかった。

「わたしを止めようなど、考えるだけむだだ。わたしは長いこと待っていた。永劫ともいえるほど――」

〈眠れし者〉はそういってアルをにらみつけた。

「――おまえの母親に、あのみすぼらしいランプにとじこめられてからずっと」

「え……母さんに？」

「ほかにだれがいる？　ほほえみながらわたしの胸にナイフをつき立てるようなやつが」〈眠れし者〉は責めるようにいう。

「それにしても、おまえは母親にそっくりだなあ？　ウソつきなところが。おまえがランプに火をつけるところは見ていたぞ。それも、友達に自分をすごいと思わせるため、ただそれだけのためにな……。アル・シャー、おまえはなんて卑怯な弱虫なんだ」

「母さんは、ウソつきなんかじゃない！」

「ふん、自分の母親のことも知らぬとはな」〈眠れし者〉はあざ笑った。

アルは聞きたくなかった。だが体の中がねじれるように苦しい。

母さんを待っているあいだに、用意した食事がテーブルの上で冷えていったこと。自分の目の前で扉がとじられたこと。聞きたいことがあったのに聞けなかったこと。ウソをつくときとはちがう痛みだが、このつらさは本物だ。

母さんはすべてを隠していた……母さんのこと、じつは何も知らない。

〈眠れし者〉はアルを見すえたまま、ミニを指さしてわざとらしく顔をゆがめた。

「で、この子はなんだね？　この小さいおまえの姉妹は、わたしを召喚したのはおまえだということを知らないのか？　この子の家族を危険にさらしているのはおまえだということを？　すべてはおまえのせいだ。あわれなこのわたしのせいじゃないよな？」

アルは恐るおそるミニを見た。

ミニは、けげんな顔をしている。

アルは〈眠れし者〉を自由にしたかもしれない。けれど、わざとやったわけじゃない。ミニはまだそう信じてくれるだろうか。

アルの口から、なかなか言葉が出なかった――罪悪感がのどをしめつける。

「ミニ、せ……説明するから。あとでちゃんと」アルはやっとそういった。

ミニはかたい表情のままうなずいた。いまはいい合っている場合じゃない、本当に死ぬかもしれないのだ。

〈眠れし者〉は軽蔑するように目を細め、鳥かごを横に置いた。なかには何か入っている。

小さな置物の馬やトラが入っていて、床にあたってカタカタと音をたてた。

「さあ、〈若さの小枝〉をよこせ」

アルとミニは、じりじりとさがりはじめた。

ブーがアルの頭の上でぐるぐるまわっている……何かの合図だ。

アルは、〈眠れし者〉に気づかれないように、そっと上を盗み見た。

ブーは、さっと背が銀色の本に止まった。

遠すぎて本のタイトルは読めないが、察しはつく。『青二才』。

ふたつめの鍵は、アルとミニのすぐ頭の上だ。

〈眠れし者〉の注意をそらすことができれば、手に入る。

アルがミニを見ると、ミニもアルを見てうなずいた。

どうやら、ふたりとも同じことを考えているようだ。

ただしミニは〝アル、これがかたづいたら真っ先にあんたの首をしめてやる〞的な顔をしている。あれさえなければ、もっと映画っぽいんだけど……。

ふたりは、本のつまったAの本棚と本棚のあいだに体をねじこんだ。

「ねえところで、どうやってわたしたちを見つけたの？」アルは〈眠れし者〉に聞いた。

〈眠れし者〉はにやりとした。

「魔族のラークシャサはな、おしゃべりなんだよ。女の子がふたりでナイトバザールに来て、持っていた魔法道具に、雷神インドラと冥府神ダルマラージャの刻印があるとなればな。だれかにいいたくもなるだろう」

「そっか。そういえば、どうして〈眠れし者〉なんて名前なの？　もしかして居眠りが特技とか？」アルはつづけた。

〈眠れし者〉は、むっとしたようだ。

アルは横目で、ミニがダイヤモンドのブレスレットに手をかけているのをたしかめた。

「それとも何かの比喩(ひゆ)なの？」アルは先週学校で習ったばかりの言葉をここぞとばかりに使った。「もしかして、学校時代のあだ名？　テスト中に居眠りして、顔がインクまみれになったとか？」

「もういい！」〈眠れし者〉はどなった。「ふたつめの鍵はどこだ？　それがどんなものか、おまえたちにはわかっているんだろう？」

ミニはバックパックをそっと床におろし、アルのほうへ押しやった。

ミニが背中を向けたとき、ジーンズのポケットに〈若さの小枝〉がつっこまれているのを、アルはしっかり確認した。

アルはふたりの波長がぴったり合っているように感じた。動きも考えることもぴったりと一致していた。

「鍵がほしいなら、とってみな！」アルはそうさけんで、バックパックを放り投げた。

〈眠れし者〉がバックパックにとびかかった瞬間、ミニはブレスレットを引きちぎった。

ミニが手首をひとふりすると、ブレスレットは大きくなり、きらきらと光を放った。

と、冷気があたりに広がり、霜がレースのように床をおおう。

ミニは、**冬**のマントを〈眠れし者〉の上に投げかけた。

「つかまえたよ！〝例のあれ〟をとってきて！」と、ミニ。

ミニはマントと格闘し、足をすべらせた。

マントの下で〈眠れし者〉は凍りついているが、そう長くはもちそうにない。すでに氷にひびが入り、怒った目がぎょろりと動いた。

ミニが押すと、〈眠れし者〉は凍ったまま横倒しになり、鳥かごが音をたてて図書館の通路を転がった。

「こっちだ！」棚の上でブーがさけぶ。

マジで飛べたらいいのに、とアルは思った。現実には無理なので、踏み台をつかんで重ね、それを伝って棚の上によじのぼった。

目当ての本を見つけたとき、アルの息は切れていた。

その本は、ほかの本からぽつんと離れていた。本にそんなことができるのかわからないが、なんとなくつんとすましているようで、近くの本に対して少し批判的な雰囲気がある。背にタイトルの銀箔（ぎんぱく）が光っている……

よし、『青二才』だ。

ブーは、アルの頭に止まってアルの髪を引っぱり、「早く本をとれ」とせかした。

アルはまわりの本を見た。『あからさまなお世辞』は歌っていて、ページのあいだからピンクのハートがこぼれ出ている。『アダラム党員』はとなりの棚に飛んでいき、うれしそうにページをはためかせている本たちにむかえられている。

〈青二才のひとかじり〉……どうすればいい？　本当に本をかじるとか？

ミニは、凍りついた〈眠れし者〉からマントがはがれないように奮闘している。

だが、やつは動きはじめていた。氷のかけらが飛びちっている。

ミニは、アルと目が合うとさけんだ。

「かじって！」

ブーはミニを助けに飛んでいき、アルは本棚の上にひとり残された。

「アル！　何してるの、早く！」ミニがせかす。

「うえっ！」アルは目をぎゅっとつむり、本をつかんで噛みついた。

本がキーッと声をあげる。

アルは、本に味があるかどうかなんて考えたこともなかったが、『青二才』は変わった味がした。甘くて苦い。まるでオレンジの皮の砂糖づけのようだった。その味でアルは、寒い二月の朝を思い出した。登校するとき太陽は明るいけれど遠くにあり、何もかもがいやに冷たくきびしく見えたあの朝……。

アルは、『青二才』からかじりとったページの破片を、手に吐き出した。

湿った紙の塊（かたまり）は形を変え、輝く銀貨になった。

アルは、それをポケットにねじこんだ。

それからアルは口の中で舌をさかんに動かした。味がなかなか消えない。

「鍵をゲット！　したよ……」アルの勝ちほこった声は、尻すぼみになった。

〈眠れし者〉は、すでにマントをふり払っていた。

投げ出されたマントは、床でゆっくり溶けはじめた。

「もうがまんならん――」〈眠れし者〉が歯をむいた。

「百年もランプで寝てたのに、そんな平凡なセリフしか思いつかないの？　昔の映画の悪役みたいにひげでもつければ？」

アルは大声でいった。やつの注意をひきつけて、ミニが〈季節〉からもらったほかの道具を探す時間をかせごうとしたのだ。

だが、次に攻撃をしかけのは、ミニではなくブーだった。

「こいつらはな――」と、やつをたたく。

「おれが――」と、やつの目をつつく。

「守護する――」と、やつに体当たりをする。

「英雄(ヒロイン)なんだよ！」

アルは急いで踏み台を伝いおり、バックパックをひろいあげた。

ミニは〈眠れし者〉をおとなしくさせるのに役立たないかと、冬のマントをひろってふってみたが、もう魔力は残っていなかった。

そのとき、ブーが苦しげにさけんだ。

ふりむくと、ブーはやつの手ににぎられていた。

〈眠れし者〉は、空いているほうの手で自分の頭についた鳩のフンを払い落としてから、手の中のブーをしげしげとながめている。

やつはどなりもしないし、さけびもしない。そして、笑いだした。

「なんだ、おまえか。どうしたんだ？　ひさしぶりだなあ」

第18章

ウソつきたちの過去

え、いま「ひさしぶり」っていった……？　アルはバックパックを落としそうになった。

「スバラの王が、またずいぶんと変わった姿になりはてたな」と、〈眠れし者〉がつづけた。

「ブー、この人、何いってるの？」と、ミニ。

「ブーだって？」〈眠れし者〉が笑った。「なんだ、そのかわいらしい呼び名は？　おまえともあろうものが、罪の意識で丸くなったりするとはね」

アルの頭の中で、何かがカチリとはまった。

スバラは、ブーの名前じゃなくて王国の名前なんだ。

アルは、〈天界法廷〉で天女ウルヴァシーが笑いながらいった言葉を思い出した。

——この者たちがパーンダヴァなら、おまえが守護者に選ばれるとはなんとも皮肉なことだこと。

「なるほど。ブーはスバラのバの変形か！　ほほう」

〈眠れし者〉は、わざとらしく目を丸くし、さも感心したというような顔をつくってアルとミニを見た。本当に性格の悪いやつらだけが見せる善人ぶった笑顔。

「しかし、こいつの名はスバラではない。シャクニだ。いっそショックーとでも呼べばよかったんじゃないか？

まあ、いまの状況ならショウゲッキーか」

〈眠れし者〉は自分のヘタな冗談に笑っている。これも、本当にひどいやつらだけがやることだ（ただし、お祖父さんやお父さん、それにしょーもない親戚のおじさんはのぞく）。

ブーの本当の名前はシャクニなんだ……。

アルは冷水を浴びせられたような気がした。シャクニなら知っている。伝説のいかさま師だ。パーンダヴァの長男をいかさまのサイコロ賭博に引きずりこみ、ギャンブルで王国のすべてをうばいとった魔術師。そうだ、シャクニが『マハーバーラタ』のあの有名な〈クルクシェートラの戦い〉の発端となったんだ。たしか、復讐のために、自分自身の王国を失うことになった。

シャクニは、パーンダヴァ最大の敵のひとりだ。

それをアルはずっと肩に乗せていた。ミニはオレオを食べさせた。ふたりで世話をしてきたのだ。

「おまえのもめごとは、このふたりには関係ないだろう」ブーは〈眠れし者〉にいった。

「おや、とうとうおまえは完全に頭がおかしくなったか。このパーンダヴァたちを助けることが、おのれの役目だと本気で思っているのか？　いったいどうした？　大罪をおかしたつぐないでもしているつもりか？」

「ちがう」

ブーは、アルとミニを見つめていった。

「つぐないではない。これはおれにあたえられた誉れだ」

アルは誇らしい気持ちになった。

と同時に、ブーへの疑いで胸が苦しくなった。

ブーは、アルたちを守護することは誉れだという。でも、その言葉をうのみにしていいのか？　ポピーとアリエルだって豹変するまでは、いい友達だった。

「丸くなったものだなあ」〈眠れし者〉は顔をしかめた。

「強くなったんだ。そういっても、まあ、いまのおまえにはわからないだろうがな。人は変わる。かつては、おまえのほうこそ、そう信じてただろうが。忘れてしまったのか？」

「人は変わったりはしない。ただ弱くなるにすぎん」

〈眠れし者〉の声は、**冬**のマントのように冷たかった。

「昔なじみとして、一度だけチャンスをやろう。シャクニ、わたしと組め。ともに戦ってわたしの因縁を終わらせてくれ。ともに神となり、この時代を終わらせようじゃないか」

おしまいだ……アルは、ブーの裏切りを覚悟した。つらさに耐えようと、腕を組むように自分を抱きしめて、アルは身がまえ、ブーの返事を待った。

しかし、ブーはなんのためらいもなく、大声できっぱりと答えた。

「ことわる！」

アルはうれしさで胸がいっぱいになった。

〈眠れし者〉は不満の声をあげ、ブーを力まかせに投げつけた。

鳩（はと）は音をたてて本棚にぶつかり、床に落ちてぐったりとなった。

アルとミニは悲鳴をあげ、ブーに駆けよろうとした。

が、見えない壁にはばまれた。

アルは体勢を立て直し、さっと**モンスーン**がくれたペンダントに手をやった。

投げつけてやりたかったが、ペンダントは、ただ正確に的に当たるだけだ。

〈眠れし者〉の鼻に小さな石を正確にぶつけても、しかたない。もっと大きいものか強力なものが必要だ。

〈眠れし者〉は、アルとミニにゆっくり近づいてきた。

アルが投げつけるのにいい大きな本はないかと目で探していると（一番大きい『アトラス世界地図』は一番下の棚からアルにうなっている）、ミニがさけび声をあげた。

ヘアバンドをむしりとり、フリスビーのように〈眠れし者〉に向けて投げた。

ヘアバンドは〈眠れし者〉の耳に当たった。

一瞬、やつの両目が黒くなったが、すぐもとにもどり、ヘアバンドは消えた。

〈眠れし者〉があざ笑った。

「これがおまえの最強の攻撃か？　ヘアバンドが？　こいつは怖くてふるえてしまうねえ。さて、まじめな話をしよう。わたしには、おまえたちを殺すことなどかんたんなのだよ。たかが小娘ふたりだ。しかも、訓練も受けていなければ、勇気もない。それで、天界の武器を手に入れられるなどと、本気で思っているのか？」

アルは顔が赤くなるのを感じた。

わたしは雷神インドラの娘だ。インドラがそう宣告したのだ。あのときは雲の上にいてくらくらしていたからそう見えただけかもしれないが、インドラの像はほほえんでくれた（少なくともアルはそう思った）。まるで喜んでいるようだった。

それを思い出すと勇気がわいて、アルはいい返した。

「わたしたちは、神々にちゃんと選ばれたの」

とはいえ黄金珠（おうごんじゅ）のこともある。アルは父親というものを知らないが、これから魔物と戦おうという子供に金色のピンポン玉をわたすなんてあんまりだ。おこづかいだよといって、ポケットにあったほこりだらけの小銭をくれるようなものじゃないか。

〈眠れし者〉は鼻で笑った。

「神々は、おまえたちが何かをなしとげるなど、思ってはいない。冷静に考えてみろ」

やつが何かいうたびに、アルの怒りが強まった。引きさがるつもりはない。わたしたちには、〈眠れし者〉にないものがある。

「それで脅（おど）してるつもり？　でも、わたしたちがいなきゃ、鍵を見つけられないんでしょ？　見えないんでしょ？　鍵がどんなものかも知らないくせに」と、アル。

〈眠れし者〉は押し黙り、しばらく考えるようにあごをなでてから口を開いた。

「そのとおり」

アルは信じられなかった。まさか、いい負かすことができた？　ブーがその手に吸いよせられた。

〈眠れし者〉が手をあげて指を軽く曲げると、ブーがその手に吸いよせられた。

鳩は動いていない。

「ああ、おまえたちが必要だ。いま持っているその鍵をとりあげてもいいんだが、残りの鍵を見つけさせてやるとしよう。わたしに鍵が見えないことなど問題ではない。どうせおまえたちが三つの鍵をそろえて、新月までにわたしのもとへ届けに来るのだからな」

〈眠れし者〉がブーをにぎりしめると、ミニはやめなさいと訴える声をあげた。

〈眠れし者〉は、ミニを見た。

「おい、いまならおまえのこともよくわかるぞ。おまえの心臓の音を聞けばな」

〈眠れし者〉の声には、あざけり、楽しむような響きがあった。

「おまえの父親はシャツの下に十字架と、フィリピンの家族に代々伝わる守護アギマットのネックレスをぶらさげているな？　ふむ、兄はサッカーのチームメイトの写真を枕の下にしのばせていて、おまえに見つかって……なるほど……おまえに秘密にすると誓（ちか）わせたか。母親の髪はビャクダンのにおいがするのか」

ミニの顔から血の気がひいた。

それから〈眠れし者〉はアルに顔を向けた。何かがその目の中でまたたいた。

「それからおまえだ。いいか、わたしとおまえは、家族も同然なんだ」

「なんの話？」アルは思わずいい返した。「頭おかしいんじゃない？　わたしは――」

〈眠れし者〉はじろりとアルを見て、話をさえぎった。

「新月になる直前にわたしを呼び出せ。さもなくば、おまえの大切な者たちは、静止どころじゃなくなる」

「そんなの絶対しない！　戦わなくちゃいけないなら戦う！　それに――」

チッチッチッ、と〈眠れし者〉は舌を鳴らした。

「そもそもわたしと戦おうなどと考える前に、わたしが援軍を集めていることを知っておくべきだな」そこでにたりと残忍に笑う。「ウソではないぞ。あいつらに会ったら後悔することになる」

〈眠れし者〉は消えた。ブーを連れて。

＊＊＊

しばらくのあいだ、アルもミニも身動きひとつできなかった。

アルは立ちつくしたまま、体がぐるぐるまわっているように感じていた。考えなくてはならないことが多すぎる。

ブーはずっとふたりのために戦っていた。でも、かつてはパーンダヴァの敵だった。今生でふたりを助ける羽目になり、鳩の姿にまでされたのは、そのせい？

それに、〈眠れし者〉は本当に母さんを知っていた。ミニの家族のことも。どうやって知ったんだろう？

ふたりのまわりでは本が動きだし、必死にもとの場所にもどろうとしていた。ページをばたつかせるようすは、ねぐらに帰ろうとする鳥のようだ。

さっき〈眠れし者〉におおわれていた天井は、いまは広々とした空になっていた。痣のような紫色の嵐雲が流れている。

アルはわけがわからず顔をしかめていた。まわりの魔法はこんなにきれいなのに、無性に腹が立つ……。

ブーもいないのに〈冥界〉へ行ってなんになる？〈眠れし者〉は正しい。すべてはアルが引き起こしたこと。そして、みんなを失望させてしまった。

「どうして？」ミニの声はかすれていた。

それ以上いわれなくても、アルにはミニの気持ちがわかった。

――どうして、アルはランプのことでウソをついたの？

――どうして、ブーは昔のことを隠していたの？

――どうして、こんなことになったの？

アルはうんざりしていた。ウソをつくことに疲れたのだ。世界がこうだったら、こうじゃなかったらと考えることに疲れた。実際はまったくちがうのに、自分のことを大物ですぐれているように見せかけることにも疲れていた。

アルはポケットから『青二才』のコインをとりだした。色あせて銀色がくすんでいる。

アルは、ミニと目を合わせられないまま、話しはじめた。

「ランプをつけたらどうなるか、少しは知ってた……母さんがいってたから。でも、そんなこと本気にしてなくて……で、火をつけた。〈眠れし者〉がいってたことは本当。友達としてみとめてもらいたかった同級生に、すごいって思われたくて、やった」

ミニは、ふるえていた。

「わたしの家族が危険な目にあっているのは、アルのせいなのね」

ミニは泣いたりわめいたりはしなかった。だから、アルはよけいにつらかった。

「ずっとウソをついてたの？　わたしがまんまとだまされてるの見てて、おもしろかった？」

アルは、思わずミニの目を見た。

「そんな、ちがうよ！　そんなのぜんぜん――」

「もう信じられない」ミニがアルの言葉をさえぎった。「わたしのこと勇敢だっていったよね。冥府神の娘だって悪くないっていってたよね」

ミニはアルをつらぬくように見すえた。

「それに、わたしを置き去りにしないっていってたよね」

「ミニ、そうだよ、そう思ってる」

「何いっても同じだよ。だって、アルはウソつきなんでしょ」ミニはアルの手から〈青二才のひとかじり〉をとりあげた。

「ちょっと！　何するの？」

「何をするように見える？」ミニはコインを〈若さの小枝〉と一緒にバックパックへしまった。「わたしがこの使命をやりとげる。家族を助けるためにね」

「待って、ひとりじゃ無理だよ」アルは泣きそうになった。

こんなときはいつもソーセージにつめこまれたのかと思うような息苦しさを感じる。泣きたくはないのに……。

「かもね。でも、アルのことはもう信じられないから」

ミニがさみしそうにいって最後の鍵のマークを押すと、ミニの指のあいだに波がさざめいた。

「ミニ、待っ――」

アルは、光の切れ目に入るミニの手をつかもうとした。

が、アルの手は空(くう)を切った。

ミニはいなくなった。

アルはひとり、とり残された。

本たちがまわりでクスクス、ひそひそいっている。

〈異界〉のこの場には、もうアルの居場所はなかった。

〈眠れし者〉は、アルとミニなど殺す価値もないと思っている。殺されないんだから喜んでもいいのに、アルはみじめだった。

自分は役立たずだ。ブーは痛めつけられ、出会ったばかりの姉妹をほんの数日で失った。

ミニと会ってから数日たっていると思い当たって、アルはゆっくりと手を返した。

まるで、不合格だとわかっているテストの答案用紙を返され、できるだけゆっくりと表を見ようとするときのように。

これはいくつだろう？　6ではない。

ミニならわかるのに……もうミニはいない。

すでに何日かたっている。泣くならいまだ。でも、泣いてなんかいられない。

アルは本当にうんざりして、頭に来ていた。

アルは足を動かした。家——博物館にもどる道はない。もどって何をする？　ゾウの下にすわって、〝世界の終わり〟をただ待っていてもしかたない。

ミニを追いかけることもできない。ミニはアルの助けを望んでいないし、アルはミニに何もしてあげられない。アルのもともとの才能なんてウソをつくことだけなのだ。

ぜんぜん、英雄っぽくない。

アルがAの本棚の終わりにさしかかったとき、不思議な本が目にとまった。

小さくて明るい緑の本だ。

近づくと、本がぴょんぴょん飛びはねた。タイトルは短い。

『アル』

アルはその本を手にとって開いてみた。

学校にいるアルの絵があった。家で母さんを待っているときの絵も。

アルはどきどきしながらページをどんどんめくっていった。

アルとミニがマダム・ビーのビューティー・サロンにいる絵まである。アルは必死で何かしゃべっている。

〈季節法廷〉の絵で、アルは得意げにふんぞり返っていた。

アルは最後のページを開こうとしたが、しっかり張りついていて開けない。

そういえばミニが、ナイトバザールの図書館にはあらゆるもの、あらゆる人の物語があるといっていた。アルの物語もあったのだ。

本の最後が開けないのは、アルの物語はまだ終わっていないということだろうか？

マダム・ビーのことも〈季節〉たちのことも、アルはだましてきた。でも、あのウソは悪くはなかった。いい結果になった。アルはウソの力で自分とミニをトラブルから救い出し、新しい武器も手に入れた。

おそらくアルの才能は、ウソをつくことではなく……想像力だ。

想像力それ自体は、よくも悪くもない。いいところも悪いところも少しずつある。そう、アルのように。

伝説のアルジュナはどうだったんだろう？　ウソをついたり、自分はむしろ悪なのではと悩んだりしたことはあったのか？　伝説はアルジュナを完璧な人に描いている。でも、おそらくアルジュナにも失敗はあったはず。本当のことは、もうわかりようもない。

アルがもし自分のことを本にするなら、悪いところはぶいて、いいことしか書かないだろう。母さんはよくいっていた。

——物語はあてにならないわね。だれが話すかによって、真実が変わるんだもの。

この『アル』の本を信じるなら、アルの物語はまだ終わっていない。

アルは手のひらを見た。サンスクリット文字の数字がいくつかわからないが、1にしては複雑に見える。まだ何日かあるにちがいない。アルは手をにぎりしめた。

〈眠れし者〉なんか忘れよう。なんとか事態を解決しないと……。

アルは本をとじた。持っていきたい気持ちもあったが、ぐっとこらえた。

アルは墓地のリンゴの木を思い出していた。以前通りかかったとき、リンゴの実が宝石のように見えて、ほしくてたまらなくなった。でもとってはいけない、食べるなどもってのほか、という不思議な気持ちにおそわれた……あのときと同じものを、アルはいまこの本から感じた。

アルが緑色の本の背を指でなぞると、自分の背中をなでられたような感じがあった。

アルは本をそっと棚にもどした。

角を曲がると、何か光るものが目に入った。鳥かごだ。

それは、〈眠れし者〉が持っていた鳥かごだった。

凍った〈眠れし者〉が倒れたとき、かごは図書館の通路を転がっていった。

それがBの棚の通路だったのか……。

ここの本棚はさわがしく、バニラのようなにおいがした。

『バブバブ赤ちゃん』という青い小さな本が大泣きしていて、『バックハンド』と『バックワード』は交互に表紙でなぐり合っている。

アルはひざをついて鳥かごをひろった。

〈眠れし者〉はブーを連れ去ったのに、鳩を入れる鳥かごは置いていった。皮肉だ。

かごの中でカタカタと音をさせているのは、小さな素焼きの動物の人形だった。どれもアルの小指ほどしかない。

つまみ出して見てみると、ヤギ、ワニ、鳩、蛇、フクロウ、孔雀だった。七つ頭の馬もあった。トラの人形もある。口を大きくあけて、うなっているポーズだ。

動物たちを床に一列に並べて、アルはいぶかしげに顔をしかめた。

女神ドゥルガーはトラに乗っていたのでは？　戦いの神はたしか、孔雀に乗っていた。

〈眠れし者〉は、なんでこんなものを持ち歩いていたの？

アルは、七つ頭の馬のたてがみをそっとなでてみた。アルの父神、雷神インドラは、こんな動物に乗っていたんだ……もちろん土の人形じゃないけど（そりゃそうだ）。伝説では、馬は月よりも明るく輝いたといわれている。

アルはポケットから黄金珠をとりだし、インドラの光で小さな動物たちをもっとよく見てみようとした。

インドラの光が動物たちに当たったとたん、図書館全体がゆれはじめた。

アルは思わず、持っていた馬を落としてしまった。ただの焼き物なら粉々になるはずだ。

しかし、馬はくだけなかった。それどころか、大きくなりはじめた。

馬だけではなく、ほかの動物も。

アルは、あわててあとずさった。

黄金珠の光が強烈になり、アルのまわりではじけた。

まぶしくて、何も見えない。

Bの棚は静かになり、べつの物音が聞こえてきた。翼のはためく音、ひづめが地面をける音、トラのうなり声、蛇がシューッという音——。

アルはまばたきをして、あたりをよく見ようとした。

やっと視覚がもとにもどったとき、アルの目の前にあったのは、盗まれた神々の乗り物だった。

〈眠れし者〉は、これをかごに入れて持ち歩いていたんだ。だったら、なぜ置いていったんだろう?

あ、とアルは気づいた。

あのときミニが投げたのは、**夏**にもらった魔法のヘアバンドだった。「これを身に着けると、何か重要なものを忘れるのです」と、**夏**はいっていた。

魔法が効いてたんだ……。

〈眠れし者〉は、この大事な乗り物たちが見えなくなったとたんに、忘れてしまったのだ。

アルはしげしげとながめた。

トラの赤茶色の毛並みはつやつやしている。

孔雀の羽からは、宝石がぶらさがっている。

白いフクロウも美しくみごとだ。

アルが一番心ひかれたのは七つ頭の馬だった。

馬はアルに駆けより、七つの頭をいっせいにさげた。

「雷神インドラの娘よ、御礼申しあげる。とじこめられていたわれらを解放してくださいましたな」馬は七つの口から七つの声音でいった。

一騎、また一騎と、乗り物たちがアルに近づいてきた。

トラはアルの手に鼻をすりよせ、孔雀はやさしくアルの指をつついた。フクロウは頭をさげて、こういった。

「パーンダヴァさま、必要なときはわれらをお呼びください。助けにまいりましょう」

それから神々の乗り物は、それぞれのやり方で空へと去っていった。

アルのもとには、七つ頭の馬だけが残った。

「行くところがおありですな？」と、馬が聞いた。

アルは、にぎりしめた指に描かれた波の印を見てうなずいた。

三つめの鍵、〈老いらくのひとすすり〉は、まだそこにあるはずだ。

「では、お連れしましょう。われらより速いものはおりません。何せ、思いのままの速さで動きますからな」

アルは馬に乗ったことがない。メリーゴーランドの虹色のユニコーンに乗って「ひゃっほー！」とさけんだことがあるだけだ（そんなのはもちろん馬に乗ったことにならない）。

馬の左側に、どこからともなく踏み台があらわれた。

アルは黄金珠をポケットに深くねじこんで、馬の背にのぼった。

馬の広い背中にまたがると、両足がぶらぶらする。

「インドラの娘よ、準備はよろしいかな？」

「わわ、待って」アルは一度深呼吸をした。「よし、とにかく行こう」

第19章

早まるな、ちょっと待て！

登場のしかたにはいろいろある。映画をたくさん見ているアルが、断然かっこいいと思っている登場シーンのベスト3(スリー)はこれだ。

1　『ロード・オブ・ザ・リング最終章』のアラゴルンのように、たくさんの幽霊を引きつれて剣をふりあげ登場する。

2　『ダイ・ハード』で毎回ジョン・マクレーンがするように、マシンガンをふりまわしながらカウボーイみたいにさけんで登場する。

3　インドのボリウッド映画の俳優みたいに風に髪をなびかせ、突然みんなにかこまれて踊りだす。

でも、今日からはこのリストを変えることになる。どうしてかって、それはもちろん、七つ頭の馬に乗っての登場がダントツのナンバー1(ワン)だから！

七つ頭の馬にまたがったアルはナイトバザールを駆けぬけ

た。

人々は息をのんだ。

買い物カートたちはギイギイいいながら散りぢりになった。

テントたちはとびあがって道をあけ、テントについていた飾りひもを自分の体に巻きつけた。まるで度肝を抜かれた人が、自分で自分を抱きしめているときのように。

魔族ラークシャサは、屋台で買ったばかりのおやつをとり落とし、小さなラークシャサがそれをさっとひろって食べた。

アルと七つ頭の馬は、怪物だらけの街を駆けぬけた。

怪物でできている（と、アルが思った）世界もあった。巨大なウロコのある生き物が、親指ひとつで山を押しつぶし、ぶつぶついっていた。

——ちっこいモグラの山からでっかい山をつくれと、そうおっしゃる？　は、そりゃ、ご大層なこって。いっそ、でっかい山をちっこいモグラの山にしちまうのはどうだい！　そっちのほうがずっとおもしれぇ。あー、へいへい、そうですね。

アルと馬は、低い雲も駆けぬけた。

雲をぬけた先には、ただ広大な海が広がるだけだった……アルはこんな海をこれまで見たことがなかった。青くもなく灰色でもなく、緑でもない。牛乳のように白かった。小さな岩島が真ん中につき出ているのが、ボウルに盛りつけたシリアルの塊のようだ。

「このあたりは、かつて〈乳海攪拌〉のさいに、足場として使われたところですな」馬がいった。

まさにそうだ、アルはここがどこか知っていた。博物館のパノラマの部屋には、〈乳海攪拌〉の絵がある。大昔、強力な賢者が神々を呪い、その不死の力を失わせた。力が弱まりこまった神々は、不老不死の霊薬を手に入れるために乳海を攪拌した——つまり、かきまぜたのだ。攪拌が始まると、毒が空中にほとばしった。そこで、神々は破壊神シヴァに助けを求める。そして、シヴァは毒を飲み干し、その毒でシヴァののどは青くなったといわれている。

アルは、博物館の涼しくて暗く静かなパノラマシアターに寝そべるのが好きで、いつもシアターの周囲にある神々の物語についての展示をながめていた。だから、はるか昔に不老不死の霊薬をめぐる争いがあったことを知っていた。

じつは、神々は自分たちで海を攪拌したわけではなかった。アスラ、つまり魔族の手を借りたのだ。だが、ついに乳海から不老不死の霊薬が生み出されたとき、神々はアスラたちを罠にはめ、すべての霊薬を自分たちだけのものにした。

アルは身をふるわせた。魔族のうらみはいったいどれほど長くつづくのだろう。神々のように永遠に生きることはできないとしても、命が終わって次の命に転生することはできる。何度も何度も……。

七つ頭の馬は、島に向かって下降し、岸にたどり着くと、速度をゆるめた。

アルと馬が砂丘にさしかかったとき、砂丘があくびをして、大きなトンネルの入口になった。

トンネルの中は古くて不気味な場所なのかとアルは思ったが、入ってみると、そこは放置されたオフィスか何かのようだった。

トンネルの両側は大理石をくりぬいたブースになっている。どのブースもからっぽで、写真を飾ったコルクボードが置かれたままの席もある。電話オペレーターが使うようなヘッドセット（でも黄金製でダイヤモンドつき）が、どのデスクにも置きっぱなしになっている。

ところどころに自動販売機まであった。ただ売っているのはチョコバーやポテトチップではなく「七時間睡眠」や「すてきな白昼夢」や「かなりすてきな白昼夢」（横に、おかしな感じにまばたきをしている顔があった）や「するどいひと言」などで、あとは小ぶりの除菌ローションくらいだった。

トンネルの中には、数枚のポスターが飾られたままだったが、どれも薄くほこりをかぶっていた。そのうちの一枚は金色に輝く街の広告で、ぞんざいに文字が書かれていた。

ランカーの街へおいでませ！
夢と悪夢のクライマックス！
サービス：黄金級！
お食事：黄金級！
エンタメ：血まみれではないが、でも殺しは起こる！

水中の街の広告もあり、魅惑的な蛇族ナーガのモデルがウインクをして、輝く牙をくちびるからのぞかせている。

蛇の街へようこそ！
すばらしい景観を
ずるずる這う美しき蛇族とご一緒に！

しかし、アルがどこを見わたしても、ミニが来た形跡は見あたらなかった。

「ここは異界旅行代理店の本社です。ですが、いまは閉鎖中です。あなたさまを邪魔するものはおりませんよ」

馬が教えてくれた。

トンネルの一部が板でふさがれていて、《さわるな！》や《注意：改装中》という大きな注意書きがあった。打ちつけられた板のあいだから、苦い香りがただよってくる。

板の下にはミニだったら（ミニサイズということではなく）通れそうなすき間があり、アルも体をねじこめば向こう側へ行けそうだ。

馬は立ちどまった。

「インドラの娘よ、ここでお別れですな」

馬がかがんだので、アルはその背をすべりおり、ちょっとよろけながらいった。

「乗せてくれてありがとう」

「必要なときがあれば、われらをお呼びください」

ふむ……必要ってどういうときだろう、とアルは思った。

当然ながら、アルは七つ頭の馬を学校のみんなに見せびらかしたくてたまらなかった。ぴかぴかの黒ぬりの車は、負けをみとめておそらくその場でいっせいに爆発するかも。

馬は、アルが何を考えているのか予想がついたらしく、ヒヒンといなないた。

「必要なときとは、つまり、緊急事態(きんきゅうじたい)ということですぞ」

「待って。そういえば、名前はなんていうの？」

「ウッチャイヒシュラヴァスと申す」

「ウッチャ……えーと、呼ぶときは口笛でいいかな？」

馬はむすっとふきげんそうな顔をした。

「あ、ごめん、口笛はやめとく」

「空に向かい、ご自分の名をさけばれよ。それを聞きつけ、参上いたします」

馬は七つの頭をさげてから、来た道を引きかえしていった。

アルは馬を最後まで見送ることはせず、手で鼻をおおって板の下に入った。くさい……ミニだったら毒ガスが充満してるのではと心配するところだ。

アルはせまい通路に出た。

通路は洞窟へとつながっていて、においは洞窟のほうからただよってくる。

その洞窟の中心に、バスタブサイズの大釜（おおがま）があった。鉤爪（かぎづめ）のついた足がついている。

大釜は、なんと鉄や金属製でなく、蒸気か何かでできているようだった。すけているので、中で青い液体が怒ったようにブクブクとうごめいているのが見える。

気体でできた釜に液体をとじこめるなんていい考えとは思えない……〈異界〉だから可能なのか。それに全体が絶え間なくふるえているのを見ると、爆発寸前なのかもしれない。大釜の中には、固形のものも見えた。

アルの靴くらいの大きさで、青い液体の上に浮かんでいる。

そのとき、アルの指に描かれたメヘンディの印がゆっくりと脈打った。

つまり、あれが第三の鍵ということ……？

だとしても、どうやってとればいいのだろう。

大釜のすぐ向こうで、破壊神シヴァの大きな像が身をかがめている。大釜に向かって腰を落として口を大きくあけ、中を見て動揺しているような姿だ。シヴァ像の体のほかの部分は見えなかった。煮えたぎる大釜がのっている岩棚のかげになっているからだ。

「アル？」と、聞きおぼえのある声がした。

ノートとペンを手に、となりに立っていたのは、ミニだ。

ふたりは、たがいを探るように見つめ合った。

アルはなんといえばいいかわからなかった。もうとっくにミニにあやまったが、もう一度「ごめんね」といってもばちは当たらない。アルがひとりでここまで来たのは、自分のためだけではなかった。友達のミニのためでもある。それに、ミニを置いていかないという約束のこともあった。アルは、多少のウソはつくが、約束は破らない。

「ミニ、ごめん——」アルがいいかけた。

「わたし、いいすぎた」まったく同時に、ミニもいった。

「あっ、お先にどうぞ！」また同時だった。

そして次はふたりで黙りこみ、にらめっこのようになってしまった。

「先にたたいたもんの勝ち！」アルは自分の鼻をさっさとたたいた。（痛くないかって？　そりゃあ少しは痛い。先に自分の気持ちをいわずにすむなら何度でもやるかって？　百パーセントやる！）

ミニは先をこされて、うなった。

「……わかった、先に話すね。あのね、あんなふうにアルを置き去りにするべきじゃなかったっていいたかったの。置いてけぼりなんて自分がされたらいやだっていってたくせにね。それにわたしにはわかってるよ。アルはだれかを傷つけようと思ってランプに火をつけたわけじゃ——」

「あやまらなくていいよ。もういい……次はわたし——」アルは心底ほっとした。

「最後まで聞いて！　いいたいのは……アルがどんな気持ちだったかわかるってことなの」ミニはつづけた。

「わたしはうちのお父さんもお母さんも、ふたりとも大好き。ふたりもわたしを大事にしてくれる。うちはいい家族だと思う。本当に。でもね、ふたりともわたしがパーンダヴァのわけがないって思ってた。そんなの何かのまちがいだって。だけどアルは……アルはすぐ信じてくれたでしょ。それって、わたしにはすごく、すごく大事なことだよ。それにね、考えたの。きっとアルも同じように感じてたのかもしれないって。自分をニセモノみたいに感じて、だから、ランプに火をつけたのかなって思ったの」

　アルはしばらく何もいわなかった。怒っているわけでも恥ずかしがっているわけでもない。ありがたかったのだ。そばにいても、らくに息ができる相手をやっと見つけたから。

　だからアルは胸が苦しいほどだった。もちろん、いい意味で。

「ありがとう……わたし、ミニを信じるよ。ミニはほんとにかしこい。ちょっと神経質すぎるところはあるけど、本当にかしこいと思ってる。それに、すごく勇敢だよ」

　これはアルの本心だ。心から本気でいった。

　ミニにもそれが伝わったらしく、笑顔でアルに向かってひじをつきだした。

　アルはひじタッチを返し、ふたりはもうだいじょうぶだと思った。

　アルは気をとり直して、ミニに聞いた。

「あの大釜に浮かんでるもの、見える？」

「うん。あれが第三の鍵〈老いらくのひとすすり〉だと思うけど、どうやったらとれるのかな。大釜からすすらないとだめとか？」

　このぐつぐつ煮えている大釜から、きたない青い液体をすする？

「おえっ……。さっきわたしが本をかじったから、わたしの番じゃないよね」

「ちょっと、アル。あれ、毒だよ。それもハラーハラの毒ね」

「そっか、じゃあ飲めないね」

「いい？　これって、神々が乳海を撹拌したときに吐き出されたのと同じ毒なの。わたしたちが飲んだら死ぬ。掲示板の注意書きに書いてあるよ、もちろん読んだよね」ミニは横のポスターを指さした。

　アルはさっと目を走らせたが、「手足がもげる可能性あり」のところで目がとまった。

「……やばい、ね」

　アルはひらめいた。

「この注意書きには、大釜はふれると爆発するとも書いてあるね。それに噴火みたいに毎年起こるみたい。だからここ封鎖されてるのね。爆発したらふたりとも……死んじゃうかも」と、ミニ。

「そうだ、わたし、貸しがあったんだ！」

　アルはミニに神々の乗り物が入っていた鳥かごの話をした。

　ミニは少しうらやましげな顔をし、それからあれこれ想像しはじめた。

「七つ頭の馬？　それ、神経はどうやってつながってるの？　調べたらすごそう！」

「ミニ、脱線しないで！」

「あ、ごめん。でも、その貸しは使えないかもしれないよ。ここの規則に書いてあるけど、動物にはこの毒を飲ませてはいけないって。どうやら、大きな怪物になってまわりにあるものをすべて食べてしまうみたいだよ」

「うーん」

「ひとつひとつ、しっかり考えていこうよ。きっと何か方法があるはず」ミニはペンを噛みながら考えている。

「ミニのコンパクトで何かの幻影をつくり出すのは？」

「それが、できないの」

ミニはコンパクトを出した。コンパクトはかすかに光るだけで何も起こらない。

アルのピンポン玉にも何も反応がない。黄金珠はもう光ってすらいなかった。

「ここって魔力無効エリアとかなのかな。〈季節〉さんたちからもらった道具も効果がなさそうだったよ。春さんがくれたプチケーキの箱もあかないし。このへんにあるものといえば、岩と大きな炎だけ」

ん、いまなんて？

ミニが上を指さした。

上を見たアルは、口をあんぐりとあけた。

洞窟の天井には巨大な炎があった。まるでシャンデリアがぶらさがるように下に向かって燃えている。炎がねじれて火花がはじけているが、落ちてはこない。みょうにきらきらと輝き、青と金色の炎が、あたかも実験用ビーカーの中で燃えさかっているように見えた。

「あの炎と青い毒液は関係があるんじゃないかな」ミニはまたペンを噛んだ。「どちらもさわれば爆発しそう。

そしてどうやら、どちらもここから外には出ない……」

「でもさ、炎も毒液もこの場所から出ていかないなら、どうして〈異界〉の旅行代理店の人は全員避難してるんだろう？」

「このにおいのせいだと思う。それに、電話オペレーターたちは休暇を指示されてるみたいね。とりあえず、掲示板にはそう書いてあった。ここってかなりヘンテコな観光地だね」

アルは肩をすくめた。

最後にクラスで行った弁当箱博物館とくらべたら、この毒火山のほうがずっとかっこいい。〈異界〉の人たちもそう考えたのだろう。明るい色でぬられた木のパネルが大釜の横に立てられている。観光客が写真を撮るスポットだ。

パネルには穴があいており、観光客はパネルの後ろにまわって穴から顔だけを出し、毒を飲むポーズをして写真を撮るのだ（さすが〈異界〉だけあって、穴はいろいろな客を想定していて、角（つの）があってもコブラ頭でも複数の頭があってもだいじょうぶなようになっている）。パネルの足もとに寄付金用のバケツがあって、そばの小さい看板にはこう書いてあった。

地元怪異を保護するためにご協力ありがとうございます！

アルは大釜の周囲をまわってみた。

「つまり……これを飲めばかならず死ぬのか……どうにもならないってこと？」

「どうにもならないなんていってない。魔法を使ってなんとかするやり方では、うまくいかないかもってこと。魔法を使える人が、魔法で大釜をからにしようとすると、きっとよけいなことをしちゃうんじゃないかな」

ミニは大釜をするどく観察し、自分のノートに目をもどし、また大釜を見た。

「……ねえ、これ液体だよね」

アルはここで「いまさら？」とつっこんではいけないんだと思い、うなずくだけにしておいた。

「液体は、熱すれば気体になる。そして、この大釜の本体は、熱せられて気体になった毒液からできている。ということは中の毒液を蒸発させれば……」

アルは頭が痛くなった。いまここで化学の授業？

「そうよ……ポイントはそこだわ……」

ミニはぶつぶつとつぶやいている。

「魔法を使うんじゃなくて……ふつうの人がだれでもできるようなこと……うーん。あ、これだ！」

ミニは、解決法を思いついたことに自分でおどろいたのか、もう一度「これだ？」と言葉の最後のところをあげて、まるでだれかに確認しているようだった。

「ミニ、何かわかったんだね！　で、どうするの？　聞かせて！」

「これを壊すの」ミニは顔を輝かせた。「魔法を使わないで」

「は？」

ミニは地面に落ちている小石に手をのばした。

「待って！　ミニ、本気？　やめて！」

ミニは毒でいっぱいの大釜に向かって石を投げ、大声でさけんだ。

「科学ってサイコー」

第20章
毒液の処理はおまかせあれ

「科学は好きか？」と聞かれたら、以前のアルは「あまり興味ない」と答えただろう。でもいまならきっぱり「きらい」と答える。

アルは、ミニが投げた小石を目で追った。

力強い一投だった。

石はみごとな放物線を描いて飛んだが、大釜に届かず、その手前に落ちた。

アルはほっと息をついた。助かった。

そのとき石が、いまいましくも、じつに石らしいことをしてくれた。

転がったのだ。

そして石は、コツンと大釜に当たった。

「うわっ。でもあれくらいなら、大したこと――」アルの言葉が途切れた。

青い液体の蒸気でできている大釜の縁が、ゆれはじめたのだ。

「ぜ、前言撤回。爆発するんじゃない？　これでふたりとも死ぬ……」

「だいじょうぶ、これでいいの。ちょっと液体をかきまぜればね。じゃ、次は炎にうつろうか」

「待って、毒液を流すだけじゃないの？　火を追加する必要なんてある？」

ミニは上を見ながらいった。

「この空間は、上からの炎の熱で毒液が気体になるようになってるのよ。だから炎を大釜の中に落とせば毒液がすべて蒸発して、もちろん大釜も消えて、第三の鍵だけが残るはず！」

そのとき、大釜に亀裂が走った。

洞窟の天井がふるえ、黒い岩のかけらがパラパラと落ちてきた。

見ると、炎全体が大きくゆれている。

「アル、岩のかけらをひろって、できるだけ炎にぶつけて」

「まちがって大釜に当たったらどうするの？　ふたりとも――」

「わたしを信じるっていったよね！　だったら、信じて！」

「……わかった」アルはくちびるを噛みしめた。

ふたりは岩のかけらを集め、炎に向かってどんどん投げた。

何かがひび割れる音が、洞窟に響いた。

最初に見たときに思ったとおり、炎は何かにかこわれていた。そのかこいが、アルとミニの投げた石で割れはじめたのだ。

炎は、燃えさかる長いリボンのように下に垂れてきている。

もう少しで大釜や中の毒液にふれそうだ。

「逃げよう！」ミニがさけんで出口に向かって走りだした。

アルが走りだすのと同時に、あたりに毒の青い煙が巻きあがった。

息ができない……ひどいにおいだ。

ミニとアルが洞窟を出ると同時に、後ろでボンッという音がした。

大釜が爆発したのだ。

毒液が大波のように持ちあがるのを、アルは視界のすみでとらえた。

爆発の熱と光――。

気づいたときには、アルとミニは洞窟の外の通路にあおむけに倒れていた。

アルがまばたきして見あげると、高く燃えあがった炎が、壁のように洞窟の口をふさいでいる。

押しよせる毒液の波は、炎のおかげで、出入口のところでせきとめられているのだ。

洞窟の中では、何かが焼ける音や、シューッと蒸発するような音がしている。

しばらくして炎がおさまると、毒液はすっかりなくなったようだ。

炎が堰（せき）のようになり、毒液は洞窟から外にもれずに蒸発したのだ。

ミニが、アルのそばに来てひと息ついた。その顔は自信に満ちていた。

「ね？　じゅうぶんな熱と時間があれば、液体は気体になるでしょ？」と、ミニ。

「ミニ、すごいよ！　そんな方法、ふつうは思いつかない」と、アル。

ミニはただ笑っている。

アルは〈天界法廷〉を去るときの猿神ハヌマーンの言葉を思い出した。

――だれかに教えてもらうまで、自分の力や強さを思い出せない。われわれには、だれでもそういう呪いが多少はかかっておるのかもしれん。

炎は燃えつきたようだ。

ミニは、つま先立ちで恐るおそる洞穴の中心へ向かった。

大釜のあったところには、焦げ跡が残っていた。

炎をのがれ、蒸発せずにすんだわずかな毒液は、新たな居場所を見つけていた。

口をあけて大釜をのぞきこんでいた破壊神シヴァの石像の口もとが、青く輝いている。

見ると、洞窟の地面に小さな杯(さかずき)が置かれていた。青いトルコ石をけずってつくったもののようだ。

これが、さっき大釜の液体に浮いていたもの？

杯は、銀色の液体で満たされている。

ミニがそっと杯を持ちあげた。

「これが第三の鍵、〈老(お)いらくのひとすすり〉ね」

アルは杯を受けとるとまゆをひそめた。

中の液体を出そうとしても、出てこない。

名前どおり、すすらないといけないの？　魔法って本当にめんどくさい。

「今度はミニの番だよね。でも考えたんだけど、これをするのは、わたしの役目かな？　だって、大釜のことはミニが解決してくれたんだし」

「まあね」

アルは見るだけで吐き気がした。

「これ、毒だったらどうしよう？　毒の大釜に入ってたんだよ、つまり……」

ミニは肩をすくめた。

「もし毒だったら、春さんのプチケーキで助けてあげる」

アルはまだふんぎりがつかなかった。

「鍵までのみこんじゃったら？」

「そうねえ、三歳のとき、お母さんの結婚指輪をのみこんじゃったことがあって、そうしたらバナナをひと房分食べさせられたの。それで、そのあと――」

「もういい！　その先は、絶対に知りたくない！」

「飲まないなら、最後まで話をつづけるわよ！」

「何それ、チョー意地悪」

ミニは腕組みをしていった。

「ふふ、わたしは公正さを信じてるだけだよ」

アルは、ごく少量をすすった。

母さんは日曜にワインを飲む。大人はなんでみんなこんなものでさわぐのかと、アルはためしにひとなめしたことがある。あのときは腐ったような味がしてすぐに吐き出したが、この「老いらく」は……悪くなかった。

アルは去年の誕生日を思い出した。

母さんとオシャレなイタリアンレストランへ行って、アルは食べすぎて帰りの車で眠ってしまった。家に着くと、母さんはアルをかかえてベッドまで運んでくれた（家に着いたとき目が覚めたアルは、運ばれるあいだは眠ったふりをしていた）。

〈老いらくのひとすすり〉はあのときの気分に似ている――満たされた、しあわせの味だ。

そのとき、アルは舌の上に重いものがあるのを感じた。

出してみると、小さな白い鍵だった。

しかもこれ、骨でできてる！

「うあああ！」アルはあわてて、指で舌をこすった。

こすってから、バスマースラの灰を洗い落として以来、手を洗っていないことに気づき、あわてて地面につばを吐き出した。

「これが第三の鍵かあ！　かっこいい！　ねえ、これ骨だよ！　ふむふむ、指の骨かなあ、それとも――」医師志望のミニは、夢中になっている。

アルがにらんだので、ミニはすぐに話題をかえた。

「やったね！　〈冥界(めいかい)〉に入る三つの鍵をすべて手に入れたね」

正直、気持ちの悪さは残っていたが、アルも笑顔になった。

ふたりは本当にやってのけたのだ。

さらによかったことに、ミニにはもう、びくびくしたところがなかった。

シヴァ神の像の口もとが、ミニの後ろで青く輝いている。まるでミニに青い後光がさしているようだ。

「じゃあ、いよいよだね。覚悟はできてる？」アルはいった。

ミニはうなずいた。

手に汗がにじみ、アルはこれから向かう世界への恐怖を感じていた。

最後にトイレに行っておこうかな、これから向かう地下の世界に公衆トイレとかあるかわからないし……うん、たぶんちょっとビビってるだけ。

アルとミニは、三つの鍵を順番に並べた。

〈若さの小枝〉、本からかじりとった〈青二才のひとかじり〉のコイン（いまは輝きをとりもどしている）、そして骨の――〈老いらくのひとすすり〉。

ふたりには、これから何が起こるかはわからなかった。

でも、それは問題ではない。鍵のほうが、何をするべきかわかっているはずだ。

三つの鍵は、あっという間に溶けてまざりあい、水たまりのような光だまりができた。

ミニとアルが息をつめて見つめていると、光だまりがするすると立ちあがり、やがてアルを乗せて乳海をわたった七つ頭の馬の背と同じくらいの高さになった。
洞窟の暗がりの中、立ちあがった光だまりに扉（とびら）があらわれた。
〈冥界〉への扉だ。

第21章

〈冥界〉の門番

〈冥界〉への扉は、木の葉と光と骨とで丹念につくられたもののようだ。

ミニは扉にふれてから、いぶかしげに首をふっている。

「思ってた感じとちがう……」

「どのあたりが？」と、アル。

「この扉もだし、この先にあるものも」

「この先は〈冥界〉。それだけだよ」

「うん、でもこの扉の先に、わたしの——」ミニは口ごもった。「えっと、本当なのかなって、あの神さまが……わたしの……」

「お父さん？」と、アル。

いわれたミニは、ひるんだ。

「うん。そう。でも、知らないもの。あちらだってわたしを知らないし。ええと、それはべつにいいの。ブーもうちの親も、これは魂の父親であって、家のお父さんとちがうっていってたし。ただ、コンパクトの鏡をくれるだけじゃなくて、もっと何かしてくれたらなと思って、わかるよね？」

ううん、わからない……アルは、ミニに少し意地悪かなとは思ったが、それでも、そこまで悪いとも思わなかった。

魂の父親のことがわからないという点では同じ立場とはいえ、アルには家で甘えられる父親がいない。たしかに、雷神インドラはアルの魂をつくったのかもしれないが、アルの実際の父親はどこにいるのだろう。いまもきっと……どこかにいるのだろう。だれだったとしても、その人はアルに会う気はないのだ。

アルはわきあがってくる嫉妬心をおさえこんだ。ミニのせいではないのだから。

「ミニはさ、冥府神ダルマラージャに会ったら、どうするつもり？」

「わたしを存在させてくれたことに感謝する、かな？　うーん、わかんないや。それはそれでヘンだね」ミニは大きく息を吸った。「だいじょうぶ。心の準備はできた」

アルがドアノブに手をかけると、ビリッと衝撃が走った。

アルはすぐに手を離したが、痛みが残っている。

「ミニがやったほうがいいかも」

「わたしが？　どうして？」

「冥府神の娘だから。実家に入るようなものだよね」

「わたしもビリッとするかな？」

アルは肩をすくめて、こういった。

「じゃあ、まずは名乗ってみたら？」

そうかなぁという顔をしつつ、ミニは胸を張った。

「わたしの名前は、ヤーミニー・カプール―メルカード―ロペスです。こちらは……」ミニはアルを見て小声でいった。「そういえば、アルの名字知らない！」

アルはボンドと名乗りたかった。「ジェイムズ・ボンド」のボンド。

「アル・シャーだよ」

「ミドルネームはないの？」

アルはまた肩をすくめた。

「あったとしても、聞いたことない」

ミニはわかったとうなずいて、扉に向かって話をつづけた。

「……こちらはアル・シャーです。わたしたちを〈冥界〉へ入れてください。天界の武器を目覚めさせる使命のためにここへ来ました。えっと、そうすれば〝時〟は終わらずにすみます。それに、恐ろしい魔族を止める方法を見つけたいんです。その方法は、〈冥界〉の池に行けばわかるといわれました。池の名前は……〈かつての池〉だったかな？」

「〈過去の池〉」アルが小声で教えた。

「そう、〈過去の池〉です！　よろしくお願いします」ミニは話を終えた。

〈冥界〉の扉はぴくりとも動かない。

ミニは扉を押してみようともしなかった。

「あけてみないの？」と、アル。

「力ずくは失礼かなと思って」

すると、扉は負けた、というようにため息をついてうめいた。

アルが横にまわって見ると、〈冥界〉の扉の厚さは、とじたノートパソコンほどだった。

ミニが扉に足をふみいれるとすぐ、ミニの姿は消えてしまった。まるで空気の切れ目に入りこんでしまったように。

少しすると、ミニが扉から頭をつきだした。

「来るの、来ないの？」

アルは胃がせりあがるような気がした。

〈冥界〉の入口についての物語は聞いたおぼえがないけど、それでも怖かった。扉の向こうに顔のない幽霊がひそんでいるとか……永遠の業火や、星ひとつない闇の空。

そのときアルは、おどろいた顔で静止している母さんを思い出した。髪が乱れていた。〈眠れし者〉の手の中でぐったりしているブーの姿も目に浮かんだ。

大切な人たちの姿が、アルを動かした。

「これこそが冒険、だよね」

なんとか勇気を出そうと、アルはポケットの黄金珠（おうごんじゅ）にさわってみた。温かさに少し力が出る。アルはそっと自分にいい聞かせた。

「だいじょうぶ。だいじょうぶだよ、アル。きっとだいじょうぶ」

アルは扉のドア枠をまたいだ。

冷たい風にうなじの毛が逆立つ。風の中にかすかに、死んでいく人たちの最後の言葉が聞こえた。

――待ってくれ、まだだ……。

――お願い、どうかスノーボールのエサを忘れないで！

――だれかパソコンのブラウザの履歴を消してくれないかなぁ……。

だが、聞こえる言葉のほとんどは、愛を伝えるものだった。

――家族に「愛してる」と伝えて。

――妻に「愛してる」と伝えてくれ。

――子供たちに「愛してる」って伝えてちょうだい。

――スノーボールに「愛してる」って伝えて。

アルは心がねじれそうだった。

ブーと一緒に博物館を出る前、母さんに愛してると伝えたっけ？

いまさら引きかえすことはできない。

アルが〈冥界〉に足をふみいれたとたん、扉は跡形もなく消えた。

アルは、真っ暗なトンネルの中にいた。どこを歩いてるのかわからない……壁もなく、空も海もなく、始まりも終わりもない。ただ闇が広がっているだけだ。

「そういえば、お母さんがよくいってた。死は駐車場みたいなものだって」

すぐそばでミニのささやく声がした。自分を安心させるために独り言をつぶやいているようだ。

「一時的にそこにとどまって、それからほかのどこかへ行くから」と、ミニはつづけた。

「また駐車場？　この使命って駐車場が好きだね」アルはふるえながらも冗談をいった。

そういえばそうかと、アルは少し気がらくになった。

ヒンドゥー教では、死は永遠にとどまる場ではない。転生を待つ場所なのだ。魂は何百回と、もしかしたら何千回でも、生きることがある。悟りを開いて初めて、生と死の輪からぬけ出すのだ。

遠くで犬が低くうなった。

「なぜ、あんなにシリアスなんだ？」低く太い声だ。

「シリアス？　あ、シリウスか？」少し高い声がした。「おおいぬ座のあの犬のことは知ってんダロ？　星に向かって遠吠えだったカナ、太陽と追いかけっこだったカナ？」

「ウー、ウルサイ！　おまえはなんでもぐちゃぐちゃにする。あの出だしは一年かけて練習したのに！」最初の声がうめいた。さっきより声がうわずっている。

「そんなの知るかヨ」と、高いほうの声。

「『ダークナイト』はオレの気に入りの映画なんだぞ。ちゃんとオレのいうことを聞け。何しろ、オレは一番のエークだからな！　おまえなんか二番手のドーにすぎんだろ」と、太い声。

「先に生まれたってだけで、えらいことにはならないダロ」ドーと呼ばれた声の高いほうがいった。

「いいや、なるね」と、エーク。

「なんダヨ、ならないヨ！」と、ドー。

意味のないかけ合いが聞こえてくる。

エーク？　ドー？　アルはいぶかしく思った……どこかで聞いたことのある名前だ。

インドで一番多く話されている言葉、ヒンディー語の数字だ。エークは「1」、ドーは「2」を意味する。

アルの母親はクジャラート語で育った。インドのクジャラート州の言葉だ。

アルはクジャラート語もヒンディー語も話せない。いくつか単語を知っている程度だ。悪い言葉も少しは知っている。（もっとも、悪態だと気づいたのは、寺院のお坊さんの前でつま先をぶつけて、思わずその言葉が口からとびだしたときだった。母さんにとっては笑いごとじゃなかった）。

アルが黄金珠を強くにぎると、それは、ぼんやりと光る懐中電灯のようになった。

四組の目が、アルとミニを見つめた。

黄金珠の光で、巨大な二匹の犬の影が見えた。

エークとドーは、どちらも目が二列、つまり四つずつあり、毛は短くてまだらだった。

アルとミニのにおいをかぎに来ると、毛並みがふわりと立ちあがってかすかに光った。

あの毛はやわらかいのかな、とアルは気になった。

ミニはシャツのえりを立てて、自分の鼻をおさえた。

「ばだじ　いむ　アレブギー　だの」

「は？　何いってるの？」

ミニはシャツから少し顔をあげた。

「わたし、犬アレルギーなの」

「ああ、だと思った」アルがいった。

「おまえたち、死んでるノカ？」ドーが高い声で聞いてきた。

「死んでないと思うけど？」と、ミニ。

「死んでるわけないよ！」と、アルもほぼ同時に答えた。

「フン、死んでないなら、ここから先には入れないぞ。規則だからな」と、低いエークの声。

「ごぞんじないかもしれませんが――」アルがいいかけた。

「ああ、ごぞんじだとも！　選択肢はふたつだ。自分で死ぬか、オレたちが死ぬのを手伝うか！」と、エーク。

高い声のドーが、しっぽをふっていった。

「オレ、手伝うよ。手伝うのダイスキ！　お手伝い、たーのしー」

第22章

お手、おすわり、とってこい！

「自分で死ぬか、死ぬのを手伝ってもらうか、って？　遠慮しときます！　ほかをあたります――」と、アル。

「わたしはどこにも行かないわ！」と、ミニ。

エークは、前にもこんなことあったな、とでもいいたげにあくびをした。

その口からのぞいた歯はするどかった。歯というより、むしろ牙……なぜあそこまでするどくする必要があるのか？　それに牙に何かついていた……あれは血？

「そうそう、わざわざほかに行かなくてもここで死ねばいい。な、ちび」エークがいった。

「ううん、ここで死ぬっていう意味じゃない。わたしがいいたいのは……ここは、わたしの国っていうか、だから」ミニの声は、最後のほうはうわずっていた。「冥府神ダルマラージャの娘として、入国を――」

「わたしは雷神インドラの娘だよ！」アルが口をはさむ。

邪魔されたミニが、アルをにらんだ。

「うわー、セレブってことカヨ！　いらっしゃいませ！　サインくれる？　死ぬ前でもあとでも、どっちでもイイ。でさ、オレらがおまえたちを殺すのと、サインくれるのと、どっちを先にする？　選んでイイゾ」と、ドー。

「フン、セレブだったら、どうだってんだ。死はえこひいきなんてしない！　だれも優先されねえし、だれも後回しにされねえ。オレらがくわえて運ぶ魂には、女王も人殺しもいるし、うざったいヨガだのピラティスだののインストラクターどもだっている」

　エークは誇らしげにいった。

「あのパーンダヴァ兄弟だって死ねば同じだ。たとえ神々だとしても、〝寿命さだめられし体〟に転生すれば、死をまぬかれん」

「そうそう！　そのとおり！」ドーが調子を合わせた。

「どうせただの肉体だ！」エークが鼻面をつきだし、上から目線でいった。「そんなもの置いていけ！　そうすりゃ通してやる」

「それに、新しい体がもらえるんだゾ！」ドーがつけくわえた。

　ミニの自信がみるみるしぼんだ。メガネがずり落ち、くちびるを噛んでいる。

「ううーん」ミニはうめいた。

「さっさとすませるぞ」エークの歯が白く光った。

「オレらだって、ずたずたに引き裂きたいわけじゃないゾ」

　ドーはなげくようにいうが、ドーの毛は逆立ち、牙は長くなった。

「それよりサ、火葬場へ行って骨のかけらを埋めて遊ぼうぜ。それとも首投げキャッチがいいか！　首をぶん投げて、キャッチ。楽しいヨナー」

　エークはうなった。

「ドー、いまはだめだ！　これは仕事なんだぞ！　これがオレらの〝ダルマ〟だろ！　つまり〝守るべき法〟、〝正しき道〟だ！」

「は？　ホウ？　ホッホーホッホー。オレたち犬なのに鳥かよ」

「ドー、いまはふざけてる場合じゃ――」

「じゃあ、いつならいいんダヨ。エーク、おまえサ、きのう一緒にキャッチ遊びしてもいいっていったダロ？　それでやったカ？　やってナイ！」

　アルは、ミニをこづいた。

　二匹の犬の向こうに、細い銀色の光の裂け目のようなものがあらわれた。

　おそらくあれが〈冥界〉への本物の扉で、ここは、たんなる玄関ホールなのだ。

　いずれにせよ、いま〈冥界〉への扉があいたということは、だれかが死にかけているということ……。

　アルはごくりとつばを飲んだ。

　この二匹の門番をやりすごすことができたら、きっと〈冥界〉に入れる……べつに、入りたくてたまらないわけじゃないけど。

　アルは、あの扉の向こうから何かに呼ばれた気がした。それはアルにとって、いやなものだ、ということはわかった。自分をなじる何か。アルは自分の耳に残る〈眠れし者〉の声を思い出した。

それでも、こいつらにずたずたに引き裂かれるよりはましだ。

「父が知ったらただじゃすまないわよ！」ミニが大声を出した。「あ、神さまの父のほうね。人間のほうじゃなくて。もちろん人間の父もすごく怒ると思うけど――」

「ミニ」アルがさえぎった。「いちいちそんな説明してやることないよ。『父が知ったらただじゃすまないわよ！』でじゅうぶんだから」

「生意気なガキだな」エークがぼそっといった。

「いい子だと思ったのにナー」ドーはがっかりしたのか耳を後ろにペタリとさげた。

「信じられない。ぜんぜんとりあってくれないんだけど……」ミニはショックを受けている。

「話し方がガキっぽかったのかなあ」と、アル。

もう家みたいに大きくなっているエークが笑った。とうてい好意的とはいえない笑いだ。

「観念しろよ」

「アル、どうしよう……」と、ミニ。声がうわずっている。

アルは〈冥界〉の番犬は初めてだが、ふつうの犬なら相手をしたことがある。

去年の夏、ハットンさんの（番犬じゃなくペットの）プードルを散歩させるアルバイトをしたのだ。プードルは、散歩中にネコを見つけると追いかけようとしてリードをぐいぐい引っぱったので、アルは腕がもげるかと思った。

「そうだ、ミニ、コンパクト」アルは二匹から目を離さないようにしてミニにささやいた。さらに声を落とす。

「ネコを出して」

「どっちを先に食うか決めようぜ？　そうだな、表か裏かで決めるか」

エークがドーに聞いた。

「オレ、表！」と、ドー。

「表か裏って、コインはもう投げたの？」アルは質問して二匹の注意を引きつけた。ミニがコンパクトを使うところを見られないようにするためだ。

「コインなんか投げナイ！　オレらのどっちが、おまえらのどこを先に食うか決めてるんダヨ！　表だったら頭から、裏だったらしっぽから食べるんだぜー」ドーは興奮気味だ。

「わたしたち、しっぽなんてないけど」と、アル。

ドーはしげしげとアルをながめ、やっとしっぽがないことに気づいたようだ。

「あれ、ほんとだ……なあエーク、しっぽがないけど、オレらこいつらを食えるのカ？」ドーはエークを見た。

「『しっぽ』なんてのは、比喩（ひゆ）だろうが」と、エーク。

「ヒユ……って、それナンダ？」

「比喩ってのはたとえだよ。おまえ、マジで学校の授業、まったく聞いてなかったんだな！　比喩はべつのものに見立てるたとえだよ。こいつらが、しっぽそのものを持っていなくてもだな、上があれば、下もあるだろ。だから、頭が上なら――」

「へー、比喩の反対は？」

「〝文字どおり〟だよ！」

「でもサー」

二匹がいい合っているあいだに、アルとミニも頭をよせ合っていた。（比喩的にも、文字どおりの意味でも）。

ミニのコンパクトから紫の煙が立ちのぼった。

煙は形をつくり、（文字どおりの）しっぽと頭があらわれた。

「準備は？」と、アル。

「いいよ」ミニは、煙をおおうように身をかがめている。

「ねえ！　エークにドー！」アルはさけんだ。

アルは両手でつつんだ黄金珠を見た。もう少し大きければよかったのに……そう思ったとたん、珠は本当に大きくなり、テニスボールほどになった。

ドーが首をかしげた。分厚いピンクの舌が、口のはしからだらりと垂れさがる。

「ドー、だめだ！」エークがうなった。「罠（わな）だ！」

「わーい、ボールだあ！」

アルは、ボールを力いっぱい投げた。

ドーはとびあがってボールを追いかけていった。

エークは動じない。

「フン、オレまで、そんなボールでごまかせると思う――」

そのとき、ミニが魔法を放った。しなやかな紫色のネコがミニの腕を飛び出し、闇の中へ逃げていく。

エークの目が大きく見ひらいた。しっぽを力強くふっている。

あたりの闇がふるえはじめた。

さっきアルが見つけた輝く裂け目が、エークのすぐ後ろで広がっていく。

「うおおおーん！」エークはおたけびをあげ、ネコを追っていった。

「はい、よくできました！」アルがいった。

アルとミニは、入口の細く輝く光の裂け目に向かって歩きだした。

ねっとりした闇に足をとられ、一歩ずつ苦労して歩きながら、アルが考えていたことはひとつだった。

母さんにおねだりするのは、やっぱり犬じゃなくてネコにしようかな。

第23章
〈カルマと罪(つみ)の判定所(はんていしょ)〉

後ろから聞こえていた犬の吠え声がぴたりとやんだ。

アルとミニは、完全な闇から、目のくらむような光の世界へと歩を進めた。

あまりのまぶしさに、アルは薄目をあけて状況をたしかめようとした。

ようやく明るさに目が慣れると、アルは自分が列に並んでいるのに気づいた。

ようやく来るべきところに来られたようだ。

列に並んでいる人たちは、みんな絶対に生きていない感じ……。

燃えている人がいる。その人はあくびをすると、恐るおそるフォークをトースターにつっこんだ。山登りのかっこうをした男女には、痛々しい痣(あざ)やひどいすり傷がある。

静かに横を歩いているのは髪の毛のない少女で、病院の検査着を着てウサギをしっかりと抱いている。

すべての人が一カ所に集められているようで、どんどん混雑してきている。

前方にかかっている事務所の看板らしきものにはこうあった。

〈カルマと罪の判定所〉
創業：時間が初めてしゃっくりした瞬間
嘆願おことわり
（15世紀以降、免罪符は無効となっております。残念でした！）

あたりは、人々の声でざわついている。

「何をいってるのか、ぜんぜんわからないね」ミニはとまどっている。

たまに聞きとれる言葉もあるが、みんなが話しているのはアルの知らない言葉のようだ。

「ミニ、ヒンディー語はわかる？」

「『お金をください』と『おなかがすいています』ならね」

「うわ、それって、役に立つやつだね！」

「うん、インドでお母さんの親戚と会ったときは役に立ったよ。そのふたつがいればこまらなかった」

「ほかには教えてくれなかったの？」

「ぜんぜん。うちの親は、わたしやお兄ちゃんが学校で混乱しないように、英語しか話さないの。それにロラは、あ、父方のおばあちゃんね、お母さんがわたしにヒンディー語を教えようとしたら、ものすごく怒ったの。名前がすでにインド系なのに、そのうえヒンディー語を教えて、フィリピン人であることを忘れさせるつもりかって。それで大げんか。小さかったからわたしはおぼえてないんだけどね。お母さんの言い分と、ロラの言い分はまったくすれちがっているし。やれやれって感じ」

ミニは大きなため息をついて、それから笑顔になった。

「でも、フィリピンのタガログ語も悪態なら少し知ってるよ！　もうほんときたない言葉なんだけど、たとえば——」

そのとき、空中に大きなスピーカーがあらわれ、声が響いた。

「次の方！」

そばにいた長身の青白い男が、ふらふらと進み出た。足にはぴかぴかの地雷の破片がつきささっている。

「ヨダ　クミャウドイダ　ノシア」男はうれしそうだ。「イレッシ　トッチョ　ア！」

「ミニ、早く、ヒンディー語でお金をくださいっていってみて。通じるか、ためそう！」

「えっと、アル、あれはヒンディー語じゃないと思う」

「じゃあ、なんだろ、ロシア語とか？」アルは男に「スパシーバ（ありがとう）」といってみた。

男はとまどったようにほほえんでいる。

ミニがコンパクトをとりだした。

アルもすぐにピンときた。魔法を見すかすことができるなら、知らない言葉もわかるかもしれない。

ミニがコンパクトを開くと、鏡が小さな青いスクリーンになり、男の言葉らしきものが画面にあらわれた。

画面がスクロールし、下に字幕があらわれる。

「この人、逆さまに話してるんだ！」と、ミニ。

コンパクトの中の小さな緑の文字は——。


足の大動脈だよ。あ、ちょっと失礼！


「死んだ人って逆さまに話すの？　なんで？」と、アル。

ミニはコンパクトをあちこちにかざしはじめた。まわりにいる死人の言葉をぜんぶ読もうというのだ。

「たぶん、もう人生で前に進めないからじゃない？」

先ほどの死人が、いぶかしげな顔で話しかけてきた。

「ゾイナエミ　ニウヨルデンシ　エマオ？」

コンパクトの字幕はこうなっていた。


おまえ死んでるように見えないぞ？

アルは返事を打ちこんで、それからたどたどしく逆から読んだ。

「ウトガリア！　ネゲカオ　ノンミタビ」

つまり「ありがとう！　ビタミンのおかげね」だ。

「次の方！」スピーカーから声が響いた。

死人たちは少しずつ前に進む。

頭上で〈カルマと罪の判定所〉のネオンサインが光っている。

最前列では、死人たちはいろいろなことをしていた。

十字を切る人もいれば、ひざまずいて這って進みながら、ぶつぶついっている人もいる。

アルのとなりでは、ミニが身をかたくしている。

「よく見ていられるね」ミニの声はかすれていて、いまにも泣きだしそうだ。

「見るって何を？　あれはただの看板だよ。法律事務所とかにかかってるようなやつだよね。どうしたの？

ミニ、何か見たの？」

ミニが目を大きく見張り、そのままそっぽを向いて、小声でこういった。

「そうだよね。うん、看板だよね」

ミニはウソをつけないけど、いまのが本心というわけでもなさそうだった。

ミニが見ていられないといったのは〈カルマと罪の判定所〉の看板のことじゃないんだ……何かわからないが、どうやらミニは見ていられないものを見てしまったようだった。

列の前方がだんだんと短くなり、もうすぐふたりが先頭に出そうだ。

「〈冥界(めいかい)〉って、だれにでも同じように見えてるのかなあ？」と、アル。

「どうかな。もしかしたら、あのコストコと同じなのかも。人によってちがって見えるかもしれないね」

「ふーん。じゃあ、人間をむしゃむしゃ食べるカバはいるかな？」

「アル、それはエジプトの神話だよ」

「そっか」

次の扉(とびら)を通った先に何があるのか、もっとわかっていればいいのに……アルにわかるのは、天界の武器がこのどこかに保管されているということだけだ。

どこにあるんだろう？　それに〈過去の池〉を見つけるには、どこに行けばいい？

もし池をまちがえて、十倍くらいひどいところだったら？　たとえば〈過去の池〉っぽく見えて、じつは〈無間地獄(むげんじごく)の池〉だったら――。

〈冥界〉はいまのところ、すごく長い列に並ぶだけ。まるで食べ放題や運転免許を更新する窓口みたいだ。窓口には母さんと何回か行ったけど、窓口の人はみんなえらそうで、ふきげんだった。

アルとミニの目の前の扉があいた。

「ケイトサッサ！」後ろのおばあさんがどなった。赤茶色のぶちのネコをかかえている。

ミニはコンパクトの文字をアルに見せた。

さっさと行け

アルは扉を通りながら、頭の中で返事を思い浮かべ、後ろにどなり返した。

「ネイレッツシ！」

ようやくアルとミニが〈カルマと罪の判定所〉に入った。

やさしい目をした団子鼻の男が席についている。

アルはその男を見て、オーガスタス学園のコブ校長と少し似ていると思った。たまに社会の代理授業をすると、古代文明について勉強するときでもベトナム戦争の話になる人だ。

その男は、ふたりをじろりと見た。

男の机の上では、男そっくりの小人が七人、ペンや紙の束を持ってあちこち走りまわったり、たがいに何かいい合ったりしている。

「では書類を出して。寿命切れのときに受けとっているはずだ」男がいった。

ミニは、はっと息をのんだ。

「あの……もしかして、あなたがわたしの父ですか？」

七人の小人が動きを止め、いっせいにミニを見た。

当の男は平然としていった。

「鼻の形がちがうからちがうと思うが……それに、きみのような子のことは、どの妻からも聞いたおぼえがない。まあ、究極のテストをしてみればわかることだ」

男はエヘンと咳ばらいをすると、話しだした。

「えー、きのう、人間のスーパーで卵を買った。レジ係は袋を手にして『卵を分けますか』と聞いてきた。わしはいってやった。『とんでもない！　卵は割らんでくれ！』」

ミニは目をぱちくりした。アルはこの男の子供たちにひどく同情した。

男はフンと鼻を鳴らしてつづけた。

「無反応？　愛想笑いもなし？　よかろう。これでわかった。わしの血を引くものなら、この鼻とユーモアのセンスを持っているはずなのだ。まあ、死からのがれようとわしの子を名乗るなど、なかなかかしこい策略だったな」

男は鼻で笑うと、小さな自分の分身のひとりに向かっていった。

「この者をわしの回顧録へ記しておけ！」

それから、アルとミニに向かっていった。

「それで、きみたちの書類は？」

「何も持っていません」と、アル。

「いやいや、持ってるはずだ。死んでるんだろう？」

「あの、そのことなんですけど――」

ミニは自分たちの状況について説明しようとした。

そのとき、コンパクトが男の机に落ちてゴトッと音をたてた。

男はなんだろうと身を乗りだした。

七人の小人も手に持っていたものを放り出してコンパクトに駆けよった。

アルが机の上をさっと見ると、小さな真鍮板(しんちゅうばん)があり、文字がきざまれていた。

チトラグプタ

そばのマグカップには《十四世界一の父親》という言葉。机の後ろは、本棚とファイルキャビネットと、書類の山また山だ。

アルは、チトラグプタが物語に出てくることを思い出した。魂のそれまでのおこないを、いいことも悪いこともすべて記録して保管する役目の人物だ。だからここは〈カルマと罪の判定所〉なんだ。母さんはいっていた。

――チトラグプタはすべてを見通して書き記すのよ。

アルは、カルマの存在をあまり信じてはいない。「自分のおこないは、おのれにもどってくる」という因果応報は、なんだか都合よく聞こえてうさんくさい。でも、外を歩いているときに「カルマなんてウソだよ」といったら、鳥のフンを頭に落とされたことがあった。あれってひょっとすると……？

「その鏡はどこで手に入れたのかね？」と、チトラグプタ。

たいていの大人は、子供が盗んだと決めつけるものだ。だがチトラグプタはそうしなかった。アルにとっては、大人にしてはいい人。

「〈宣告〉のときにもらったんです」と、ミニ。

「……待て。〈宣告〉だって？」チトラグプタは目を丸くし、椅子から腰を浮かせた。「〈宣告〉など、もうずいぶん長いこと……記録を持て！」

チトラグプタは命じた。

部屋は大混乱になった。七人の小人のチトラグプタが本体にとびうつって消えた。

アルとミニは思わずあとずさりした。

チトラグプタは、どっかりと椅子に腰をおろした。

その目は一瞬ぼんやりしてから、点滅しカチカチと音をたてはじめた。チトラグプタの視線の先に、次々と文字が流れだした。

文字のスクロールが終わると、チトラグプタはまた身を乗りだした。目が涙で光っている。

「これまで女の子などありえなかった」アルとミニを交互に見ながらいった。「なんとめずらしい……」

アルは、どうせまた同じことをいわれるんだろうと身がまえた。おまえなど英雄（ヒーロー）になれるものか、弱すぎる、幼すぎる、そして……女じゃないか、と。

「なんとも清々（すがすが）しい！」

とたんに、チトラグプタのシャツに《これぞフェミニスト》という文字があらわれた。

チトラグプタはうれしそうにつづけた。

「家父長制度がひっくり返るぞ！　尊敬ものだ！　いやそれだけじゃ足りんな。それに、エークとドーをやりすごしてきたってことだろう？　あっぱれだ！」

ミニの顔が明るくなった。

「ありがとうございます。じゃあ、助けてくれますか？　天界の武器を目覚めさせて、そのあと〈過去の池〉に行き、〈眠れし者〉が〝時〟を完全に終わらせるのを止める方法を見つけたいんです」

「それは、また大ごとのようだな」チトラグプタはマグカップを手にしてひと口飲んだ。「残念だが、手助けは許可されていない。冥府神ダルマラージャであっても同じだよ、お嬢さん」

ミニは赤くなった。

「冥府神は……わたしの父であるあの神さまは、わたしたちがここにいることを知ってるんですか？」

「それはまちがいない」

「わたしに……その、やっぱり……会いたくない……の？」

チトラグプタの顔がやさしくなった。

「いやいや、お嬢さん、会いたいに決まっているよ。それに本当のところ、いずれはなんらかの形で会うことになる。といっても魂で、だけどね。魂こそ不滅なのだ、そう、肉体ではなく。神々はもはや人間の問題に介入するのをやめたのだ」

「例外はないんですか?」と、アル。

「それができるなら、以前やってきた英雄たちのことも助けていただろう。彼らも明るく、輝かしい存在だった。まるで、きら星のようにね。きみたちにも同じようにしか、してあげられないのだよ」

「同じようにって……どういうことですか?」

チトラグプタはため息をついて、両手を広げた。

アイボリー色の何かがふたつ、机の上にあらわれた。平たい正方形のもので、スクリーンがついている。小型のスマートフォンにも見える。

「もっとあればいいんだが、何しろふたりともまだ人生経験が少ないからね」

アルはひとつを手にとった。

表面に小さな自分の姿が映しだされた。本をかかえた女の人のために扉をあけておさえているアル、家でお皿を洗っているアル、寝ている母さんに毛布をかけているアル。

「これはなんですか?」と、ミニ。

「善(よ)いカルマだ。これがあれば、この〈冥界〉のそれぞれの広間に隠れたもののいくつかは、かわすことができるはずだ。そう、〈冥界〉にはたくさんの広間のような空間がある。入ると出られなくなるところもけっこうあるよ。教えてあげるとすれば、そうだね、表示にしたがって自分の進む道を見つけなさい。天界の武器は〈転生の池〉の近くにある。そのすぐとなりが〈過去の池〉だ」

「行き方はひとつしかないんですか?」と、アル。

アルは、ブーが教えてくれた《あまたの扉》のような便利なものを考えていた。行くべきところをイメージするだけで行けるみたいなことだ。

ブーのことを思うとアルの胸はしめつけられた。だいじょうぶだろうか？　どこかで安全におだやかに眠っているならいいが……アルは心の奥でそうではないことを恐れていた。

「いや、それはわからない。道は何百とある。舗装された道、石をしきつめた道、デコボコの道」

小人版チトラグプタのひとりが、本体の肩にとびのり、顔によじのぼって、話してるあいだ中、本体の鼻をこすっていた。

アルは、つい見てしまいそうになり、必死でこらえた。

「わしでさえも、〈冥界〉のそれぞれの広間できみたちが何を見つけるのかはわからない。モノや場所は人間とは異なる方法で死を通過するからね。かつて本当にあった物事も、この〈冥界〉ではただの物語にすぎない。人々が思い出すこともなく、忘れ去られてしまった物事や場所は、死を耐えているだけで、新しく生まれ変わることは決してないんだ」

忘れ去られてしまった物事や場所？

アルは思った……使えなくなったバスケットボールや片方だけになった靴下、なくしたヘアピン、バックパックのポケットに絶対に入れたはずなのに探すと見つからないペンなんかのことならいいけど、きっとそういうもののことじゃないんだ……。

ミニはチトラグプタの後ろにある扉を見ていた。

オニキスをみがいてつくった扉のようだ。

「前回の〈宣告〉はいつだったんですか？」と、ミニ。

「第二次世界大戦の直前だったね」

「そんなはずは……ブーは前回のパーンダヴァには、ホットヨガスタジオを始めた人がいたっていってました」アルがいった。

「ああ、あいつかね」チトラグプタは天井を見た。「あの男は、死んだ人間を放っておけなかった！　みんなに呼吸法をさせるといって聞かなかった。だが、もう一度死にたくなった人まで出てきた。それでわかるだろう。あれは潜在型のパーンダヴァだった。つまり、半神の神性は隠されていて、本人も自覚していなかったのだ。それに、隠れた神性を目覚めさせるような厄災（やくさい）も起こらなかったしね。そう、自分がどれほど特別か気づかない、ということはあるものだ。恐怖や、場合によっては幸福がきっかけとなって初めて、おのれの真実が明かされるときがあるのだよ。もちろん本人次第だがね」

「じゃあ、前回の……第二次世界大戦の前にやってきたパーンダヴァたちは、〈冥界〉までたどり着いて、天界の武器を手に入れたんですか？」

チトラグプタはため息をついて椅子の背にもたれかかった。

見た目は若いが、チトラグプタの目だけは、年老いた人のように疲れていた。

チトラグプタは悲しげにほほえみ、こういった。

「大戦が起きた。それだけいえばわかるね？」

第24章

クッキーで謎解き(なぞと)

チトラグプタは、この先へと進むアルとミニに食べ物を持たせるといってゆずらなかった。

「わしはきみたちのおじさんかもしれないな」

オフィスの中をすばやく歩きまわりながら、チトラグプタは話しつづけた。

「少なくとも、神性な意味で何かしらのつながりはある。ぜひまたおいで！　わしの話や書いたものを披露する時間がぜんぜんなかったからねえ。そうそう、カタツムリの面接の話はしたかな？　あれが話すときの速さときたら、信じられないぞ。とにかく速い」

チトラグプタは、ファイルの引き出しからクッキーの箱をとりだした。

ひとつどうぞとすすめられたミニは、まずクッキーのにおいをかいだ。

「このにおい、何かな……本みたい」

「ああ、これは〈知恵のクッキー〉だ！　わしがイチからつくったんだよ。コツはね、まぜる前に本を室温にもどしておくことだ。冷たい文章では、心にうまく響かないからね」

「え、そうなんですか？」と、ミニ。

「この先のためにとっておきなさい」チトラグプタはミニの手からクッキーをとりあげて、箱にもどした。

チトラグプタは、さっきとちがう服を着ている。エプロンの胸には《料理人にキスは厳禁。口は雑菌(ざっきん)だらけ》という文字がある。

「それと、一気にぜんぶ食べてはいけないよ。たぶん少し吐き気がするから。ひどいと、胃がからっぽになる」

「ありがとう、おじさん！」ミニはいった。

「それと、脱水にならないようにしないと――」

「――死ぬかもしれない！」ミニとチトラグプタは同時にいった。

ふたりは、はっきり「絶対に親戚だ！」という目で見つめ合っていたので、アルは自分の頭をドアにぶつけたい気分だった。しかも何度も。

「はい、ありがとうございます。おじさん」アルはいった。

チトラグプタはふたりの頭に手を置いてから、少量の明るいオレンジ色の液体の入った容器をふたりに手わたした。まるで炎をとじこめたものみたいだ。

脱水予防には、少量で足りるらしい。ひと口にも満たない。

アルはありがたくもらい、ごくんと飲んだ。

液体の温かさが、アルの骨の髄(ずい)まで届いた。のどにはもう、いがらっぽさもない。なんであれ、このひと口と、〈季節法廷〉でもらってきた春のプチケーキをひとつ食べたおかげで、頭はすっきりして目も冴えた。

「死者はわれわれにのどのかわきと疲れをもたらす。それには、いつだって水で薄めたソーマが効くんだ」

「ソーマって、神々の飲み物の？」と、ミニ。

「さよう、だから水で薄めてある。原液では死にかねないからね。半神だろうとそれは同じだよ」

「半神は不死身じゃないんだ。ちょっとがっかり。もし不死身だったら、〈冥界(めいかい)〉から生きたままもどれるのに」

そういったアルを、チトラグプタは探るような目で見た。

「きみは雷神インドラの娘だね」

アルはおどろいた。「どうしてそう思うんですか？」

「インドラの息子、パーンダヴァのアルジュナは、これまでで最も偉大な戦士のひとりだ。知っているかね？」

おとしめるようなことをいわれる前に、アルは自分からこういった。

「でも、すばらしい戦士のアルジュナと同じ魂を持ってるってだけで、わたしまで偉大な戦士だとはかぎらないですよね」

「アル！」ミニがたしなめた。

「あ、すみません」アルはむすっとした。

アルはちっとも悪いと思っていなかった。チトラグプタもそれはわかっているはずだ。

チトラグプタは怒るどころか笑っていた。

「アルジュナが偉大なのは、強さや武勇のせいではないよ。そうではなく、まわりの世界をどんなふうに見たのかということが大事なんだ。アルジュナはまわりの世界を見て、問いかけ、疑った。アル・シャー、きみもするどい感覚を持っている。そのするどさで何をするかは、きみ次第だよ」

アルの腕に鳥肌が立った。

ナイトバザールの巨大図書館と、あそこにあった自分のことが書かれた本のことを思った。ウソつきといわれるけど、想像力は、自分を窮地に追いやるだけではないのかも。だれかを助けることだってできるのかもしれない……。

アルのようすを見ていたチトラグプタは、そこでパンパンと手をたたいた。

「いいだろう、では、行っておいで！」

ふたりが扉を出ようとすると、チトラグプタが「あ、待ちなさい！」といった。

「え、もう？」アルはふり返った。

ほぼ破滅に向かうような旅だから、べつに出かけたくてしかたないわけではない。

だけど、これじゃまるで、インドの親族の集まりにつきものの〝最後にひとつだけ！〟だ。みんなリビングルームでさよならといって、さらに玄関でも一時間かけてお別れをする。滞在時間の半分は、さよならをいい合うことについやされる。

いま行かなければ、出ていくタイミングが二度と見つからないかも。

「最後にこれだけ、だよ」

チトラグプタがさしだした手に、細いボールペンが乗っていた。

「これ、なんですか?」と、ミニ。

「これはペンだ! 筆記具だよ!」と、チトラグプタ。

「あ、ありがとう……ございます」ミニはいった。

「礼にはおよばんよ。〈眠れし者〉を打ち負かす手助けはできないが、これはたぶんどこかで役に立つだろう。このペンを使えば、どこで何に書いても、そのメッセージはわしに届く。わしにできる範囲でならだけど……返事をするよ」

そして本当に最後のお別れをして、アルとミニはついに、部屋を出た。

＊＊＊

後ろで扉が閉まったとたん、アルの胸に、さっきまで感じていた恐怖がもどってきた。

「いまの人、好きかも」と、ミニ。

「だと思ったよ。ふたりとも完全にお仲間だったもん」

アルとミニの前には、〈冥界〉の広間が広がっていた。迷路のようでもあり、だんだん大きくなっているようだ。さまざまな色が集まって通路にすーっとのびていく。

ふたりがしばらく進むと、標識があらわれた。

→　あえて

←　わずらわしくも

↑　いたしかたなく

それぞれの標識には矢印がついている。

《あえて》の標識の矢印は、右の青い通路をさしている。

《わずらわしくも》、の標識の矢印は、左の赤い通路をさしている。

《いたしかたなく》の標識の矢印は、上の通路のないところをさしている。

標識の下を見ると、なめらかな大理石の床だった。

天井にはねじれた川があり、たくさんの名前が流れていた。

流れていく名前は、死んだ人たちのものだろうか……。

「赤い薬か、青い薬か？」アルは映画『マトリックス』のモーフィアスのまねをした。われながら、うまくできた。

「アル、薬って何？　赤い道か、青い道かでしょう？」

「わかってるよ！　『マトリックス』のまねだったの！」

ミニはまばたきをし、しばらくしてこういった。

「……マトリックスに色は関係ないよね。数学だとマトリックスというのは長方形配列の――」

「うう、ミニ……古い映画とかぜんぜん見ないわけ？」

アルはやれやれという顔で、標識を指さした。

「ところで、どっちに行く？　どうしてもっとはっきり書かないんだろう。《天界の大量破壊兵器はこちら》とか《その他いろいろ、というのはすべて罠です》とかさ。だったらわかりやすくて助かるのに」

これにはミニも笑った。

「アル、とりあえず《あえて》の標識にしたがって右に行ってみない？」

「どうして？」

「だって……《あえて》って挑戦することでしょ。わたしたち〝時〟を救うことに挑戦してるようなものだから」

「実際は、《あえて》っていうより、好きなものを守ろうと《あわてて》走りまわってるけどね」

アルは心の中で、好きなものと、あと大切な人たちのことも守ろうとしてるけどさ、と思った。そのとたん、胸がずきんと痛んだ。

「そっか、それじゃ英雄っぽくないね……」

「《わずらわしくも》かな？　自然の秩序をわずらわせている？」と、アル。

「なんかちがう気がする。それだと、わたしたちのしていることがまちがってるみたいに聞こえるよね。でも、そうじゃないしね」

「なるほど。じゃあ《いたしかたなく》へ、かな、でもどういう意味だろう」

「調べるね」ミニはバックバックをごそごそと探った。

アルはコンパクトを使うのだろうと思ったが、ミニがとりだしたのはポケット辞書だった。

「マジ？　使命のために準備した荷物に、ポケット辞書なんか入れてきたの？」

「なんかヘン？　準備は大事だもの。アルは何を持ってきたの？」

「なんにも。そんな時間なかったし。この世が終わるって聞かされて――」

ミニはアルをさえぎって辞書を読んだ。

「えー、『いたしかたなく』に似てるのは……『いたしかたない』だ。意味は……しかたがない、ほかに道がない、やむをえない、だって。ふーん」

「やっぱりどの標識もよくわかんないね。とりあえずべつの方向に行ってみるってどう？　右の《あえて》と左の《わずらわしくも》、このふたつのあいだを行くとか？」アルが提案した。

ふたりは、すぐやってみた。

足をふみだすと、見えない壁にぶつかった。何かが、そっちはちがうと道をはばんでいるようだった。

となると、残るはひとつ、《いたしかたなく》だ。

標識の矢印は、道さえない上をさしている。上へつづく階段があるわけでもない。

「チトラグプタのおじさん、どれに行くかくらいは教えてくれてもよかったのに。わたしたちって親戚も同然っていってたよね？」アルがぐちった。

「でも、それじゃわたしたちは何も――」

「はいはい、わかってます。子供の成長にとってナントカで、カントカしないと世界は救われませんって、やつでしょ。でもそれってプレッシャーもハンパないよね。わたしたちの脳って、まだじゅうぶんに発達してないじゃん？　こんな子供に決断をまかされたって――」

「アル！　それよ！」

「え？　いまなんにもいいことといってないけど」

「わたしたちって、まだじゅうぶんにはかしこくないってこと」と、ミニ。

「はい？」

「でも、これからかしこくなれる」

ミニはバックパックから〈知恵のクッキー〉の箱を引っぱり出した。

「ああ、本からつくったクッキー？」アルはげんなりした。「わかった、了解。ちょうだい」

ミニは箱の中を見て、バックパックに中身がこぼれていないのを確認した。

「ごめん、一枚しかないみたい」

ふたりは一瞬顔を見あわせた。

とっさにミニがクッキーをつかもうとする。

アルはミニの気持ちを察した。

「うん、ミニが食べなよ。ミニの魂はユディシュティラと同じでしょ。ユディシュティラは五人の兄弟で一番かしこいって知られているし。そのクッキーはミニがもらったものだしね。それに、わたしはこれ以上かしこくなったら、頭が爆発するかも」

「知恵ってどれくらい持つのかな？」

ミニは顔を赤らめた。「ありがとう、アル」

「決断をしているあいだだけみたい」と、ミニ。

「どうしてわかるの？」

「だって、箱の後ろに書いてある」

なるほど、〈知恵のクッキー〉の効く時間は、原材料名のとなりに書いてあった。

「よかった！　カリウムと亜鉛は一日に必要な摂取量の分が入ってる！」と、ミニ。

「それは何より」と、アル。

ミニはクッキーをひと口かじった。

「どんな味？」アルは聞いた。

「燻製(くんせい)みたい？　それに冷たい。雪みたいに。わたしのお気に入りの本の味なのかも」

「お気に入りの本って？」

ミニはクッキーの残り半分をかじった。「『黄金の羅針盤』だよ」

「読んだことない」

「え、ほんとに？」ミニはショックを受けていた。「じゃあ家に帰ったら、貸してあげるね」

家か……アルの家には本がたくさんある。だが、アルは本を自分から熱心に読んだことがなかった。本は母親が読んでくれるものだった。アルは読んでおぼえるのは苦手だったが、耳で聞いたことは忘れないタイプだ。だから母さんは、あんなにたくさんの物語を語り聞かせてくれたのだろう。

母さんは、アルがパーンダヴァだということは教えてくれなかったけど、少なくともパーンダヴァの物語をくり返し聞いていたから役に立っている。家に帰ったら真っ先に母さんにありがとうといおうとアルは心に誓った。

「どうしよう」と、ミニ。

「何が？　どうしたの？」

ミニは印が見えるように手を広げて見せた。

「滅亡までの残り時間ね。またちがう形になったんだ。今度はいくつ？　2にも見えるけど、それはいくらなんでもありえないよね。4くらい？」
「これは……2だよ」
「えーっ！　まさかほんとに2なの？　そんな……」

あとたったの二日？　まだ〈冥界〉をこれっぽっちも調べてないのに？

ミニは〈知恵のクッキー〉の残りを食べた。

「かしこくなった感じはある？」

「うーん、とくには」

「どこかが温かくなるとか？　それともふくれるような感じとか？　体が熱い空気でいっぱいみたいな？」

ミニはもう聞いていなかった。三つの標識を見あげ、つぶやいた。

「《いたしかたなく》が答えよ」

「どうして？」と、アル。

「これってわたしたちがどういうことじゃなく、なぞなぞみたいなものだったんだよ。《いたしかたなく》って、ほかに道がない、つまりいやでもしなきゃいけないことをするときって、気がすすまなくてうつむいたりするでしょ。矢印が上を向いてるのはひっかけで、この標識全体でしめしているのは『道がなくてがっかりしたら、下を見る』って意味」

「すごい！　それぜんぶクッキーのおかげでわかったの？　でももう残ってないんだよね？」

アルはミニから箱をとりあげてふってみた。からっぽ。かけらすらない。

ミニはぺろりと舌を出した。

そのとき、《いたしかたなく》の標識の下、大理石の床に穴があるのに気づいた。

「さっきまでなかったのに、どうして？」と、アル。

「さっきまでは標識のある上のほうばかり見てたけど、いまは下を見てるからじゃない？」

アルとミニは並んで穴をのぞきこんだ。

ずっと下のほうで、何かが光った。

それから、不思議な香りがふわりと立ちのぼってきた。博物館とうちのにおい……アルは気味が悪いほど似ていると思った。カビくさい織物、チャイ、ラベンダーのロウソク、それに何冊もの古い本……。

ミニはしかつめらしい顔をして、こういった。

「穴に入るのは、名前のアルファベット順ね」

「ずるい！　アルがAだからでしょ！　ミニにとってここは自分の国みたいなもんだし、ミニこそ先に――」

「この道を見つけたのは、わたしです」

「クッキーを食べていいよっていったのは、わ、た、し！」

「チトラグプタおじさんがクッキーをくれたのは――」

アルは大きなため息をついた。それから、思いついた中で一番公平な方法をとった。

「先にたたいたもんの勝ち！」とさけんで、自分の鼻をたたいたのだ。

ミニもアルの作戦がわかって自分の鼻をたたいたが、うっかりメガネにも当たって落としてしまった。

そしてメガネは穴の中へ――。

「ええええー。もう、サイテー」

ミニはメガネを追って穴に飛びこんだ。

第25章

本物とニセモノ

意外なことに、穴に落ちていく感じは悪くなかった。水のないウォータースライダーみたいだった。

気づいたときには、アルとミニは森の中にいた。

だが、この森は何かがおかしい。

アルは森にくわしいわけではない。以前、母さんとサンフランシスコに行ったときに歩いたことがあるだけだ。午前中は母さんの仕事相手だったアジア美術館の学芸員と一緒で退屈だったが、午後は母さんとミュアウッズ国定公園へ行った。森を歩くのはおいしい夢みたいだとアルは思った。それにペパーミントみたいなにおいがした。背の高い木がおい茂ったあの森……さしこむ光はやわらかく、足もとは暗かったっけ。

しかし〈冥界(めいかい)〉のポケットのようなこの場所は、なんだか森という感じがしない。

アルはあたりのにおいをかいだ。緑の香りも生き物の気配もない。たき火の煙や池の水のにおいもしない。なんのにおいもしないのだ。

ミニは足もとをけっていった。

「これって土？　土じゃないみたい」

アルはしゃがんで地面にさわってみた。なめらかなシルクのようだ。

木の幹は本物か調べようとしたアルは、木をすりぬけてしまった。

「これも本物じゃないよ」ミニもほかの木をすりぬけている。「なんかすごいね！」

ふたりは、光る小さな水たまりを見つけた。

「この水たまりはどうなるんだろう、トランポリンかな？」

ミニはそういって笑うと、水たまりに飛びこんだ。

と、液体らしきものが足に張りつき、ミニを下に引きずりこみはじめた。

あっという間に、ミニの姿が下に消えていく――。

「りゅ、流砂だったあ！」ミニはなんとかのがれようと、もがいている。

「ミニ、動いちゃだめ！」アルがさけんだ。「映画で見たことない？　ジタバタするほど、死ぬのが早まるんだよ！」

「りゅうさ……りゅうさりゅうさりゅうさりゅうさ」ミニは泣きそうだ。「こんな死に方はいや。このまま死んだら湿地遺体になっちゃう。知ってる？　完全に保存された沼のミイラだよ。ウィキペディアにのっちゃう！」

「死んだりしない！　ミニ、一回黙って！　少し考えさせて」

アルは、枝をつかんでもういっぽうの手でミニを引っぱろうと考えたが、枝も実体がなく、つかむことができない。

アルは走りまわってあちこちの枝をさわったが、どれも同じだった。森の奥に行けば本物の木があるのかもと少し先まで行ってみたが、見つけられなかった。

「アル！　助けて」ミニがさけんだ。

もう首まで流砂にのまれている。じきにさけぶこともできなくなりそうだ。まだ動かせる手を必死にふっている。

「いま行く！」アルはミニのほうに走った。

が、途中でつまずき、とっさに体を丸めて地面に転がった。

シルクのようになめらかでやわらかい地面は、トンと軽くアルの体を受けとめた。

気づくと、アルは層になったシルクのようなものをしっかりにぎりしめていた。

「これだ……」

アルがにぎっていたものを引っぱると、地面からするすると黒いロープ状のものがあらわれた。それをミニのところまで引っぱっていく。

もうあごまで埋まったミニは、それでもロープをしっかりつかんだ。

が、流砂もミニを強く引きずりこむ。

「ミニ！　沈んじゃだめ！」

アルは力いっぱいロープを引いた。ふつうならアルも流砂に引きずりこまれて、ふたりそろって死んだ状況をウィキペディアにくわしく書かれる羽目になったかもしれない。

だが、友達を心配しているとき、人はふつうではなくなるものだ。

このときアルが思っていたことはひとつだった。

ミニはようやく見つけた親友……失いたくない。失うわけにいかない！

あえぐミニを、アルはシルクのような地面までなんとか引きあげることができた。

アルはしばらく呆然としていた。

それからやっと実感がわいてきた。やりとげたんだ……ミニを助けた！

いままでアルは魔族をたたきのめし、〈季節〉たちをうまくやりこめてきた。けれど、自分が魔法のようなことをやってのけたと思えたのは、これが初めてだった。

ミニは咳こみながらまくしたてた。

「サメがいた、下に、サメ、サメがいた」ふるえながら、地面から両手いっぱいシルクを集めて、それで髪をふきはじめた。「サメだよ！　それでなんていったと思う？『そっちのサメはしゃべらないってほんとか？』だって。答えようと思ったら、アルに引きあげられたの」

「それって、どういう種類のありがとうよ？」

「ありがとうなんて必要？　アルならできるってわかってたよ」

アルならできるってわかってた、か……。

アルはうれしくて、にやけてしまうのをこらえながら、口ではこういった。

「はいはい。じゃあ、次はもう少し長くおぼれてたほうがいいかな」

「それはだめ！」ミニは甲高い声をあげた。「溺死は、『こんな死因はいやトップ10』の三番目なの」

「何、そのリスト……」

ミニはすました顔で、めくれかけていたシャツのすそをおろして答えた。

「自分にとって怖いものの情報をまとめておけば、あまり怖くなくなるって気づいたんだ」

ミニが髪をふきおえると、ふたりは、目の前にのびている小道を見つめた。

森の中を曲がりくねってつづく道は、《いたしかたなく》の標識と同じ色をしている。

「これ、べつの広間につづいてるのかな？」と、アル。

「たぶん。ここでも地図があればよかったんだけどね」ミニは自分の手をじっと見た。

〈冥界〉に来てから、ふたりの手のメヘンディはしだいに薄くなっていた。もともと一時的なタトゥーなので自然なことだが、いまはもう指に描かれた波と、手のひらの黒いサンスクリット文字しか残っていない。

森は、アルとミニの頭上に弧を描くようにのびていた。

〈冥界〉のこの森の世界には、空まである。

しかし、この場所ではすべてが見た目どおりではないはず。もしかしたら空に見えるものは海なのかも、とアルは思った。月だってチーズでできているかもしれない。

「アル、この場所に何か感じる？　何かおぼえがあるとか」ミニは、鳥肌が立っているみたいに腕をさすっている。

「うーん、ないと思う」

こんな場所なら、知っていたら思い出すはずだ。ただ、《いたしかたなく》の穴にとびこむ直前に感じたにおいには、おぼえがあった。あのにおいは……わが家だ。

考えながら歩いていたアルは、乱暴に現実に引きもどされた。

道すがら、どの木にも実体がなかったから油断していて何かに思いきり鼻をぶつけたのだ。

「うっ、ナニ？」アルはうめき、痛みに顔をしかめた。

ぶつかったのは崖だった。水でギラギラした黒い岩の壁――。

ちがう、これはかたい滝だ。アルは恐るおそるさわってみた。本物の水のように見えるし、指のあいだをひんやりと流れる。しかし、滝に手をさし入れようとすると、石のようなかたさに押し返される。

「これも一種の幻影なのかな。今回は実体があるけど」と、アル。

となりでミニの顔色が変わった。

「それよ！　アル、ここがどこかわかったかも！」

ミニは目をとじて手を滝につけた。そのまま手探りして、はっと手を止める。

ミニはぱっと目をあけた。どうやら心当たりのものがあったらしい。

滝の後ろで、何かがはずれるカチッというかすかな音がした。鍵が動いた音？

次の瞬間、滝がさっと開いた。

それは滝ではなく、隠し扉だった。

「〈幻想宮殿〉の話と同じ……」ミニはささやいた。

「今回も〈知恵のクッキー〉のおかげ？」アルはにやっとして聞いた。

「いまのはもともと知ってたの」むっとした顔でミニが答えた。「〈幻想宮殿〉の話って、お兄ちゃんと一緒にお祭りに連れていってもらったとき、お母さんから聞いたの。ぜんぶが変な鏡だらけの場所があって――」

「お化け屋敷みたいなもの？　ミラーハウスのこと？」

「そう、それ。お母さんがパーンダヴァはこんな感じのところに住んでいたって教えてくれたの。有名な魔族の王さまで、すごく偉大な建築家が、パーンダヴァのために建てたって」

　アルも思い出した――。

　命乞いをした魔族のマヤースラ王は、パーンダヴァにそれまでだれも見たことがないほど美しい宮殿を建てると約束した。そこには、心をまどわし感覚を狂わせるような幻影がしかけられていた。あまりにもよくできていたため、たずねてきた敵の王子（従兄弟でもある）は床のタイルと見せかけた水の床をふんで落ち、水たまりだと思ってとびこんだところはみがきあげられたサファイアだったので、あやうく足を折りそうになった。

「本当にその〈幻想宮殿〉なのかもしれない。だから扉のあけ方がわかったとか」と、ミニ。

「うーん、だったらどうなの？　わたしたちはパーンダヴァだけど前世のことを何もかもおぼえてるわけじゃない。きっとただの建物。考えすぎなくていいよ。本当に〈幻想宮殿〉かどうかわからないし。パーンダヴァは〈冥界〉の住人じゃない。だとしたら〈幻想宮殿〉がここにあるわけないじゃん」

ミニはまだ考えていた。

「でもね、チトラグプタおじさんは、〈冥界〉にはどんなものもやってくる。忘れ去られた物事や場所もここにやってくるっていってたよね。ひょっとして〈幻想宮殿〉のことをだれも気にとめなくなって、忘れられてしまって、冥界の森に移動しちゃったのかもしれないよ」

「そうかなあ、だって建物だよ。移動できるかなあ」アルはいった。

ミニはまだひっかかっているようだった。

道はふたりを滝の扉まで導いた。見まわしたが、周囲にほかの道はない。

「宮殿を通らないと先に行けないね」

ミニは聞こえないような声でささやいた。

「ほんとは、こういうところって入りたくないの。ディズニー・ワールドのホーンテッドマンションも最後まで無理だった。途中でお父さんにかかえられて出てきちゃったし」

「だいじょうぶ。ただの宮殿だよ。中はちょっと気味悪いかもしれないけど、いままでだって気味悪いものなんかたくさん見てきた。魔法の扉のワニとか、〈冥界〉の番犬とか。ほかに、思い出したくないものも。きっと、石の扉とか石像が何体かあって、錯覚を利用したしかけとかをいくつか通りすぎたら終わりだよ。とりあえず、行こう」

ミニは深いため息をつき、あきらめたようにいった。

「わかった、アルがそういうなら」

「そうだ、怖いなら、こうすればどう？　この先に魔法がかかったものがあったり幻影があったとしても、ミニは魔法のコンパクトを持ってるでしょ。それでまわりを映して、ちらっと見て確認すればいい」

ミミニは決心したようにうなずくと、胸を張って扉を押しあけた。

アルはあとにつづいた。

石の扉がふたりの後ろでとじると、滝の音も消えて、あたりはしんと静まりかえった。

パーンダヴァたちが宮殿に入ったときも、こうだったのだろうか？　少しのあいだ、アルは、何千年も前の自分が生きていた時代のことを考えた。前世の自分は、何回この滝にぶつかったのだろう。伝説のアルジュナはおそらく頭をぶつけたりしなかっただろう。同じ魂を共有しているのに、こんなにもちがう……。

足もとを見ると、宮殿の床はほこりにおおわれていた。ラピスラズリのタイルがかすかに光っている。きっと当時はみごとなものだったんだろう。いまはあちこちにひびが入っている。長く放置されていた家らしく、空気がよどんでいる。

もしくは、霊廟のような感じ？

「きっと当時はすてきだったろうね」と、ミニ。

「そうだね……昔ならね」

アルはいいながら顔をしかめた。肩に、ぼろぼろの天井からほこりか何かが落ちてきたのだ。人骨のかけらやもっと気持ち悪いものでないことを、アルは願った。

「あれ。これ何かな？」

ミニは、壁にある蜘蛛の巣が張ったたいまつにさわってみた。

アルは、これが映画『インディ・ジョーンズ』なら、ミニがたいまつにさわったせいで、足もとの床がパカッとあいて、ふたりとも奈落の底に落ちるとこだよ、と思った。

でも実際にはそんなことは起こらず、ミニがさわったたいまつに火がともっただけだった。

「ミニ、『これ何かな』って絶対いわないほうがいいよ、映画だったら――」

アルは最後までいえなかった。

ふたりのまわりで空気がパチパチと音をたてた。

壁にずらりと並んだたいまつにいっせいに火がつき、暗かった宮殿を明るく照らした。

ふたりの目の前に、いくつもの広間があらわれた。

と、駆けまわるひづめの音が広い宮殿中に鳴り響いた。

アルは一瞬、インドラの七つ頭の馬がふたりをここから助け出しに来たのかと思った。

だが、突進してきたのは馬の群れだった。

そんなものが突進してきたら逃げるのがふつうだが、やってきたのはこれまで見たことがないような馬で、アルは目をうばわれていた。

馬は、バラの花びらでできていた。目は血のように赤いバラ、鼻面は輝くような夜明けのピンクのバラでできている。馬が口をあけていななくと、白くかたいつぼみの歯が見えた。

馬たちは、アルの手の届きそうなところまで来ると、バラの花のように散ってしまった。

花びらがあたりに降りそそいだ。

それから、野の花や新鮮な雨のにおいがしてきた。

しかし、アルがうっとりする間もなく、壁がゆれ、深く暗い声が響きわたった——。

「この〈宮殿〉の静寂（せいじゃく）を破るものはどこのどいつだ」

第26章

〈幻想宮殿(げんそうきゅうでん)〉がなぜここに？

「どいつ、って、考えようによっては、ここの持ち主ですけど」アルがいった。

「それ、まだいわないほうが――」

ミニがいいかけたとき突風が吹いて、ふたりは宮殿の壁にたたきつけられた。

「持ち主だと？」と、とがめるような声が聞こえた。

アルははっと気づいた。

声は隠れた場所で話してるんじゃない。話してるのは、この宮殿……。

〈宮殿〉は体をゆすって笑いだした。

天井のほこり（アルは骨のかけらだと思いはじめている）がふたりの上に降りそそいだ。

壁には何百ものたいまつが輝いている。小さな映画館に命が宿ったようだった。

床の壊れたタイルが勝手に並びかわって、笑顔マークになる。ふたつの火鉢が急にいきおいよく火をふきあげ、つりあがった目になった。

そして、〈宮殿〉はこういった。

「そんなはずはない。ここにはかつてパーンダヴァ五兄弟とその妻君ドラウパディーさまのお住まいだった。おまえたちのようなちっぽけな人間ごときは、足もとにもおよばぬ。おまえたちに、ワタクシのような宮殿を持てるはずなかろう！」

宮殿中のたいまつがいっせいにまたたいた。

とても〈幻想宮殿〉とは思えない、これでは悪夢の宮殿だ。

アルは、ミニの手をとってはげました。

「ミニ、何があってもぜんぶニセモノだからね、本当に起こってるんじゃないから」

「立ち去るがいい、ちっぽけな人間ども」天井がゆれた。

ふたりの顔に風が吹きつけた。

床が奇妙な光を放ち、水槽の上に立っている気分だ。足もとで幻影がきらきらとうごめき、海をのぞむ断崖絶壁をふたりに見せた。

「ニセモノだよ、これもぜんぶニセモノ」アルはそっとつぶやいた。

と、ふたりの足もとから巨大なサメがとび出した。歯をむき、こっちに来いよ水が気持ちいいぜ、といっているみたいだった。

アルは目をつむり、ミニの手をさらにしっかりとにぎった。

「た、立ち去ったりしません！」やっと息つぎをして、ミニが宣言した。

「わたしたちのこと、わからないの？」アルも目をとじたままでさけんだ。

目をとじているほうが勇気を出しやすい（勇気があるふりをしやすい、というべきか）。少なくともサメを見なくてすむ。首にナプキンをつけて、うれしそうに「メシだ、メシだ、人間が食えるぞ！」とさけんでいるのだろうから。

「わたしたちはパーンダヴァです！　ユディシュティラとアルジュナの魂を手に入れたんです！」と、ミニ。

「ミニ、そんな言い方じゃ、魂を盗んだみたいに聞こえる」

「あ、そっか。えっと、わたしたちは冥府神ダルマラージャと雷神インドラの娘です！」

うなっていた風がやんだ。燃えさかっていた炎はいきおいを失い、いまは残り火がくすぶっているだけだ。

アルが目をあけると、床は、ただの床だった。

「……ウソをつけ」〈宮殿〉がいった。

感情をおさえようとしているようだ。声は、ふたりの周囲のあらゆる方向から聞こえた。

アルの肌に、水ぶくれみたいに文字が浮きあがった。

ウソつき

アルはどきっとしたが、赤い跡はすぐに消えた。これも幻影なのか。

「パーンダヴァさま方はお発ち（た）のとき、みなに別れを告げられた。なのに、あの方々が安心して休息できるように見守ってきたものにだけは何も告げずじまいだった。あの方々をお引きとめするには、ワタクシの美しさが足りなかったのか？　幻影はあの方々の夢をつくりあげるものと同じであるのに。ワタクシはあの方々の夢のすみかだった。文字どおりに。だが、それでも去っていかれたのだ。そうだ、どうしてその方々がもどってきたなどと信じられよう？」

あたりにすっぱいにおいがただよった。まるで〈宮殿〉がすねているかのようだ。

自分が〈宮殿〉に同情できるとは思っていなかったが、アルはいま実際に同情していた。

住んでいた家族が庭先に《家、売ります》の札を出し、荷造りして出ていくときに、家がどんな気持ちになるかなんて、これまで考えたこともなかった。

この〈宮殿〉が悲しんでいるなら、うちのアパートもわたしを恋しがっている？

アルはすぐに博物館へもどって柱に抱きつきたくなった。

「ご……ごめんなさい、置いてきぼりにされたって思わせてしまって」

ミニがゆっくりと話しはじめた。

「もしかしてパーンダヴァは、つまり、以前のわたしたちは書き置きを残してませんでしたか？　誓っていうけど、わたしたちがパーンダヴァだということはウソではありません。それで、いまとても急ぎの用事があって、この〈宮殿〉を通って向こうへ行きたいんです」

「なぜだ？」

声と同時に、天井の一部がボロッとくずれた。

アルはちらりと見あげた。〈宮殿〉が顔をしかめた？

それから天井は赤くなった。

アルは思った。顔をしかめたんじゃなくて、怒りくるっているのかも……。

「この世界を救うため。世界が破滅したら、ここだってどうなるかわかんないんだよ」アルはいってみた。

炎が、アルの前に立ちはだかった。

「なんとあつかましい！　パーンダヴァを名乗ったうえに、ぬけぬけと……この〈冥府〉の奥底で数千年にわたり待ち望んできたものがこれなのか。それならもう思い残すことなどない。かけらもな」

「お願いします。通してもらえるだけでいいんです。森から道をたどってきたら、ここしかなかったんです」と、ミニ。

「森か、まことの森がなつかしい」

〈宮殿〉の声が、少しやさしく響いた。

「わたしはあの森の木からつくられた。森にあった水たまりからとれた砂でひびをふさがれた。あの森はかつて〝忌まわしきもの〟がうごめいていた。パーンダヴァさまが住まいを建てようと決めたときに、その生き物たちは駆逐された。そのとき偉大なる建築家でもある魔族のマヤースラ王は自分の命を助けてもらうかわりに、パーンダヴァさまに、どこにもないようなすばらしい宮殿を建てた。それが、このワタクシだ」

炎の壁が消え、見たこともないほど壮大な大広間が姿をあらわした。

宝石を埋めこまれた背の高い石像たちが、行ったり来たりしている。そのうちの一体は、ガラスのおなかの中に小さな図書館があった――。

「パーンダヴァさまのご長男は読書がお好きだった」〈宮殿〉は思い出にひたり、語りつづける。「だが、本を読む部屋を選ぶのに苦労されていた。そこでワタクシは、ベッドごとどこへでも浮かんでいけるようにし、本がいつでも手にとれるようにした」

次に見えてきた広間は、壁が薄い金箔でおおわれていて、床はすばらしい鏡とサファイアでできていた――。

「末のお方は、ご自身を愛でるところがおありでな。だからその美しさをご自身の目で、いつでも見られるような場所をたくさんつくったのだ」

今度は緑ゆたかな庭が天井からしたたってきて、それまでの幻影をおおい隠した。ガラスの小瓶や羊皮紙の束が、作業台に散らばっている――。

「末から二番目のお方は科学がお好きだったから、いつでもたくさんの生き物を研究できるようにした」

次は、目の前に競技場があらわれた。そこには、車輪や練習用らしき動く的、床からカーブを描いて天井に達しているレース用のトラックがある――。

「二番目のお方はご自分の強さをためすのがお好きだ。だから競技場で腕だめしができるようにした」

次には、いままで見てきた幻影にあったものすべてが混然となってあらわれた――。

「三番目のお方はいろいろなことを少しずつお好きだったから、あらゆるものに興味を持っていただけるようにした」

これでパーンダヴァ五兄弟の部屋を見たことになる。

今度は、やわらかい光で満たされた部屋があらわれた――。

「そして、聡明で美しいドラウパディーさま、五兄弟の奥方が最も望まれたものは平穏だった。できるかぎりその望みをかなえようとしたが、ワタクシにできたことといえば、光だけであった」

そうして、〈宮殿〉が見せる幻影は消えた。

「どれほど〈幻想宮殿〉と呼ぶにふさわしかろうが、いまのワタクシに残されたものは記憶だけ。もっとも、この記憶こそが一番壮大な幻想かもしれぬがな……」

〈宮殿〉は静かにそういうと、さらに小声でつづけた。

「記憶の中では、パーンダヴァさま方はいつもしあわせそうに暮らしている」

アルの胸に同情の念がわきおこった。

だが、ふたつの火鉢が火をとりもどしたのを見ると、同情してばかりもいられなくなった。〈宮殿〉の怒りがぶりかえしたのかもしれない。

「その記憶までも台なしにする気か？　パーンダヴァさまがおもどりになったなど、わたしを愚弄（ぐろう）する気か？」

「傷つけるつもりはなかったんです」ミニの目には涙が光っていた。

「もどったんじゃなくて、生まれ変わったの。転生だから、もどったわけじゃない。だって、自分たちの宮殿があったことすらおぼえてない」アルがいった。

〈宮殿〉はふるえた。

「……なんと」ぐずぐずと鼻を鳴らしている。「ワタクシのことなど思い出す価値すらないとは」

「ちがう！　そうじゃなくて」アルはたじろいだ。

不用意な発言をしたアルを、ミニはにらみつけた。

ミニはしゃがみこみ、犬のおなかをなでるようにタイルをなでながら、なだめるようにいった。

「そんなことない、そんなことないんです。アルがいいたかったのは、わたしたちには、本当に前世の記憶がないってことなんです。自分たちがパーンダヴァだということも、先週知ったばかりなの」

「ここは、パーンダヴァさまとパーンダヴァさまの客人以外、通さぬ」

天井からさらにほこりが降ってきた。ああ、やっぱりこれは骨のかけらなんだ……アルは吐き気をこらえた。

天井から羊皮紙の巻物があらわれ、宙に広がった。

何千何万もの名前が書かれている。

インクが用紙からしたたり落ちて、床にたまる。

「残念だが、おまえたちの名はこの客人リストにないようだ」〈宮殿〉の声には意地悪な響きがあった。「であれば、本当にパーンダヴァさまだと証明する必要がある」

もう一度建物がゆれた。壁がちがう色に輝いた。アルの目に映っているのは、〈宮殿〉ではなかった。

アルはうっそうとした木々の中に立っていた。

しかし本物ではない。幻影だ（とアルは自分にいい聞かせた）。

あまりにもリアルで、足もとの草がくすぐったくてしかたない。蛍（ほたる）が夜気の中をけだるそうに飛びまわっている。

そこはジャングルだった。熟しすぎて落ちて腐った果物のにおいがする。

「すごい」アルはささやいて、ミニをふり返った。

ミニがいない。

「え、ミニ、どこ?」

アルはその場でぐるっとまわった。ひとりぼっちだった。

アルのまわりで森が笑いだした。木の葉がゆっくりと落ちてきたが、残忍なことに、どの葉もアルの肌にふれると紙で切ったような小さな傷を残した。

「ワタクシを通りぬけたいのであれば、おのれがパーンダヴァさまだと証明しろといったはずだ」

まわりの森の葉ずれのような声だが、声の主は森ではなく〈宮殿〉だ。

「アルジュナさまはこの世でふたりといない大英雄だ」

アルはさすがに大げさな表現じゃないかと思った。ふたりといないって、そこまでりっぱなのかな。

目の前の地面に、弓と矢があらわれた。

いや、それは無理です、とアルは思った。

弓の使い方すら知らない。弦(つる)を張れといわれても、矢をつがえろといわれても、何もできない。アルは悪態をついた。

先週『ロード・オブ・ザ・リング』を見たとき、もっと注意しておけばよかった。かっこいいエルフのレゴラスに見とれてないで、レゴラスがどうやって弓を使っているかに注目していたら、少しは役に立ったかもしれない。

「おまえは本物のパーンダヴァさまか、それともただのウソつきか？」

「これでどうしろっていうの？」アルは弓を指さして聞いた。

「かんたんなことだ、〝寿命さだめられし人間〟めが。みごとに的を射たならば、幻影からのがれられる。できなければ、そうだな、おまえは死ぬ。心配するな、なんならもっと手早くすませてやろう。さあ」

〈宮殿〉が話しているそばから、飛んでいた蛍の光が強くなった。あたりの温度が一気にあがる。

アルは目を大きく見ひらいた。

蛍は炎でできていた。

第27章

そして蛍(ほたる)はゴジラになった

森は静けさにつつまれた。

「ミニ！」アルはさけんだ。

この幻影(げんえい)は、さっきまでとはちがうの？　本当に実体があるのか、それとも頭の中で感じているだけの錯覚？

アルは目をつむり、すぐにまた開いた。状況は変わらない。

幻影っていうのは、壊れたテレビみたいなものなのかもしれない……たとえば、ある瞬間は幻影が見えて、次の瞬間には現実が見えてしまうような。

「ミニ？」アルはもう一度呼んでみた。

地面に置かれた弓と矢が、アルをあざけっているようだ。

「ねえ、〈宮殿〉、ここから出してくれたら、窓ふきするけど、どう？」

なんの返事もない。

「ふん、よごれてても知らないよ！」

そのとき、何かがアルのつま先で燃えあがった。

「わっ！」

蛍だった。さっき見たものと同じだ。

はじめのうち、蛍はただ闇の中を飛びまわり、周囲の空気を熱するだけだった。

やがて蛍は、大きな岩や森の巨木の枝にとまりはじめた。

森は黄色のネットにおおわれていくようで、あたりは不気味なほど静かだった。

何かが焦げるにおいがしてきた。足のすぐ横に丸い焦げ跡があらわれた。

「わわっ」アルは小さくつぶやいた。

蛍がとまったところは、どこにでも火が燃えあがった。

アルの後ろで、パチパチと枝に火が燃えうつる音がして、煙があたりに立ちこめた。

蛍の炎が木の葉に反射して、呪われたクリスマス飾りのように見える。

アルは弓と矢をひろいあげ、駆けだした。

蛍がすぐ後ろをついてくる。炎で耳が焦げそうだ。

アルは岩かげにとびこむと、あたりをうかがった。

森は赤々と燃えている。文字どおりにも比喩的にも、だれがなんといっても！

アルは弓と矢の重さをたしかめた。やたら重くてかさばる。矢だけでも、休みの前に学校から持って帰ってくる荷物みたいに重い。

「こんなの、うまく、いく、はずが、ない――」

アルは苦労してやっと矢をつがえた。

こんなにむずかしいはずないいんだけどなあ……レゴラスや『ハンガー・ゲーム』のカトニスはかんたんそう

に弓を使っていた。

だが、アルはきつく張られた弦にさわっただけで指を切ってしまった。

「痛っ！　もう……」泣き声になり、弓矢を落とす。

〈宮殿〉がいっていたのは、どういう意味だろう……。

——みごとに的を射たならば、幻影からのがれられる。

的ってなんのこと？　アルは近くの木の枝に目を走らせたが、的なんかどこにも見あたらない。

アルジュナみたいになんて、なれるわけがない。まともに弓も引けないのに……。

川の上に張りだした枝にくくりつけた木彫りの魚。アルジュナは水面に映ったものだけを見てみごとに木彫りの魚の目に矢を命中させたんだ。すごい……。

アルのこの状況では、ポケットの黄金珠（おうごんじゅ）はなんの役にも立たない。

でも、なんとかしてこの幻想の森の出口を見つけないと……。

「出口……もしわたしが出口だったら、どこに隠れる？」

アルはそのとき、いやな熱を感じた。

虫の大群がこちらに近づいているのだろうか。それとも、ただの思いこみ？

アルは、隠れている岩かげからもう一度あたりをうかがった。

ちがう。思いこみなんかじゃない。

蛍の群れはいまや一匹の巨大な虫になっていた……輝きながら、さらに大きくなってきている。

虫は、炎のゆらめきに合わせて、脈打っている。

羽をひとふりしただけで、あたりの木が三本、煙をあげる灰の山と化した。

アルは思わず悪態をついた。学校の先生に聞かれたら一週間は居残りさせられるほどひどい言葉だ。

〝悪夢系おばけホタル〟がアルのほうへ飛んできた。

アルは大あわてで岩から離れ、森のしげみへ駆けこんだ。

何千もの炎の蛍が集まった巨大な火影が、おおいかぶさるようにせまってくる。

背中を熱であぶられながら、アルは走りつづけた。

大きな岩や切り株だらけの谷を走りぬけ、アルは洞窟から流れでる小川を見つけた。

水にとびこんでから、しまったと思った。川の中を歩くのは大変だった。小川を目にしたときは水に入ったら気持ちよさそうと思ったが、川底はごつごつしてすべりやすく、とがった石が足の裏に当たる。アルはおぼつかない足どりで洞窟に向かった。

なんとか洞窟に入ると、冷たく湿った洞窟の地面にすわりこみ、アルはやっとひと息ついた。まだ近くで、ブズブズという羽が燃える音が聞こえる。

「あー、もう巨大な炎ガエルでも出てきて、巨大な炎ホタルを食べてくれないかな！　いや、わたしってば、何ヘンなこと願ってるんだろう……もうっ」

アルはぶつぶつと文句をいい、足の裏を見てみた。

幻影の世界にいるにしては、傷は気味悪いほど本物っぽい。体の感覚はウソではないはずだ。切り傷や、肋骨をつきやぶりそうな心臓の鼓動も本物だ。

もしこの感覚がニセモノだったとしても、巨大なニセモノの虫の犠牲になるのはごめんだ。

ミニがここにいたら、コンパクトで巨大な靴の幻影を出して、悪夢のような虫をふみつぶさせたかもしれない。

ああ、こんなときブーがいてくれたら……とアルは思った。ブーならきっと、どうしたらいいかわかるはず。少なくとも、ひっきりなしに文句をいってアルの気をまぎらわせてくれたはずだ。

アル、集中しろ！

アルは髪をきゅっと引っぱって自分にいい聞かせた。

考えろ、考えろ、考えろ。

でも、頭は協力してくれなかった。この瞬間にアルの頭をよぎったのは、なぜか虫さされの薬のコマーシャルだった。

かゆいの、かゆいの、飛んでいけ！

「かゆいの、かゆいの……」アルはやけになって、調子っぱずれのふるえる声で口ずさんだ。

それから、矢をとろうと手をのばした。

が、手にふれたのは冷たい石だった。

矢は……。

アルはあたりを見まわした。そばにあるのは、湿った岩だけだ。燃えさかる森を走って逃げるあいだに、矢をどこかに置いてきてしまったのだ。

洞窟の内部も熱くなってきた。小川の水が蒸気となってもうもうと立ちのぼっている。

雲のような蛍の大群が、洞窟の入口にあらわれた。

洞窟の気温はさらに上昇し、光もさらに強くなった。

息ができない……アルはのどをかきむしった。

矢はない。

並はずれた運動神経もない。

希望がない……。

苦しくて首をかきむしっているとき、アルの指が何か冷たいものにふれた。

モンスーンがくれたペンダントだ。あのとき「どんな的にでもかならず当たる」といっていた。でも、その的がわからない。

——みごとに的を射たならば、幻影からのがれられる。

逃げ出すべき幻影がないなら、どうやって逃げられるというのだろう？

「もう、自分の頭の中からぬけ出せない！」

アルは自分の髪を引っぱった。

待って。それは本当に本当？　自分の頭からぬけ出した経験ならある。それも何度も。

アルは、悪い夢から覚めたときのことを思い返した。

とびおきて、いままで見ていたのは「悪夢だ」と気づいただけで、あっさりと夢からぬけ出せた。

アルの悪い夢は、いつも同じだった。

家に帰ると、アパートがからっぽで、何もかもきれいにかたづいている。

母さんは、さようならの書き置きすら残してくれなかった……。

母さんが出張に行くたびにアルが見る夢だった。

悪夢がどんなに本物らしく見えても——アパートのほこりっぽいカーペットまでそっくりだった——しょせんは幻想だ。目が覚めれば、恐怖とともに消えてしまう。

本物なのは「感情」だけで、それ以外はぜんぶ……。

ウソなんだ。

そのとき、炎の舌がアルのほうにのびてきた。光と熱を顔に感じる。

アルは目をとじて、**モンスーン**のペンダントから手を離した。

こんなふうになんでもかんでも本物に見せようとするなんて、まちがっている。アルはそう直感した。薬のコマーシャルはもう頭に浮かんでこなかった。

思い出したのは、アルジュナと魚の目の物語だった——。

パーンダヴァの弓の師匠が、木彫りの魚を木の枝にくくりつけて、兄弟たちにその魚の目を射ぬきなさいといった。ただし、木の下を流れる川に映る木彫りの魚を見ながら、本物の的をねらわなくてはならない。

師匠は一番上の兄、ユディシュティラに水面に何が見えるかとたずねた。

ユディシュティラは、空と木と魚が見えると答えた。師匠は射ってはならないといった。

二番目の兄、ビーマに何が見えるかと聞いた。ビーマは、木と魚が見えると答えた。師匠は射るなといった。

そして、師匠はアルジュナに何が見えるかとたずねた。アルジュナは魚の目が見えるといった。アルジュナだけが矢を射ることをゆるされた。

これは集中することについての話で、ひとつひとつよけいなものをはぎとっていくと、最後に的だけが――つまり魚の目が――残るということだ。

炎がアルの足にふれた。

アルは顔をしかめただけで、その場を動かなかった。そして目をとじた。

弓も矢もただ気をそらすだけのものにすぎないんだ……。

本当の出口は……いつだって自分の中にある。

アルは、これまでの自分のことを思い返した。ミニや博物館や母さんのことや、ブーが自慢げにふくらませたふわふわの胸もとを思い浮かべた。

赤く光るバートンの携帯電話の光を思い浮かべた。自由を思い浮かべた。

そのとき、瞬時に何かが起こったわけではない。一カ所から引っこぬかれてべつの場所にうつされたわけでもない。目をあけたら、古かった世界が突然新しくなっていたわけでもない。

ただ、自分の心の留め金がはずされたようにアルは感じた。

人は魔法のポケットによく似ている。外から見るよりもずっと大きなものを、自分の内側に秘めている。

アルだってそうだ。アルは、これまでずっと自分の心の深いところに隠されていた場所を見つけた気がした。

そこには完全な静けさがあった。ささやかだったものが大きく広がっていく。

まるで自分の中に小さな世界をいくつも隠し持っていたかのようだ。

のがれるとはこういうことか……ほかのだれにも見つけられない、自分自身を見いだすこと。

アルは手をのばした。

〈異界(いかい)〉の扉(とびら)の取っ手に、光のロープが巻きついているようすを想像する。

アルはそのロープに手をかけて――。

引いた。

と、同時に炎が消えた。

おぞましい虫の羽音もやんだ。

静けさの中で、自分の心臓の鼓動だけが聞こえる。

悪夢だったものが、明るく奔放な夢になった。

アルの自由な夢だけが、プリズムを通して見る虹色の光のように見えた。

その瞬間、アルは森を脱出した。

第28章

〈宮殿〉の物語

目をあけると、アルはふたたび古ぼけた〈宮殿〉の広間に立っていた。
ミニが少し離れたところで、だれかと激しく言い合いをしている。
ミニの相手を見ると……ミニだ。
ミニがふたりいる。
いっぽうのミニは、どんどん顔が赤くなっていき、肩をいからせている。
もう片方のミニは、メガネを押しあげて話しつづけている。
こっちだ！　こっちが本物のミニだ。かけてもいい。
アルはミニに近づこうとしたが、見えない壁にはばまれた。
「ねえ！　ミニ！」アルはこぶしで見えない壁をたたいた。
ミニたちには聞こえないようで、言い合いがつづいている。
本物のミニがいった。

「世界で最速なのは人間や生物じゃないのは当然でしょ、速いのは思考よ！　思いのままっていうでしょ」

もうひとりのミニは、頭痛におそわれたかのように苦しげにうめいて消えた。

残ったミニは、ひざに手をついて深いため息をついた。

見えない壁も消えたようだ。

ミニはようやくアルに気づいた。ぱっと顔がほころぶ。

「生きてた！」

「そっちも！」アルが駆けよる。

ふたりが並んだとたん、〈宮殿〉は目覚めてさけんだ。

屋根は、ズボンのサスペンダーを整えたときのようにずりあがった。

たいまつに火がついた。

アルとミニは、〈宮殿〉の攻撃にそなえて身をよせ合う。

アルはポケットの黄金珠（おうごんじゅ）をにぎりしめ、ミニはコンパクトをつかんだ。

〈宮殿〉は身をふるわせた。

「知恵の力で自分自身をいい負かすことができるのは、ユディシュティラさまだけのはず」

「マジ？　ミニの試練は自分とけんかすることだったの？」アルはささやいた。

ミニはアルをにらんだ。

「おのれが心中の恐怖よりのがれる洞察力と認知力をしめされるのは、アルジュナさまだけのはず……。つまり本当だったのか！　本当にもどってこられたとは……」

「だから！　最初からそういって――」

アルがいいおえる前に、天井が割れて、そこから雨が流れこんできた。

宮殿全体がぐらぐらとゆれている。

「ワタクシは――」

屋根をささえる梁(はり)がきしんだ。

「てっきり――」

土台がすすり泣いた。

「あなたさま方は――」

屋根がくずれた。

「ワタクシの――」

足もとのタイルが割れた。

「ことなど――」

壁がはがれた。

「お忘れなのだと」

天井から流れ落ちる雨は、もはや滝となっていた。

アルとミニはたがいにしがみつき、宮殿がくずれるあいだ、何もできずにいた。

なげきの声（と雨）がようやくやむと、くずれた壁はもとにもどり、屋根板はかわいて一枚ずつもとの位置にもどった。最後に宮殿の土台が、ため息をつくようにひとゆれした。

〈宮殿〉が動揺したのも無理はなかった。パーンダヴァの生まれ変わりであるアルとミニが、何もかも忘れていたのだから。でも、それって本当にふたりのせいだろうか。

「ずっと、お会いしたかった。みなさまが去って三百年、床をみがき、屋根のほこりを払いつづけておりました。食料もつねに補充し、植物に水もやりつづけた。それでも、あなたさま方はおもどりにならなかった。ワタクシに悪いところがあったのか……」

「悪くない、何も悪くないよ！」

ミニは、いまにもひざをついて〈宮殿〉を抱きしめそうだ。さみしがる大きな犬にするような感じで。

「そのときのパーンダヴァと、ぜんぶが同じわけじゃないんだ」アルも助け舟を出した。「前の人生は何もおぼえてない。おぼえてたら、とっくに来てたよ」

しばらくすると、床が輝きだした。

燃えさかっていた壁のたいまつは、心地いい炎に変わった。

何層ものほこり（か、骨のかけら）でおおわれてくすんで見えた絵は、本来の輝きをとりもどした。

「しかし、また行ってしまわれるのですね？」

〈宮殿〉の声には悲しげな響きがあった。クンクン鳴いて「出かけないで！　おりこうにするから！」と飼い主にアピールする飼い犬みたいだ。

「しかたないの。知ってるでしょう？」と、ミニ。

銀色の液体が壁を伝った。

「わかっております。では、今度は忘れずに床をみがいておくように――」

「そんなことしなくても――」ミニがいいかけた。

アルがミニの言葉をさえぎった。

「うん、そうだね！　お願いする、ありがとう！　きっとぴかぴかにしておいてくれるよね」

残される側にとって一番つらいのは待つことだと、アルはだれよりも知っている。母さんが出張で出かけるときはいつも、アルはアパートをすみからすみまできれいにする。産地直送のマーケットで買ってきたリンゴをテーブルに置いて、灰色の分厚い本『古代ヒンドゥー教彫刻における女性表現』をかたづけたこともある。

母さんが帰ってくると、アルはいつも青いカケスのように胸をふくらませて、家がきれいになっていることに母さんが気づいてくれるのを待った。母さんは気づくときもあれば、気づかないときもある。母さんの反応が予想できないから、アルは次もまた同じことをくり返した。だから、アルにはこの宮殿の気持ちがよくわかった。

「もちろんでございます！」

〈宮殿〉が声を張りあげると、天井からシャンデリアがおりてきた。

クリスタルの器に入った薄いピンク色のアイスクリームがゆっくりとただよってきて、ふたりの手におさまった。

「ひと口、いかがですか」〈宮殿〉はさそうようにいった。「歩きながら召しあがってかまいませんよ。床を、おふたりがつまずかないようにいたしますね。それとも床でスケートをなさいますか？　昔はお好きでしたね」

たちまち床が氷になり、ふたりのサンダルは、かわいいスケート靴に変身した。

アルはアイスクリームをひと口食べてみた。舌の上でとろけるとき、優雅なバラの香りが残る。

「スケートは得意じゃないんだけど。自分の好きな方法で移動できる？」と、アル。

「もちろん、お考えどおりになります」

アルとミニは、一歩ふみだしただけで大広間を通りぬけてしまった。

アルはにんまりして、こんな家があったらと想像した——。

住人のほしいものを察知し、すぐさま応じてくれる家。

星のかけらと花びらでつくったメリーゴーランドに、タンポポの綿毛でできた馬を置く。アイスクリームを持ったまま、その馬にまたがって遊べる家。

空中に浮かぶベッドに、ひとりでにページがめくれていく本がセットされていて、起きあがらず手も動かさずにすむ家。

でも、それはわが家じゃない。

アルの家は小さくて、アルにはわけがわからない母さんの仕事の本が散らかっている。アパートの壁にはひびが入っていて配管も古い。博物館に届く品の木箱からこぼれ落ちた梱包材のわらが、いつも床のどこかしらに落ちている。

でも、そこには母さんがいる。

〈宮殿〉は、かつてのパーンダヴァたちにしたように、アルの考えを察してため息をついた。「お行きなさいませ。あなたさま方を甘やかしてお引きとめしたら、家としてのつとめを果たしたことになりません」

ミニは赤くなった。空中で自転車をこぎながら、片手にアイスクリームを持って、目の前に本を浮かべていたところだったのだ。

「そうだよね」ミニは口をぬぐい、アイスの残りをわきに置いた。

アルは残りのアイスを大あわてでかきこみ、頭がキーンとなった。

〈宮殿〉は、魔法でタオルを出して、アルの頭に巻いてくれた。

「ふぁりがふぉ」アルは〈宮殿〉にありがとうといったつもりだ。

まだ見ていない部屋がいくつもまわりに浮かんでいる。まだまだたくさんの歴史や秘密があるようだ。

アルがちらっと見ただけでも、ガラスの鳥が飛びかっている部屋があった。壁の穴から這い出てきた蛇のウロコは、川や海でできていた。長い廊下の先に、遠い街のシルエットも見えた。

もっと見てまわりたいが、無理なことはわかっている。

わざわざ見てみなくても、手のひらの数字をアルは感じた。まるで焼きついているかのようだ。

あと残り二日。時間をむだにできない。

タンポポの綿毛の馬は、アルが何もいわなくてもわかったらしく、そっとおろしてくれた。

　ふたりはすぐに宮殿の裏口に着いた。

「ここでお別れでございます」〈宮殿〉は悲しげにいった。「申し訳ありませんでした、その、おふたりを殺すと脅したり、ためすようなことをしたり……。ワタクシをおゆるしください、気づかなかったのです。あなたさま方が……」

「もういいの」と、ミニ。

「わたしが〈宮殿〉だったら、同じことをしたと思う」アルもやさしくつけくわえた。

〈宮殿〉は輝いた。銀の明かりが天井からほとばしり、きらきらと紙吹雪のように舞いおりた。

「これはワタクシからの贈り物です。これからおふたりの旅路はつづきますゆえ、お持ちくださいませ」〈宮殿〉が恥ずかしそうにいった。

「何？」

「つまらないものです。ポケットにでも入れて〈宮殿〉を思い出していただけるように。おもどりになれなかったときのために」

　アルとミニは手を空中にさしだした。ふたりの手の中心に、小さな五芒星の形の青いタイルがあらわれた。

「そしてこれは、おふたりにとっての『わが家』のかけら。このかけらにお申しつけくだされば、必要なときに休息と安全をご用意します。とは申しましても、さすがにかつてのような競技場や訓練場は無理ですが……それでも、ワタクシの最も大事な役目、〝庇護〟をご用意いたしましょう。おふたりをお守りします」

アルはタイルをそっとにぎり、にこっと笑った。

「ありがとう〈宮殿〉。完璧だよ！」

「使わないにこしたことはないけど、本当にうれしい！」ミニもいった。

きらめく銀の喜びのシャワーが、さらに天井から降ってきた。

「お役に立てて何よりでございます。かねてより望んでおりましたゆえ」

「この先には何があるの？　天界の武器を保管している広間に行きたいの」と、ミニ。

「おお！　それなら……地図ですね！」〈宮殿〉が意気ごんだ。

「道路地図みたいに大きいのじゃなくて、パンフレットくらいのがいいかな？　小さめのものある？」

アルは地図を読むのが苦手だった。使ったあとにもとどおりにたたむのは、もっと苦手だった。母さんによく「折り目のとおりに！」としかられた。（だって、折り目多すぎ！）

「ええ、もちろんです！　なんと合理的なわが君、なんとりっぱではっきりとしたおふるまいでしょう！」

〈宮殿〉はきしむようにいった。

「ああ、なんとしたことか、またしても失敗してしまいました」

壁がなげいて、銀の小川がまた流れた。

「パンフレットなるものはございませんでした。どのようなものかぞんじあげず、お出しできません。ですが、この先のことはお教えできます。そこはいわば悲しい場所です。〈忘却の橋〉がありますゆえ……。武器となるものを見つけるのは、おそらくそこでございましょう。また、ワタクシが消えてしまわないのは、〈忘却の橋〉

の手前にいるからです。つまり、まだ完全に忘れ去られておりません。〈冥界〉にあるのは、「史実」ではなく「伝説」とみなされているからでございます。ですがいずれ、これまでの多くの物語のように、ワタクシもまた〈忘却の橋〉をわたることになるのでしょう」

さらに涙と雨が降るのかとアルは身がまえた。

が、〈宮殿〉はむしろ落ち着いたようだった。

「おそらく、いまのところはそれでよいのでしょうな。完全に忘れ去られてしまうよりは、空想の産物だと思われるほうが。よろしければ、ときおりワタクシをなつかしく思い出していただけますか？」

アルとミニは、もちろん思い出すと約束した。

たいまつがパチパチとはぜた。

「時々でも、思い出していただけるとわかっているだけで、気持ちがちがうのです」

アルは〈宮殿〉の抱きしめ方はわからないが、かわりにいい方法を思いついた。手のひらにキスをして、壁に押し当てたのだ。

〈宮殿〉は大喜びでふるえた。

ミニも、アルと同じことをした。

「さようなら、パーンダヴァさま！　大いなることをなしとげられませ！　善き道を選ばれんことを！」

〈宮殿〉の言葉とともに扉が閉まっていく。

「ワタクシを忘れるべきときがまいりますれば、どうかそのときは、せめて笑顔で」

第29章

〈忘却(ぼうきゃく)の橋〉

〈幻想宮殿(げんそうきゅうでん)〉の扉(とびら)を背にしたアルとミニの目の前には、曲がりくねった道が遠くまでつづいていた。

空は黒いが、夜というわけではなかった。明かりの消えた部屋のような、のっぺりした暗さだ。

ようやく見えてきた伝説の〈忘却の橋〉は、じつに風変わりだった。

石像が地面に半分埋まっていて、丈の高い白い木々の向こうは見えない。

「おなかぺこぺこ」アルが情けない声を出した。「アイス、もっとゆっくり食べればよかった。ミニ、まだオレオある？」

「もうない。最後のひとつはブーにあげちゃったし」仲間の名前を口にしたミニは、ため息をつき、目をぬぐっている。「ブー、だいじょうぶかなあ？」

最後に見たとき、ブーは気を失っていた。つまり、だいじょうぶではない。

「いまはだいじょうぶじゃなくても、助けに行くんだからだいじょうぶになるよね」と、ミニ。

「うん、きっと」

しばらく歩いているうちに、アルのおなかの音がだんだん大きくなり、〝腹の中の怪物がおまえを食べたがってるぞ〟的な音になった。

アルはポケットから黄金珠（おうごんじゅ）を出し、食用にならないかな、とつついてみた。

「ふふ、フクメイだね」ミニがいった。

「フク……何？　どこの国の人？」

「おなかの音のことだよ……腹鳴（ふくめい）っていうの」

「それも〈知恵のクッキー〉効果？」

「ちがうよ。医学の本に書いてあった」

「ミニ、どうして医学の本とか読んでるの……？」

「好きだから」ミニは肩をすくめた。「人体ってすごいのよ！　人の体って半分以上が水でできてるって知ってた？」

「ふーん、そうなんだ」と、アル。「ねえ、そろそろ着いた？」

「わたしにわかるわけないでしょ」ミニはいった。

「だって〈知恵のクッキー〉を食べたのはミニだよ」

「さっきいったでしょ、〈知恵のクッキー〉の力が有効なのは、決断をしているあいだだけだって」ミニはあきらかにむっとしている。

「正確にいえばさ、決断は終わってないよね。ここに来てからずっと、迷ってばかり。正直、なんのためにこんなことやらされてるのかな、って思うときもある。神さまだって、さっさと世界を救いたくないのかな。この道のりも、ユニコーンの角くらいむだなことかもよ」

ミニはあきれた顔をした。

「むだってどういう意味？　角がなかったらユニコーンにならないじゃない。『ユニ』の意味はね、『ひとつ』ってこと！　それに『コーン』は『角』なの。『一角獣』なんだから角があることに意味があるの」

「うん、でもさ、ユニコーンってたいていは平和的でやさしいってことになってるよね。じゃあどうして角が必要なの？　角で何するの？」

「し、知らない。魔法を飛ばすとか、そういうのじゃないの？」ミニは赤くなった。

「それとも、何かをつき刺すとか」

「ひどいよ、アル！　ユニコーンだよ。完璧な伝説の生き物なんだから」

「たぶん、みんなにそう思わせたいだけなんじゃないかな」

武器を持っていながら使わないなんていうやつは、どんなやつも信用できない。個人的な意見だけど、そう思わない？

「ところで、急に寒くなったね」と、ミニ。

ミニのいったとおり、気温がさがっていた。いや、さがるなんてものではなく、崖からまっさかさまに落ちるような急降下だ。

アルのスパイダーマンパジャマは、これまでの過酷な旅をよく耐えてきたが、防寒にはならず、アルは凍えた。

「うん、寒い。こんな場所で生きるとしたら」アルは寒さに歯をカチカチさせながらいった。「いつも鼻をほじってないといけないね。じゃないと鼻水がつららになって鼻の中に刺さっちゃう」

「もう、アルってば、きたない！」

あたりの空気が張りつめている。

〈幻想宮殿〉に入ったときの、よどんだ空気とはちがう。

アルは、冬の冷たい空気を吸いこむと痛く感じることがあるのを思い出した。まるで空気がするどくとがっているみたいに。

「アル、見て、雪よ！」

アルが見あげると、青い雲が頭上を流れていった。

白い雪が、ゆっくりと螺旋(らせん)を描きながら地面に落ちてくる。

そのひとひらが、アルの手のひらに舞いおりた。

繊細な氷のレースのように見えるところまで雪の結晶そっくりだ。冷たい。でも、どこか雪っぽくない。

アルは、手にちくっと痛みを感じた。

となりのミニも同じらしく、びくっとしている。

雪のようなものは、さっきより強く降りだし、いまは地面をたたくように降っている。そして溶けていない。

その雪っぽい白いものをながめていて、アルは前方に背の高い木があるのに気づいた。

その樹皮は、何百枚もの小さい鏡でできているように見える。

そのきらきらした木の後ろで、何かが倒れた。青白く細長い姿で、霜におおわれたように真っ白な毛があったような……。

だが、まばたきをした瞬間、アルはいま何を見ていたか思い出せなくなった。

「アル！」ミニが呼んだ。

アルは返事をしなかった。聞こえなかったのではなく、自分が呼ばれていると気づかなかったのだ。

一瞬、「アル」が自分の名前だということを忘れていた。

はっとして、アルは大あわてで腕と頭に積もった雪を払い落した。

きっとこの白いもののせいで思い出せなかったんだ……これは雪じゃない。まるでナメクジにかける塩だ。ゆっくりと、自分が溶かされていく。

「きみたち、忘れることも、そんなに悪くないものだよ」

前方から声がした。

「何も思い出さなければ、年をとることもない。何も知らなければ、子供のように、過去の出来事に後ろめたさを感じずにいられる。人は、おぼえていない行為では罪に問われることもないからね」

アルは見あげた。

雪の結晶が、無数の白い滴（しずく）のカーテンのように、空中でゆれている。

それを押しわけて、美しい男があらわれた。

映画俳優のようなハンサムとはちがって、男にはどこかよそよそしい、不思議な美しさがあった。大海原（おおうなばら）の向こうに見える遠い雷雨のような美しさ。

その男は背が高く、肌は浅黒い。銀色の髪は乱れている。目は、青い氷のかけらのようだ。ジャケットとパンツは不自然なくらい明るい白。

「すみません、何かいいました？　その……何かを思い出せなくて……」ミニが聞いた。

「ああ、失礼」男は笑った。

男が手をふると、ふたりの肌や髪から雪のような白いものが落ちた。
と、ふたりの頭にいくつかの記憶がよみがえった。

アルが思い出したのは、好きな色（緑）、好きなデザート（ティラミス）と自分の名前だけだった。どうして忘れたりしたんだろう……アルはぞっとした。つまり何かの記憶を盗まれていたとしても、自分では気づくことができないということだ。

「ぼくはシュクラ。〈忘却の橋〉の番人だ。生きている人と話すなんてめずらしいよ。まあ、ぼくもここからどこかへ行こうなんてしないしな」

アルはこの男の物語をひとつも思い出せないが、この男が〈忘却の橋〉の番人なら、ここを動いたことがないのも不思議はない。たとえばパーティーに行ったとして、どれだけ失礼な目にあうか想像してみればわかる。

――あの、どちらさまでしたっけ？

――シュクラですよ。おぼえてませんか？

――ああ、そうでした……で、どちらさまでしたっけ？

シュクラがふたりに近づいた。五つの鏡を自分のまわりに浮かべている。頭の上と足もとに一枚ずつ、左右に一枚ずつ、最後のひとつは胸の高さにあって、少しあごを引けば自分の姿が見えるようだ。

きれいな人って、みんなこうなの？　マダム・ビーのサロンは、どこにいても鏡に映る自分の姿が見られるようになっていた。アルは思った……鏡はこんなに都合よく美形のまわりに集まるのかな。なんだか牧場の羊みたい。

シュクラの後ろには切り立った崖があり、透明な橋がかかっている。雪のような何かが積もっているおかげで、橋の輪郭がアルにも見えた。

あの橋をわたれば、天界の武器の保管場所に近づけるんだ……。

「先ほどは失礼なことをしてしまったね」

シュクラは、ふたりにおもねるような調子でいった。

「また同じことをしたらそれこそ職務怠慢だ。では、きみたちの名前を聞こうか。略しちゃだめだよ、さあ」

アルはのどの奥がむずむずした。まるで自分の名前が逃げ出そうとジタバタしているみたいだ。ここで名前をいいたくない、でもいわずにはいられない、というように。

「ヤーミニー」ミニがいった。

「アルンダティー」アルがいった。

名前を口にすると、アルはひどくみょうな感じがした。

アルが正式な名前で呼ばれるのは年に一度だけ、先生が新学期の初日に出席をとろうとして、うまく発音できないときだ。『アルーンドッティ？　アルンデュティ？　アラーハッティ？』といいまちがえつづける先生に対して、いつも『アルです。ただのアルでいいです』と答えていた。ここでだいたい、同級生のだれかが後ろのほうで、オオカミの遠吠えのまねをする。アルルルル！（小学一年生のとき、アルは便乗して席からとび出し、一緒に吠えた。そして家に帰らされた）。

「いい名前だ。きっとこの橋の美しい飾りになるね」シュクラは自分の爪を確認するようにしげしげとながめながらいった。

「じゃあ、わたってもいいんですか？」と、アル。

「もちろん」シュクラは笑顔になった。

たしかに美形ではあるが、シュクラの歯は恐ろしかった。黒くて曲がっていて、先がとがっている。

「ただし〈忘却の橋〉をわたりたい人には、いつも選んでもらうことにしている。きみたちにも同じように選んでもらおう。まず、ぼくの話を聞いてくれるかな、神々の娘さんたち？」

「神々の娘だって、どうして知ってるんですか？」と、ミニ。

「においでわかる」シュクラは答えたが、嫌味ではないようだ。

アルはこっそり自分のわきのにおいをかいだ……まだだいじょうぶ。心の中で自分とハイタッチ。

「神性をしめす香りは、肉体のわきから出るわけじゃないよ」

「あ、はい」と、アル。

「神性をしめす香りは、きみたちの上にただよう重荷から出ている。つんと強く鼻に来るね。ふたりはそれぞれにうばわれた過去、現在、未来がある。ぼくもうばわれた。さあ、ぼくの語を聞いてくれ。そのあとで、それでも〈忘却の橋〉をわたりたいか選んでもらおう」

氷でできた椅子が二脚、地面から回転しながら出てきた。

シュクラはふたりにすわるよう身ぶりでしめした。

アルはすわりたくなかった。が、椅子のほうはおかまいなしだ。アルが一歩離れても、すべるように近よってきて、最後はアルをよろけさせてバランスをくずしたところですわらせた。

椅子はものすごく冷たくて、肌がしびれる感じがした。

となりでミニも、椅子の冷たさに歯をカチカチいわせている。

シュクラは五つある鏡のうちのひとつで、自分をながめながらこういった。

「ぼくがなぜ忘却の呪いをかけられているか知っているかい？」

「悪い魔族ともめたとか？」アルは当てずっぽうでいってみた。

ミニがアルをにらむ。

「そんなかんたんな話ならよかったんだけどね」と、シュクラ。

アルは本当に椅子をけって立ち去りたかった。

シュクラは〈冥界〉の入口を守っていたあの犬たちより、もっとずっと危険な感じだ。なんだか、なんだかひどく……おだやかだ。まるで、自分が勝つのがわかっていながら、ただそれを先のばしにしているだけみたいだ。

「ぼくを見ても平気だった人を殺したんだ」

見ても平気だった？　べつに見るに耐えないような顔じゃないけど。

「妻だよ」シュクラはいった。「妻はぼくを愛していた。だから殺した」

第30章

シュクラは語る

ぼくが生まれたとき、太陽はいやがってひと月まるまる隠れてしまった。ぼくの肌は傷だらけで、笑顔もひどいものだったからね。でも、ぼくは醜くてもいい王だったよ。みなにしたわれてもいた。見た目が醜くても、心は美しくあろうとした。

それでもずっと長いあいだ、臣下の前に姿をさらすのが恥ずかしかった。それで何かを命じるときも姿は隠していた。

でも、結婚はそうはいかない。それで、ぼくは花嫁にぼくの姿を見せたんだけど、彼女は笑顔のまま、まったく動じなかった。彼女は自分の手をぼくのほほに当てて、こういったんだ。

「ふたりの愛でともに美しくなりましょう」

まさにそうなった。

見た目が変わるといっても、ほんのわずかだった。わずかだから、最初は自分でも気づかないほどだ。そもそもぼくは鏡を見ていなかったしね。

四年がたち、愛の力でぼくは以前にくらべればずっとハンサムになっていた。

妻のほうは？　妻はまばゆく輝いていた。月は妻をながめたいばかりにいつまでも夜空にいる。太陽は妻の美しさをいつまでも愛でていたくて、なかなか沈まない。

ぼくだって、もう人に恐れられたり同情されたりするほど醜くはなかったけど、ほどほどの外見になったことで、逆に人目をひきにくくなった。

もっと……と思ったよ。毎日、外見の変化をたしかめるようになった。妻はね、ふたりの愛が深まれば、ふたりの美しさも増すとぼくにいってくれた。妻にとって、美しさは喜びとむすびついていたんだ。

でも、ぼくはしだいにいらだってきた。

そこら中に鏡をそなえつけて床にも置いた。チェックリストをつくって、毎日どれほど自分の見た目がよくなったかを評価した。服はどんどんすてて、いつも新しい装いをしていた。民をほったらかしにしてね。

妻のことも避けるようになった。妻を見るたびに怒りがわきおこった。なぜぼくをさしおいて彼女ばかりどんどん美しくなるんだ？　もともと美しかったからなのか？

ある日、妻を問いただした。

「まだぼくを愛しているか？」

妻はぼくと目を合わせなかった。

「お心のわからなくなった方を、どうして愛せましょう？　わが君よ、お変わりになってしまわれましたね。わたしの愛は、時が終わるまでつづくはずでした。いえ、まだ愛せるかもしれません、もしわが君が――」

ぼくは最初の言葉のあとは、何も聞いていなかった。

そして、自分が何をしたのかも思い出せない。

ようやく怒りがおさまったとき、気づくと目の前に妻の骸（むくろ）があった。ぼくは自分の肌をはぎとろうとした。体に残る妻の愛の痕跡を、自分が不当に得た美しさを、すべて焼いてしまおうとした。だが、もう遅かった。妻の愛からはのがれられない。あれほどおしみなく、最後の瞬間にまであたえられていた愛から。

ぼくはすべての鏡をたたき壊した。すべての窓を壊した。すべての池の水をぬいた。

でも、ぼくはいまだにとらわれている。自分があたえられたもの、そして失ったものの真実に。


話が終わると、シュクラのほほを涙が伝っていた。

「そしていまでは、ぼくは自分のあやまちの記憶にかこまれて生きているのさ」

そういってシュクラは引きつれている鏡をしめした。

「この鏡がなければ、雪に記憶をうばわれてしまう。ここをおとずれる人たちと同じようにね」

「お気の毒に……」ミニがそっといった。

アルは何もいわなかった。少しは同情したが、いやな気分だった。自分を愛した人、特別なものをあたえてくれた人を殺したなんて。自分勝手だ。

シュクラは胸の前で両手を合わせた。

「では、選択の時間だ。この橋をわたりそこなうと、地獄の業火（ごうか）の中に落ちて、うむをいわさず来世に送られる」

「それはつまり……死ぬってことですか？」と、ミニ。

「ああ、そうだよ」

シュクラの言い方はまるで「チョコレートアイスはある？」と聞かれて「あるよ」と答えるときのようだった。

「どうやれば落ちずにわたれるの？」と、アル。

「〈忘却の橋〉をわたるには、対価がいる」

「対価……？」

「通行料とでもいえばいいかな。自分の一部を捧げるんだ。記憶をね。ぼくに支払って、身を軽くして行くといい。見てのとおり、いまは橋の輪郭しかない。残りの部分をつくるには記憶が必要なんだ」

「記憶？　どうしてそんなものがほしいの？」と、ミニ。

「さみしいのがきらいなんだ」

ミニはつづけて聞いた。

「ぜんぶですか？　いやな記憶だけではだめですか？　先週、バックパックのストラップがエスカレーターにひっかかって――」

「ぜんぶだよ」と、シュクラ。

「あの、どうしてわざわざ、ここにとどまってるの？」アルが聞いた。「来世に行こうとは思わないの？　生まれ変わればすべて自由に――」

「自由だって？」シュクラは笑った。「なあ、来世に行ったところで、自由なんてどこにあるんだ？　〈冥界〉

の扉（とびら）を通って何が追ってくるか知ってるか？　かつての罪悪（ざいあく）が次の人生に影響してくるんだ」

　そうだ。カルマ……。

　アルはこの考え方には納得できない。因果応報（いんがおうほう）なんて意味があるの？　なんだか意気地なしの言い訳みたい。つらい運命にあるから先に進まないなんて……永遠にひとりでいるなんて。アルには、シュクラがここにとどまる理由がまったくわからなかった。

　アルは冷たすぎる椅子から立ちあがった。

　ミニはかんたんには立ちあがれなかった。椅子がミニを気に入って足にからみついている。

「橋をわたったあと、記憶をとりもどすことはできる？」と、アル。

「できない」

　アルは両手を強くにぎりしめて、こういった。

「じゃあ、どんな記憶もわたせない」

「ちょ——痛い、あっち行って！」

　ミニがようやく椅子からのがれた。椅子はぐずるような声をあげた。

「わたしもわたさない！」

「それは残念だ。記憶なんて、すぐまたできるのに」

　シュクラは、自分のそばによってくる鏡を順番にながめた。

　アルは気づいた。鏡は美しさを思い出すためじゃない、痛みを思い出すためにあるんだ……喪失（そうしつ）の痛みを。

シュクラは来る日も来る日も鏡を見ることしかできない。

「どうしても記憶をわたせないというなら、死なせてあげよう。わたってみるといい。落ちるだろうね」

アルとミニはさっとシュクラの横をすりぬけて崖に立った。

橋の輪郭は見えるが、足もとは急な崖で、足場も階段もない。

あの透明な橋をわたってだいじょうぶなのか？

「橋はみずからの力で完成する」

シュクラが後ろからふたりに声をかけた。立っていた位置から一歩も動いていない。

「問題は、どれくらいすばやくわたるかだ。きみたちの年齢を考えたら、二、三歩進めるかもあやしいな。たいていの大人より記憶が少ないからね」

先ほどまで空中にぶらさがるように静止していた記憶泥棒（どろぼう）の〝雪〟が、また落下しはじめた。

〝雪〟にふれると、アルはチクリと刺されたように感じた。また記憶がうばわれたのだ。〝雪〟のひとひらごとに、アルの記憶が吸いとられていく。

あれは、あのときの……あっという間にうばわれてしまったのは、八歳の誕生日の記憶だった。母さんが……母さんが何かをしてくれた。

もう思い出せなくなった、何かを。

「せっかく、心に負担も痛みもない人生を用意してあげたのに。でもきみたちはぼくの申し出をことわった」

橋は、ふたりからうばった記憶を集めて、ゆっくりと形になってきた。

アルはチョコレートの味を忘れた。世界で一番好きなもののひとつだったのに、もうどんな味だったかどうしても思い出せない。それどころか名前も思い出せなくて……名前ってなんのことだろう。何について考えてたんだっけ？

「やめて！」ミニはとなりで、自分の髪を引っぱりながらさけんでいる。

アルは黄金珠に手をのばした。でも、なぜそうしたのかわからない。ただ光るだけなのに……。

ミニのコンパクトなら幻影を見ぬくとか、何かをつくるとか、できるかもしれないけど。それに、自分がどうしてこの珠を持っているのかも思い出せない。

「人生の苦痛からのがれることはできない。残念だね。だったらせめて終わり方くらい変えてあげようとしたのに。苦痛なくここを去れるように」

〝雪〟の降り方が激しくなってきた。ほとんど前が見えない。

アルは後ろをふり返って、あることに気づいた。〝雪〟はいたるところに降り積もっているが、シュクラだけは避けている。

アルはするどい目で見ぬいた。あの鏡の何かがシュクラを守っているんだ。

その瞬間、〝雪〟のかけらがアルの腕に当たった。

うばわれたのは、アトランタではめずらしく雪が五センチほど積もり、当然のように、街が大さわぎになって身動きがとれなくなったときの記憶だった。母さんが乗るはずだった飛行機もキャンセルになり、母と娘は一日中、うちのソファーでよりそって過ごした。インドのボリウッド映画を見ながらラーメンを食べて、映画の中ではしょっちゅうわざとらしい平手打ちのシーンがあって、そして——。

　このしあわせな思い出が消えた。

　アルは自分の心にぽっかりと穴があくのを感じた。もう思い出せもしないが、泣きそうになった。どの記憶もアルのすべてだった。母さんのいない夜に留守番をしながら、大事にかかえていた記憶。不安になると、いつも思い出していた記憶。

　失うわけにはいかない。

　シュクラがつかさどる記憶泥棒の〝雪〟から逃げなければ……。

「この雪は腹をすかせてる。エサがほしいんだ」

　シュクラはふたりに背を向けて遠ざかっていく。このあと起こることは、見るに耐えないとでもいうように。

　でも、アルには考えがあった——。

　ミニがアルの手首をつかんだ。

「アル、だめ」ミニの目が大きく見ひらいた。アルが何をしようとしているか見当がついたようだ。「ほかにも方法があるはず」

「あの鏡を割らなきゃ、雪はこっちに降ってきて、わたしたちぜんぶ忘れちゃうんだよ」

「でも、よくない。あの鏡は、あの人が後悔してるから——」

「自分の妻を殺したんだよ。同情することなんかない」

「アル、あの人は……苦しんでる。鏡をとりあげたら、わたしたちだって——」

「いい。わたしがやるから。それでふたりとも生き残れる」

アルはミニの返事は待たなかった。やるならいまだ。

アルの胸もとで、**モンスーン**のペンダントが冷たく濡れていた。ペンダントにさわると**モンスーン**の言葉がよみがえる。

――ただし、ひとつ忠告します。このペンダントは、投げたあとにかならず後悔がともないます。それは確実に当たることと引きかえの代償なのです。ですが、命がけで目的を達成しようとするとき、無謀なことをして後悔するくらい、かまわないでしょう？

アルはためらわずにペンダントを投げた。

ミニは見ていられなくて顔をそむけた。

ペンダントの石は、シュクラの胸もとの鏡に当たった。

シュクラは肩をふるわせて胸もとをつかんだ。

「イールシャー？」シュクラは呼びかけた。突然目が見えなくなったかのようによろめき、探るように手を前にのばしている。

ペンダントはさらに跳ねて、シュクラの頭上の鏡を打ちくだいた。

三つめ、四つめと、ペンダントはすべての鏡を壊していった。

シュクラはひざからくずおれた。

と、〝雪〟が初めてシュクラに気づいたようだ。アルとミニに降っていた雪はやんだ。記憶の多いシュクラのほうに引きよせられているのか？

「いやだ！　やめてくれ！　妻が残したものはこれしかないんだ！」シュクラがさけんだ。

だが〝雪〟はあわれみを持たない。

アルは、シュクラを見ていられなかった。

「見て、橋が……」ミニがささやく。

アルがふりむくと、橋が形になる速度を増していた。シュクラの人生のさまざまな記憶がかすめとられるたびに、深い谷の上にかかる橋に、しっかりした踏み板ができていく。

アルとミニは、あわててわたりはじめた。

シュクラのさけびとなげきが、後ろから追ってくる。

〝雪〟はもうふたりには降らなかった。橋の向こう側へたどり着いてふり返ると、途方に暮れたようなシュクラが見えた。浅黒い肌はすっかり雪におおわれて真っ白だ。

「ただの子供とあなどった。子供はときに何よりも残酷になるもの。おまえはぼくからすべてをうばった。インドラの娘よ、呪ってやる」

シュクラはアルのほうに手をのばしている。

「わが呪いを受けるがいい――ここぞというときに、おまえも記憶を失う」

呪いの言葉とともに、シュクラは消えた。

その場に残されたふたつの足跡も、少しずつ〝雪〟におおわれて消えていった。

第31章

このにおい、ナニ?

アルは呪いを知らないわけではない。

どちらかといえば呪われるより、呪うほうだった。

アルは去年、クラスの女子のキャロル・ヤングを呪った。

風邪で気分が悪かった週だ。

始まりは、ジョーダン・スミスという男子がふざけておっぱいをつくろうと、教室にあったティッシュをぜんぶ自分の胸につめこんだことだった。本人が思うほどおもしろくないそのネタが、アルに最悪の事態をまねいた。アルは本気で鼻をかみたかったのだ。

先生はトイレに行かせてくれなかった。ズルズルする鼻水にこまりはてたアルには、ほかに手がなかった……。

アルのやることを目にしたキャロル・ヤングが、大声でこういった。

――きったなーい！　アルったら、そでで鼻をふいてる！

みんな笑いだした。

その日、キャロルはずっと丸めたトイレットペーパーをアルの頭に投げつづけた。

帰宅したアルは、博物館のパンフレットから古そうな文字を切りぬき、紙の縁をストーブで焦がして古いものに見せかけた。

次の日、ホームルームの前に、アルはキャロルの鼻先にその紙をつきだした。

『キャロル・ヤング、おまえに呪いをかけてやろう！　今日からずっと、おまえは鼻水が止まらない。鏡で何回たしかめても、知らないうちに鼻くそが鼻から出る。それをみんなに見られるがよい！』それから、重々しくとなえた。『カチョリ！　バージュラーノロトロ！　メヒヌサーグ！　ウンディーユ！』

本当は、どれも呪いの言葉ではない。クジャラート料理の名前を並べただけだ。

でも、キャロルはそんなことは知らない。

教室に入ってきた担任の先生は、キャロルがティッシュで鼻をおさえて泣いていることに気がついた。呪いの言葉がでたらめかどうか知らない先生は、罰としてその日は早めにアルを家に帰らせた。アルが持たされた校長の手紙には、こう書いてあった。

> 同級生を呪ったりしないよう、きちんとしつけてください。

以来、アルは呪いを高く評価していない。強く願うとかなえられる特殊能力のようなものだと思いたかったが（大切なのは気持ちだから！）、どちらもウソだった。気持ちはそれだけではたいした役に立たないし、呪いだって結局は効かない。

だが、今回は……今回はそうではない。

わたりおえた〈忘却（ぼうきゃく）の橋〉をふり返ると、象牙（ぞうげ）のように白く、三日月のような形をしている。

あの橋は記憶でできている。これまでシュクラがうばってきた記憶……。

そのとき、アルは〈眠れし者〉の声を聞いた気がした。

——おお、アル、アルよ……おまえはいったい何をやらかしたんだ？

それはじつはミニの声だった。アルの手首にそっとふれていた。

「アル……アル、どうしたの？」

「わたしは自分たちを守った」アルの声はふるえていた。「橋をわたった。だから武器も手に入るし世界だって救える」

これは本当だった。

そして、本当のことなら、もっと気分が晴れ晴れしていいはずだ。なんの問題もないのだから。

が、アルは晴れやかな気分になれなかった。

シュクラは人の姿を失い、シュクラの呪いが橋をわたって追ってきた……。

アルは英雄（ヒーロー）のはずだ。ヒーローがこんなふうに自分を疑う気持ちに強くとらわれるものだろうか？

ミニの表情がやわらいだ。

「そうだよ、だいじょうぶ。これがすんだら、呪いを解こう。きっとナイトバザールならそういうところがあるよ。それに、ブーに聞いてもいいし、ね？」

ミニは前向きだ。

アルもなんとか笑顔をつくった。呪いのことは頭から追い払おう。

「うん、いいね、それ。タトゥーを消したい人もそうしてるしね。学校の子でさ、春休みにお姉さんが蝶のタトゥーを腰に入れちゃったんだけど、怒った親に一週間学校を休まされて、消されちゃったって」

ミニはいやそうに顔をしかめた。

「なんで、蝶なんか肌に入れるんだろう。一生消えないのに。蝶なんて気持ち悪いじゃない。蜜を吸う口吻も気味が悪いし。それに、タトゥーを入れる針がよごれてたら肝炎になることもあるんだよ？」

「その先はいわせて……死ぬんでしょ？」

「まあ、治療はできるんだけどね。でも、たしかに死ぬこともある」

「はいはい」アルはまたこれだと天をあおいだ。「あ、もうすぐそこだね」

チトラグプタの話では、橋をわたったところに天界の武器があるということだった。だが、見たところ、大きな洞窟があるだけだ。

かなり大きな空間で、洞窟というより谷のようでもある。ただ、頭上にはたしかに天井があり、白く光るするどい鍾乳石が見える。なんだか歯のようだ。

それに、においがひどい……。

アルはもう少しで吐きそうになった。

母さんは以前、車の後部座席に買った食品を置き忘れて腐らせたことがある。くさくてくさくて、その週末はずっと車の窓をあけっぱなしにしていた。ここのにおいはそんな……何かが腐ったようなにおいだ。

歩を進めたアルは、何かをふみくだいてしまった。見ると、靴に魚の骨がへばりついている。アルはそれをはがして洞窟の奥に放り投げた。

骨は地面に落ちてパシャっと音をたてた。

「ここの地面なんかヘンだね」と、ミニ。

ふむと弾力があり、マットレスのような感じだ。

色も、砂や土の灰色や茶色ではなく、ダークチェリーのよう。

「ここ、においもひどい」と、アル。

アルはパジャマのそでで鼻と口をおおい、ミニと並んで洞窟を進んだ。

これまで見てきた、神さまに関係することはどれも、豪華で美しかった。

だが、この場所はまるで牢獄（ろうごく）だ。壁は濡れてピンクがかっている。時々吹きつける熱風が、腐った魚のようなひどいにおいを運んでくる。

「武器が腐ってるのかな？」と、ミニ。

「腐るわけないよ！　だって天界のものだよ」

「どうしてそういいきれるの？　アルって天界の専門家だったっけ？」ミニが強い口調になる。

アルは答えようとしたが、何かにつまずいてよろめいた。

きらきら光る銀色の糸が一本、罠のように張られていたのだ。

アルの足が糸にふれたとたん、洞窟の奥のほうで何かが作動した。

そして鍾乳石のあいだから、ネオンサインがおりてきた。

アストラの間

アストラは武器だ。

それも、超自然的な力を持つ武器——。

アルは脈が速くなるのを感じた。

魔力の強い武器が用意されているとしたら、興奮してる場合ではない（敵も魔力があり、強力だってことだ）。

でもアルは、どんな武器が用意されているのか早く見たくてしかたなかった。武器を手に自撮りしたいくらいだ。ああ、母さんが携帯を買ってくれてたら。

「どうして神さまはこんなところに武器を保管してるの？　盗難とか心配じゃないのかな」ミニがいった。

アルは暗がりを見わたした。頭上の鍾乳石が放つ明かりはあまりにも弱々しく、前方がよく見えない。

「ここなら安全だって思ったんじゃない？」

「でもなんの警備もしてないのよ！　ただのくさい洞窟。それって意味わからない！」ミニはいたずらっぽくいった。

「このにおいが、何かの防御になるとか？」

「うーん……そうかも。ひょっとして魔族よけのにおいなのかなあ」

アルは顔をしかめた。

天界の武器がたくさん置かれた部屋だと思っていたのに、どう見ても武器などない。

「ねえ、下に何かあるみたい」ミニは身をかがめ、手のひらで地面を押した。「やだ。濡れてる。なんだか変なにおいのする液体だね」

それからしばらく、なんの音もせず、ふたりも黙っていた。

「アル？」

ミニの声は聞こえたが、アルはふり返らなかった。

ポケットの中で黄金珠（おうごんじゅ）が温かくなったが、とりださなかった。

アルは、ネオンサインに気をとられていたのだ。

さっきは《アストラの間》だけだった。

だがいまは、ネオンサインが大きくなり、形も変わっていた。

アルは読もうと近づいた。

答えはそのまま　視界にありて
物事思いのまま　ではあらず
ここに　見つける力あり
探り集める　知識あり
ところが時は　男を待たず
しかして時は　耳を持たず
すばやく　動かざるものは
すべての恐れと　出会うであろう

「これどういう意味？　男ってあるけど、女はどうなの？　いまどき、そんなのありえないよね」アルは頭にきている。

ミニはミニで、アルの声を無視した。

「アル、このへんがべちゃべちゃしてるのって、洞窟の湿気のせいじゃないよ」

「なんなの？」

「たぶんこれ――」

熱風が吹きつけてきて、洞窟の奥深くからとどろくような音が聞こえた。まるで巨大なパイプオルガンをぶっこわしているような音だ。

もしくは……肺に空気を吸いこむような音ともいえる。

地面がゆれた。

頭の上では、鍾乳石も大きくなっている。

アルは目をこらした。石は大きくなってるんじゃない。近づいてる！

「あれ、鍾乳石なんかじゃない」と、ミニ。

ミニがいおうとしていることが、アルもわかったような気がした。

あれは歯だ。

正体がなんであれ、ふたりが迷いこんだのは魔物の口で、それがいま、とじようとしているのだ。

第32章

ミニの“こんな死因はいやトップ10（テン）”第1位は口臭死（こうしゅうし）

アルはこれまで何回、もう死ぬと思ったかわからない。たしかにここまでは、なんとか切りぬけて死なずにすんできた。

だからといって、恐怖が小さくなるわけではない。

さいわい、アルもミニも少しは経験を積んだので、これまでのように悲鳴をあげて泣きさけんだりはしなかった。今回は悲鳴だけ。

足もとでは、舌（考えると吐きそう……）が動きだした。

並んだ鍾乳石（しょうにゅうせき）（じゃなくて大きな歯）が音とともにさがってきて、出口（つまり口）はほとんどとじ、もう出られるすき間がない。

「ほかにも出口があるはず！」アルがさけんだ。

「アルの黄金珠（おうごんじゅ）は使える？」

アルはパジャマのポケットから出して地面に投げつけてみたが、何も起こらなかった。

もう一回やってみた。

役立たずのピンポン玉ときたら、何もしてくれない……。

コンパクトをあけてみたミニは、すぐとじて、こういった。

「こっちもだめ！　顔が映るだけ――」顔をしかめた。「あれ、またニキビ？　ねえ、アル、ここに何かできて――？」

「ミニ、いまそれどころじゃないでしょ！　この口をこじあければ、脱出できるかな？」

「どうやって？　そんな大きな道具ないよ。それに、ほら」

ミニはそでをまくりあげて腕を曲げた。

「何やってんの？」

「わたしの力こぶ！」

「何もないけど？」

「そうなの！」

ミニは考え事をするときのくせで、髪を引っぱりながらその場を行ったり来たりしはじめた。

「わかった、わたしたちはいまなんらかの生物の中にいるのよ。一番ありそうなのは、すごく魚くさいし、巨大なクジラの魔物かな。それなら、解剖学的に考えてみようよ」

「さすがミニ。じゃあ今度はポケット版の解剖学教本を出せばいいね！　ってまさか、さすがにそれはないよね」

「ないよ。ねえ、クジラって、のどちんこあるのかな？」

「このクジラがオスかどうかなんて、わかるわけないじゃん」

「そうじゃなくて、のどの奥にぶらさがってる、パンチバッグみたいなやつのこと。そこに何かをぶつけたら、わたしたちを吐き出すんじゃないかな！」

悪くない作戦だが、ひとつ重大な欠点がある。

「クジラのゲロに乗っかって外に出るってこと？」

「とにかく外に出られればいいでしょ」

「そうだけど」

ふたりはクジラののどの奥に向かって走った。

悪臭がさらにきつくなった。

アルの髪は、あごやほほに張りつき、パジャマはクジラの息で湿ってぐちょぐちょだ。

闇の中でネオンサインがまたたいている。

進むにつれ、サインが大きく見えてきた。

あのあたりに、のどちんこがありそうだ。

が、ふたりが近くまでたどり着いても、パンチバッグのようなものは見あたらなかった。

怪物の舌は、のどの奥に向かって、くだり坂になっている。

奥からはバシャバシャと水のはねる不穏な音がした。

まずい、せりあがってきそうだ。

「のどちんこなんてないよ！」と、アル。

「うー、『ファインディング・ニモ』にだまされた……」と、ミニ。

「ちょっと。生きるか死ぬかってときに、『ファインディング・ニモ』を参考にしたの？」

「え、うん、その……」

「ミーニー！」

「なんとかしようとしただけじゃない！」

「なんとか、ってもう！　怪物ののどの奥につき落としてあげようか？」

怪物の歯がまた少し近くに見える。

さっきまでは、白っぽい密集した歯が何列もあるように見えただけだったが——。

アルは、キラッと何かが光るのを見のがさなかった。

あれは何？　歯並びを直すために着ける矯正器具？

いや、あれ、武器だ！

神々はこんなところに武器を隠していた。

アルにはもうそれが何かわかった。長剣、斧（おの）、鎚矛（メイス）、それに矢と、弦（つる）を張った弓も、どれも、密集した歯から飛び出して見えている。

「ミニ、武器があった」アルはひと息ついた。「自分の武器を見つけよう！　それがここから出る方法だよ」

「クジラさんを殺すなんてやだ……」

「クジラを殺すわけじゃないって。ちょっとつつけば、逃げられるくらいには口をあけると思う」

ミニは納得してないようだった。

「どれが自分用かって、どうやってわかるの？」

アルは駆けだしながらさんだ。

「どれでもいい！　とにかく一番すぐつかめるやつだよ！」

ミニはあきれ顔をするか、嫌味をいうかしたかもしれない。が、アルはふり返りもせず、武器の真下に立ち、頭上にぶらさがっている巨大な武器までの距離をはかろうとしている。

ジャンプすれば、どれかひとつには届きそうだ。エメラルドの柄（つか）の剣が、アルをさそうように光っている。

空間はどんどんせまくなっている。クジラが口をとじているのだ。

アルは、剣が正解なのかはわからない。魂の親である雷神インドラに由来する武器があるはずだと思っていたが、インドラの稲妻のような形のものは見あたらない。

とりあえず、剣なら……。

「ミニ、下からわたしを押しあげて！」

「ここから出るなんて無理だよ」ミニはめそめそしている。

アルはなんとかバランスをたもちながらよじのぼっていた。あきらめる気はなかった。

クジラの口臭に殺されるために、ふたりしてこんなところまで来たわけではない。そんなことウィキペディアに書かれたら、恥ずかしいなんてもんじゃない。

ミニは両の手のひらを組み、そこに置かれたアルの足を力いっぱい押しあげた。

アルは頭上でゆれている剣の柄に手をのばす。

「あと、少しで――」

突然、熱風が吹きつけて、アルは地面にたたきつけられた。いや、じつは舌だけど、どっちでも同じことだ。

アルはよろよろと立ちあがったが、何度もバランスをくずしては倒れた。

腐った風は、ますます激しくなっている。

「アル！」ミニがさけんだ。

ふりむくと、ミニはもう、よつんばいで地面にしがみつくのがやっとだ。

クジラの圧倒的な肺活量に、ついにミニの足が後ろにはねあがり、体が宙に浮きあがった。

「吸いこまれる！」と、ミニ。

「ミニ、待ってて！」

アルはさけび、ミニのところへ這っていこうとした。

だが、濡れた舌はすべりやすく、氷の上を這って進むようだ。

アルは手をすべらせ、両ひじが舌に沈んだ。

クジラの息が、アルも一緒に吸いこもうとする。

「ミニ、いま行くから！」

アルはかすれる声でさけんだ。

もう武器を手に入れるなんて無理だ……アルは悟った。

後ろでクジラの口が完全にとじようとしている。このままでは真っ暗になる。

「これ以上、つかまってられない！」

「いろいろ考えちゃだめ！」アルがさけぶ。「考えないで、とにかくやるの。ミニならできる！」

「やりたいことが、たくさんあったのに……」ミニが苦しげにいった。「まだすね毛だってそったことがないのに」

「は？　それが人生最大の後悔？」

アルは思いきってさっきのネオンサインを見た。

ネオンサインの謎かけが、チカチカと点滅している。

答えはそのまま　視界にありて

そのまま、か……アルはあたりをできるだけそのままに見たが、役に立ちそうなものはひとつもなかった。

ミニは風にあおられて後ろに引っぱられ、大きなバックパックはすでに背中から浮きあがっている。地面につかまっている両手の関節が白い。

と、いっぽうの手の力がぬけた。

「ごめん」と、ミニ。

ふたりの目が合った。

アルは、自分の姉が、怪物の真っ暗なのどに吸いこまれて落ちていくのを目にした。

姉さん……そう、ただのミニじゃない。わたしたちは姉妹なんだ……アルはそのとき、はっきり自覚した。

一度そう思ってしまうと、もうなかったことにはできなかった。思いが真実になったのだ。

わたしには姉さんがいる、守るべき姉さんが。

これ以上考えているひまはない。アルは思いを行動にうつした。

ポケットの黄金珠をとりだす。

それは手の中で、いつもより少し明るくなっていた。まるで長い眠りから覚めた生き物のように。

アルは黄金珠に、いまこそ力を出してくれと念じた。

と、上から怪物の歯がおりてきた。

さっきの剣の柄が、アルの肩甲骨（けんこうこつ）に押しつけられている。

そのとき、クジラに吸いこまれる直前に宙に浮いたミニの姿が、目に浮かんだ。

アルは、はっとあることを思いつき、釣り糸をイメージした。

とび出していったものは、引っぱりもどせるはず――。

アルの目の前で、光が輪になった。黄金珠からほどけるように生まれた光のロープは、曲線の多い手書き文字のようでもあった。

光はぐんぐんのびてミニの体に巻きつき、怪物ののどの奥からミニを引きあげた。

アルはうれしさのあまり歓声をあげた。

黄金珠は、いきおいよくアルの手にもどってきた。

ただ、もうボールではない。それは稲妻の姿をしていた。

この稲妻を、立ててつっかえ棒のようにできれば、怪物の口がこれ以上とじないようにできそうだ。アルはすぐにとりかかった。

だが、アルがそれを終える前に、ミニが走ってきた。何かさけんでいる。

〝助けてくれたのね。わたしたちずーっと友達だよ〟的な喜びのさけびではない。むしろ〝いまのうちに逃げてー早くー〟的な必死のさけびだ。

ミニはどうかしている。いま助けたばかりなのに……。

そのときだった、アルが何かを感じたのは。

クジラの歯が、アルの頭皮をかすめた。

しかし、アルは動けなかった。

とびのこうとしたとき、紫の光がアルのまわりではじけた。

その光が、かたい透明な球体となってアルをつつんだ。

クジラの歯は、球体に当たってアルを餌食(えじき)にできなかった。

目の前にミニが立っていた。アルと同様に、透明な球にすっぽりおさまっている。

ミニの手には、冥府神ダルマラージャの〈ダンダの杖〉があった。ミニの背と同じくらいの長さになり、紫の光が編みこまれている。

クジラが噛む力を強めると、透明な球体には蜘蛛の巣状にひびが入ったが、防護の力はなんとか持ちこたえた。とうとうクジラは噛む力をゆるめた。

あたりに光があふれた。

と思うと、ふたりをつつんでいた球体は消えた。

後ろで、ネオンサインの謎かけが点滅している。

答えはそのまま　視界にありて

たしかにそのとおりだった。アルの黄金珠は、雷神インドラの稲妻、いわゆる〈金剛杵〉そのものだったのだ。最初からずっと。

それに、ミニのコンパクトもコンパクトなどではなく、冥府神ダルマラージャの〈ダンダの杖〉だったのだ。

どちらの武器も、本当の姿をあらわすべきときを待っていただけだった。

アルは〈天界法廷〉をおとずれたときの（もうずいぶん昔のことに思える……）、天女ウルヴァシーの言葉を思い出していた。

――おまえたちはそれより先にみずからの武器を目覚めさせねばならぬ。まずは〈冥界〉へ行くがよい。

アルとミニがたがいを救おうとしたことで、ふたりの武器は目覚めた。

おそらくさっきふたりがとった行動こそ、神々の武器に対して、それを使いこなすにふさわしい者だと証明するものだったのだ。

「どういたしまして」ミニは息を切らしていった。

アルはまだ自分の手にある稲妻――〈ヴァジュラ〉をながめていたが、少したってようやくミニの言葉の意味を理解した。

「は？　ありがとうっていわせたいの？」アルは腕を組んでいった。「どういたしまして、はこっちのセリフ。助けたのはわたしだし」

「そうだけど、でもそのすぐあとに助けてあげたじゃない。おおむね同時ってこと。まあ、おあいこってことでどう？」

「わかった、おあいこね。でもさ、じゃあ、どっちが先にありがとうっていう？　こっちとしては――」

「先にたたいたもんの勝ち！」ミニがさっと自分の鼻をたたいた。

アルとしたことが、自分の得意技をミニに先にやられてしまった。

アルはにやりと笑い、不思議なくらいミニを誇らしく感じていた。

アルがお返しに、ハイタッチではなく自分のひじをさしだす。

ミニがひじタッチで応じた。

「ありがとう」

「礼にはおよばなくてよ、姉妹（シス）」と、ミニ。

「いまどき、シスなんて、だれもいわないよ」

「じゃあ、わたしたちでまた流行らせようよ！　〝渋かっこいい〟言葉として」

「シスのどのへんが〝渋かっこいい〟んだか……」

「わかった。魂の姉妹（ソウルシスター）ってのはどう？」ミニが提案した。

「えー、やだ」

「じゃあ、これなら……？」

ふたりの言い合いは、長いことつづいた。

第33章

生まれ変わるなら馬？それとも牛？

アルの武器である金剛杵(ヴァジュラ)は、見た目よりずっと重かった。真の姿をあらわすと、もう珠(たま)にはもどりたくないようで、これは問題だった。

だが、アルはついに問題を解決した。あのねばねばしたクジラの舌の上を歩いたあと、〈ヴァジュラ〉をサンダルに変身させてはくことをイメージしたのだ。〈ヴァジュラ〉は、アルのその考えを知って身ぶるいし、いうことを聞いて小さくなった。

ミニは、死をつかさどる〈ダンダの杖(つえ)〉に「死のダンダ(デス＝ダンダ)の頭文字をとってディーディーね！」とあだ名までつけていた。杖をついて歩くので、十二歳というより百二十歳の老婆のようだ。

「わたし、いつか関節を痛めそうな気がするの。それに、ひざはふたつしかない。まあ、人工関節にすることもできるでしょうけど、まったく同じなわけじゃないし。手術は気軽に受けられるようなものじゃないでしょ。失敗の可能性は高いし、死ぬことだってあるよ」

ふたりは無事に怪物の口から出ると、洞窟をとりかこむ石だらけの小道をたどった。洞窟なんかじゃなくて、じつは巨大クジラだったが。

アルは怪物を見あげた。

上のほうは雲におおわれている。岩だと思っていた奇妙な突起は、フジツボにおおわれたヒレのよう。いくすじもの水が怪物のわき腹を流れ落ちていて、だれかが怪物に水をかけつづけているかのようだ。

ミニも怪物を見あげてこういった。

「これティミンガラよね。たぶん、そう」

「それ、何？」と、アル。

「よく物語に出てくる巨大なジンベイザメ」

「ジンベイザメっておとなしい生き物だと思ってた。それに歯もなかったはず。あんな野蛮なやつ見たことない。くさい息で殺そうとするなんてさ」

「きっとそれが役目なのよ。天界の〝守護ジンベイザメ〟ってことでしょ」

ミニは指摘した。

「すべての武器を口の中にしまってるんだよ。それはそれでかわいそうよ。たとえば、この先ずっと歯にポップコーンのかけらが刺さったまま過ごすとしたら、どう？　そんなことになったら、フロスも一日二回じゃ足りないね」

「ミニ、フロスを一日二回もやってるの？」

「もちろん。え、アルはしてないの？」

「えーと……」

「アル、もしかして、フロスを使ってないの？」

アルはフロスどころか、夜に歯みがきを忘れなければましなほうだった。たまに遅刻しそうなときは、歯みがき粉を食べるだけのこともある。正直、家にフロスがあるのかもあやしい。

「もちろん、使うよ」

（何かが歯につまったときならね）

ミニは、アルに疑いのまなざしを向けた。

「フロスを使わなかったら、虫歯になるんだよ。それに虫歯になったら、そのまま菌が鼻の奥まで広がるでしょ、それで目の裏に入りこむでしょ、そして脳に到達するでしょ、それで――」

「死ぬの？　ミニは『死ぬよ』ばっかりだよね。マジでそれでわたしが死んだりしたら、ミニがいつもいってるせいだからね！」

「アルはわたしの姉妹だから心配していうんだよ。これは、アルが死なないための、家族としてのつとめです」

アルはにやけないように気をつけた。ミニから「姉妹だから」といわれるのは、いいものだなあと思った。

「ありがと、でもいまのところだいじょうぶ。とりあえず歯はぜんぶあるし、生きてる。〝死〟対アルの勝負、〝死〟はゼロ点、アルは4点くらいかな」

ミニは、やれやれと首をふって、そのまま歩きつづけた。

〈冥界〉から出る唯一の方法は、次の新しい〝生〟に入ることだとだれでもわかる。つまり、出口は〈転生の池〉にしかないということだ。

ただ、ふたりは転生する必要がない。たしかチトラグプタはそういった。それなら、〈冥界〉を出る方法はほかにもあるはずだ。少なくとも、アルはそう願っていた。

アルはとにかく〈冥界〉から出たかった。

第一に、くさい。

第二に、おなかがすいている。

第三に、行ったことをだれかに自慢できそうもない。だれもがいずれ来る場所とはいえ、行くのを楽しみにするような場所じゃない。ただただ恐ろしいだけだ。

ただし、心のどこかで〈転生の池〉を見るのを楽しみにしているのも事実だ。

〈冥界〉は、次に転生するものをどうやって決めるのだろう。チェックリストみたいなものがあるとか？

——おまえの善行の数は最低ラインをこえているから、次の人生では若ハゲにはならないだろう。

とか、

——ゴキブリ生を楽しめ！　前向きにとらえれば、少なくとも放射能汚染にも耐えられるぞ。

とか？

行ってみるしかない。

アルとミニには、先に行かなくてはならない池がある。〈過去の池〉だ。〈眠れし者〉を倒す方法を教えてくれる、唯一の場所。

道の曲がったところをすぎると、アルとミニは、窓のある広間にたどり着いた。

何千何万もの窓から、これまでなら現実だとは思わなかったような、さまざまな世界が見えていた。

雪の宮殿や砂の宮殿のある世界――。

何列もの目がある海の生き物が、ガラスごしに目くばせをしてくる世界――。

どの場所も、死と関係があった。死は、どの世界にも居場所を確保している。

春を運ぶ風の中にも、眠る鳥の翼の下にも、アルが吸う息の中にも。

これまでアルは、死についてよく考えたことがなかった。知っている人が死んだことは、まだない。だれかの死を悼んだことがないのだ。

そんな日がおとずれたら、アルはきっと悲しみに暮れるだろう。

しかし、いま死の国〈冥界〉を歩きながら、アルはけだるさに似たおだやかさを感じていた。半分眠っていて半分目覚めているような気分だ。

遠くから、機械の音が聞こえてきた。歯車がきしんでこすれ合うような音――。

と、あたりの雰囲気が一変した。壁は、つるつるしたカキ殻の内側のように玉虫色に輝いている。天井からは、螺旋を描く長い紙が何本も、鍾乳石のように垂れさがっている。

「これ、チトラグプタおじさんが保管してる記録だね」

ミニは紙のひとつに手をのばして、読みあげた。

五月十七日、ロナルド・テイラーは北極海へ『海ユニコーン！』とさけんでとびこみイッカクをおどろかせた。謝罪なし。


「それじゃ……人間みんなの、日々の行動をひたすら記録してるの？」

紙はゆっくりまわっている。少しずつのびているのかもしれない。

「たぶんね」と、ミニ。「きっとここから〈転生の池〉は遠くないんじゃないかな。記録はぜんぶここに保管だけしておいて、次の肉体のこととかいろいろ相談するときに、参考にしてるんだと思う」

「イッカクをおどかしたら、どんな目にあうんだろうね。カルマのせいで、おでこのど真ん中に、大きいニキビができちゃったりして。それで一カ月はクラスで〝ブサイクユニコーン〟とか呼ばれるの」

ミニの目が大きくなった。

「待って。わたし、いま鼻の横にニキビがあるんだけど――それじゃ、わたしも何かしちゃったってこと？」

「しちゃったの？」

「……」ミニは顔をしかめて、何かいいかけた。

だが、そのとき、次の場所が見えてきた。

ふたりの足もとは、濡れてつるつるしたものに変わった。

気づくと、あたりは——水たまりだらけだった。

道ばたの水たまりみたいなものもあれば、池と呼べる大きさのものもある。少なくとも五十ほどの大小さまざまな池が、同心円を描くように広がっていた。

どの池も水面（みなも）は静かで、それぞれの空中に大きな香炉（こうろ）が浮かんでいる。

壁は変わらず玉虫色で、その光を反射して輝く水面は、貝殻の中に隠された真珠のように見えた。

アルが池の向こうに目を向けると、ぼんやりとした出口の明かりが見えた。

この場所はなんの音もしない。あたりにはだれもいないようだった。

ただ、不思議なにおいがする。何か……ものほしげなにおいだ。食べたくてたまらなかったアイスクリームをひとなめした直後に道に落としたときのような。

森や〈異界（いかい）〉の業務用スーパーとはちがって——巨大なジンベイザメともちがって——ここにはなんの表示もなかった。それぞれの池がなんのためのものか、だれのためのものかをしめすものがない。

アルは自分の首すじをなでて、顔をしかめた。これはかんたんには見つからないかも。

ミニは、注意深く池と池のあいだを進んだ。

「アル、気をつけてね。すべりやすいからゆっくり行こう。ここ、落ちたらどうなるのかな？」

「一瞬で転生するんじゃない？」

アルは肩をすくめた。

「転生するのが動物だったらどうする？」

「馬になって、ひと儲けかな」

「ふふ、アルっぽい。次の人生も楽しんでね」

「うん、馬っていいよね」

「わたしは牛がいいかな」ミニが背すじをのばしていった。「神の使いとしてみんなに崇められるし」

「生まれ変わるのがインドならね……じゃなければハンバーガーにされるだけだよ」

ミニの顔から笑みが消えた。

「……そんなこと考えてもみなかった」

モォーと牛の鳴き声をまねようとしたとき、アルは足をすべらせた。

濡れたかかとが横すべりして、アルはバランスをとろうと両腕をぐるぐるまわした。

次の瞬間、ベタッとうつぶせに倒れ、目の前の水に、顔が映った。

アルの顔ではなかった。

母さんの顔……。

第34章

〈過去の池〉

秘密というものは、好奇心を刺激し、もろくて壊れやすい。だからこそ、秘密は隠れたままでいたがる。

いっぽう事実というものは、強固でパワーがあり、みずからをあきらかにする。秘密とちがって、だれもが見聞きできるようになっている。だからこそ、深く暗い秘密よりもはるかに恐ろしい場合がある。

アルは、池の中で秘密が壊れて、恐ろしい事実になるのを見た。

秘密　＝〈眠れし者〉は、たしかに母さんを知っていた。

事実　＝〈眠れし者〉は、母さんを知っているだけじゃなかった。

たとえば、アルは郵便配達の人を知っている。十七歳のときクリシュナ・ブルーという神さまっぽい名前に改名しただけなのに、アルのことがよくわかるという顔をしていた。いつもイヤフォンからちょっと気味悪いインド音楽がもれ聞こえた。それに、アルの『オーラの気が弱い』といっては、もっとお茶を飲むようにすすめてきた。

アルは犬のプーちゃんも知っている。夏休みにアルバイトで散歩を引き受けていたプードルだ。アルのスニーカーを盗んだり、ピーナッツバターサンドを地面に埋めたりするのが好きだった。

だが、〈眠れし者〉が母さんを知っているのは、そんなレベルじゃない。

アルが池の中を見ると、母さんの——いまよりずっと若い頃の——記憶が見えた。

母さんは〈眠れし者〉と手をつないで歩いている。川にそってふたりでゆっくりと笑いながら歩き、そして、時々立ちどまっては……キスをした。

そして母さんも愛していた。

〈眠れし者〉はただ母さんを知っていたのではない……愛していたのだ。

池の記憶の母さんは、心から笑ったりほほえんだりしている。アルは、こんな母さんを見たことがなかった。

これが母さん？　アルは夢中で身を乗りだし、水面に鼻がつきそうになったまま見つめた。

……気にするのはやめようと思っても、できなかった。

映像が変わった……あらわれたのは、アルが見たことのない家の戸口に立っている母さん、クリッティカー・シャー博士だ。自分のおなかをなでている。アルが見なれた母さんは、身なりにかまわない研究者という感じで、いつもひじのすり切れたブレザーに、すそのほどけたスカート姿。この映像では、黒いベルベットのサルワール・カミーズを着ている。髪はきれいにカールしていて、きらきらしたティアラまで着けている。

家のドアがあき、年配の男がクリッティカーを見ておどろいた顔をした。

「おお、クリッティカー。これはこれは……」男は一瞬、見とれた。「光の祭典のディーワーリーへ出かける前みたいだな。ほかの姉妹たちは中で待っているぞ」

男の目は、入ろうとしないクリッティカーのおなかのあたりに向いた。

「どうした……何かあったか？」

「ええ」クリッティカーの声は冷たく、ぎこちなかった。

アルが、母さんのおなかの中に何があるのか気づくまでに少し時間がかかった。

自分だ。

「あの人は、みんながいってるような人じゃないの」クリッティカーは涙を流していた。「このままにはしておけないわ。この子が成人するとき、スヨーダナが……まさか……」

「ああ、〈眠れし者〉になるよう運命づけられている」男があとをつづけた。「クリッティカー、しかたないのだ」

「何かほかに手だてがあるはずよ！　あの人は自分に関する予言を知っている。でも自分を見失うことはないと信じているの。この子だって父親を失わずにすむかもしれない。わたしたちはこのまま家族でいられるかもしれないのに」

クリッティカーの最後の言葉は、泣き声になっていた。

「きっとあの人なら……自分の宿命を変えられる」

「宿命はだれにも変えられん」

「父さん、じゃあどうしろっていうの？」

アルは、はっと息をのんだ。この男の人は、自分のおじいちゃんだ……アルが小さい頃に亡くなっていて、よくおぼえていなかった。

　男はしかたがないというように肩をすくめていった。

「選ばねばならんのだよ。子供か、恋人か」

「そんなことできない」

「選ぶのだ。おまえはすでにおのれのつとめを果たし、やつの心を手に入れた。どうすれば〈眠れし者〉を倒せるのか、秘儀についてやつはおまえに話したのだろう？」

　クリッティカーは顔をそむけた。

「あの人はわたしを信じているから教えてくれたの。だから、わたしは絶対にあの人を裏切らない。世界が変わる可能性を信じるわ。宿命は首につなぐ鎖じゃない、飛び立つための翼だって信じてる」

　父親はおだやかに笑った。

「クリッティカー、信じるのは自由だ。おまえはまだ若い。若く、愛らしく、それにかしこい。私の願いは、人生を投げ出さないでほしいということだけだ」

　この言葉に、クリッティカーの目つきはするどくなった。

「自分が正しいと思うことをするのが、人生を投げ出すことだっていうの？」

　父親は真顔になり、クリッティカーをたしなめた。

「どうしてもその道を行くというのなら、おまえの家族も危険にさらすことになる。そしてパンチャカニヤーの存在意義をつぶすことになるんだぞ」

「わたしたちの役目は、この子たちを育てるだけじゃない。きっとほかにもある」クリッティカーは声を落とした。

父親の顔は苦痛にゆがんだ。

「それに、二度とわが家に足をふみいれることができなくなるぞ」

この言葉に母さんは一瞬たじろいだが、それでも顔はあげたままだった。

「とっくの昔に、ここはわたしの家じゃない」

「では、好きにしなさい」

そういって父親は、クリッティカーの鼻先でドアをバタンと閉めた。

映像が急に進んだ。

母さんは病院の検査着を着て、赤ん坊をあやしている。生まれたばかりのアルだ。

そのとなりで、椅子にすわって居眠りしているのは、〈眠れし者〉だ。着ているTシャツには《わたしがパパだ！》と書かれている。ひざには花束が置かれていた。

クリッティカーは、赤ん坊のアルと、うとうとしている〈眠れし者〉を交互にながめている。

それからクリッティカーは顔を天井に向けて、そっとつぶやいた。

「ふたりとも愛しているわ。いつか、わたしのすることをわかってほしい。あなたたちを自由にするために必要なの。わたしたちみんなが自由になるために」

場面が博物館にかわった。いまとはようすがちがう。ゾウの石像はまだ玄関ホールに置かれていない。何もかもが真新しい。博物館の扉には、小さくこんな表示があった。

まもなく開館！　古代インド文化芸術博物館をよろしくお願いします！

クリッティカーは〈神々の間〉を歩いていく。どの像にも白い布がかかっていて、冴えない幽霊でいっぱいのように見えた。クリッティカーは両手で、小さく光るものを運んでいた。ほほには涙が伝っている。

〈神々の間〉の奥で立ちどまる。

そこにはディーヤーが待ちかまえていた。

「ごめんなさい。本当にごめんなさい。こんなことしたくなかった。でもわかって、わたしが秘儀を使ったのは、あなたを滅ぼさずに、守るためなの。あなたを縛っているのはわたしの心よ。あなたへ捧げたのと同じ心。あなたを縛れるものは、金属でも木でも石でもない。かわいても濡れてもいないものだけだから」

そして、クリッティカーは細いリボンのような、輝く何かを手からディーヤーの上に落とした。

アルにはわかった……とらえた〈眠れし者〉をランプに封じこめたのだ。

ほとばしった光は、古びたランプをかこむように照らし、すぐに消えた。

「あなたを滅ぼすのがわたしの役目だった。けれど、できなかった。でも、アルの安全をおびやかすこともできなかったの。きっと解決策を見つけるわ。すべての遺跡を調べ、すべての文献を読む。そしてあなたもアルも自由にする方法を見つける。約束する」

＊　＊　＊

ミニが、腹ばいのアルをぐっと引っぱった。つばを飛ばして何か大声でさけんでいる。

引き起こされたアルは、その場にすわった。

ミニはアルの背中を強くたたいた。

「アル、何かいって！　死んだならそういって！　何か話して！」

アルは肋骨がくだけるかと思ったが、ようやく深い息を吐いた。

「い、生きてるよ」アルはかすれ声でいった。

「よかったあ。心肺蘇生をやらなきゃだめかと思った」

「やり方、知ってるの？」

「え、よく知らないけど、テレビだとすごくかんたんそうでしょ」

「されなくてよかった」アルは弱々しく笑った。

アルは池のほうをふりむいた。

新しく知ったことが多すぎて、まだ混乱している。

かったから。

〈眠れし者〉をとらえたのは、母さんだった。それも憎んでたからじゃなくて、自分の手で殺すことができなかったから。

そうは思えない、〈眠れし者〉は、それをわかっているのだろうか？

そうは思えない、母さんをウソつき呼ばわりしていた……。

だが〈眠れし者〉を責められない。何もできず、十一年もとじこめられて何もできず、だれとも会えずにいたら、心はすさんでしまうはず。

「さっきのは本当？　母さんはどうして、よりによって魔族なんか選んだの？」アルは独り言のようにつぶやいた。

「わたしにも見えてたよ。〈眠れし者〉がアルの、えっと、実家のお父さんって感じ？」

ミニは、冗談めかしていった。

アルはまばたきをした。

〈眠れし者〉が図書館でいっていたことを思い出した。

――わたしとおまえは、家族も同然なんだ。

「アルのお母さんも、どうせつきあうなら、すてきなお医者さんにしておけばよかったのに」

「みんないつも医者とつきあえっていうけど、どうしてだろうね」

「たしかにね」ミニは肩をすくめた。「そういえばうちのお母さんもいつもいってる。学校へ行って、うんと勉強して、それで医学部へ行って、もっともっと勉強して、それですてきな医者と結婚しなさいって」

ふたりはしばらく黙っていた。

何も言葉が出ないなんて、アルには生まれて初めてのことだ。

あんな映像を見せられたあとで、何がいえる？　自分の人生を、まったくちがう角度から見せられた気がした。

ああいうことがあったから、母さんは明るく笑ったことがないの？

愛する人をランプに封じこめて、その人のいない人生をつくり直さなきゃならなかったから？　〈幻想宮殿〉みたいに？　母さんがやったことは〈眠れし者〉のためだけじゃなくて、わたしのためでもあった……。

ミニがアルの肩に手を置いていった。「だいじょうぶ？」

「ぜんぜん」

ミニははっとした。

「アルがウソをいわないなんて。熱でもある？」

ミニはそういって、さっとアルの額に手を当てた。

「わっ！」

「ごめん」ミニはきまり悪そうにいった。「患者への接し方には改善の余地があるね……」

「病人あつかいしないで！」

アルはミニの手をたたき、それからため息をついて、こういった。

「ごめん。ミニのせいじゃないのに」

「いいよ、アル。でも、これからどうするの？　ウルヴァシーさまは〈過去の池〉をのぞけば〈眠れし者〉を倒す方法がわかるっていってたけど……」

「たしかにわかったね。でもすぐに役に立つような話じゃなかった。母さんの言葉を聞いたでしょ。あいつに使った秘儀（ひぎ）は、とらえるためであって、殺すためじゃなかった」

「そうだね、それに殺すにしても、金属や木や石でできたものではだめ。それに、かわいていたり、濡れていたりしてもだめ。アルのお母さんは、自分の心でとらえたっていってたけど、きっと文字どおりの意味じゃなくて比喩（ひゆ）だと思う。どうやったのかは想像もつかないけど、アルは？」

アルは頭がくらくらした。

「ぜんぜん。わかったところで、心で何をするのかな？　心臓を集めてあいつの頭に向かって投げるとか？」

「ほかにどんな方法がある？」

「生ゆでパスタでぶったたくとか？」

ミニはあきれ顔をした。

「アル、動物をけしかけるとか？」

「戦うのはわたしたちだよね。ウルヴァシーはそういってた。それに、あいつは魔族だよ。もし腹ぺこの人食（ひとく）いトラをけしかけたとして、トラがおそうのはあいつじゃなくて、わたしたち、つまり人間のほうだよ」と、アル。

「じゃあ、やっぱり、アルがいったとおり、生ゆでパスタが正解かな」

「パスタの剣なら使えるかも」

「パスタの鎚もあり？」

「パスタのこん棒とか」

「パスタ……パスタの弓？」

「弱そう」

「パスタの稲妻？」ミニが、からかうようにいった。

「待って、稲妻！　稲妻はかわいても濡れてもない――」

「金属でも、石でも、木でもない！」

〈ヴァジュラ〉――いまは黄金珠の姿をとっている――をにぎるアルの指に力が入った。

アルがまたたくと、病室にいる〈眠れし者〉が見えた。《わたしがパパだ！》と書かれたTシャツを着ている。

目頭が熱くなった。アルの父は、人間としての父は、アルをすてたわけではなかった……とじこめられていただけだ。ランプの中に。それもアルの母親の手で。

こんなのめちゃくちゃだ。あいつは家にいて、わたしの父さんでいたかったのに……。

のどがつかえ、目に涙がたまる。

アルは、しゃんとすわり直した。

いや、あいつが昔どうだったかなんて関係ない。いまわかっていることは、ナイトバザールで会った〈眠れし者〉は、母さんの思い出の中にいた人ではなかったということ。いまのあいつは、残忍で冷酷。悪の源だ。

ブーを傷つけ、三つの鍵を持ってこなければアルとミニとその家族も殺すと脅した。そんなやつが父親なものか。

アルは黄金珠の姿の〈ヴァジュラ〉を投げあげ、片手で受けとめた。

「やろう」

そうはいったものの、不安の糸がアルの胸にからみつき、きつくしめつけてきた。

アルとミニは、立ちあがり、黙って池のあいだを歩きだした。

小さい池で、空中の香炉が低いところでは、それにぶつからないように身をかがめながら。

アルは内心で感じていた。ここが〈冥界〉の終わりだと。それは、〝次の生〟の始まりでもある。

あたりには、期待をこめて息をひそめる多くの命の気配があった。

真珠のように輝く壁に映る光は、絶え間なくうつろっている。その色はつねに少しずつ変化し、新しい可能性に輝きつづけていた。そう、まるでふたたび始まる命のように。

アルは大きく息を吸った。

〈冥界〉での仕事はやりとげた。

次の問題は、はたしてここから出られるのか、だ。

第35章

来世はふさふさにしてくれます?

〈冥界〉で得た武器をかついで歩くのは大変だった。

ミニの〈ダンダの杖〉——愛称ディーディーは、コンパクトから大きな杖へ、またコンパクトへと変化をくり返している。杖になったとき、二回ほどアルの目につっこみそうになった。

この武器ふざけてる、とアルは思いはじめていた。

アルの武器の〈ヴァジュラ〉は、稲妻の姿で宙をヒュンと飛んだと思うと、黄金珠の姿になってアルの手に帰ってくる。〝さあ、魔族に投げて！ 遊びたい！〟といっているみたいだ。

「この杖で何ができるのか、まだよくわからないのよね」ミニは杖をやみくもにふってみている。

アルは、それを横目で見ていた。

〈ダンダの杖〉は、死と正義をつかさどる神のものだ。魔族に正当な裁きを受けさせたり、たくさんの魂に罰をあたえたりしてきたはず……それを電池切れのリモコンみたいにあつかってだいじょうぶなのだろうか？

「なんか、ゲームみたいだよね。ひとつクリアすると何かパワーがそなわるとか、次のレベルにアクセスできるとかって感じじゃない？」ミニの感想だ。

「じゃあさ、魔族をひとり倒して、〈異界〉のコストコで買い物して、〈冥界〉を旅して……このゲーム自体のクリアにはあと何が必要なんだろう」と、アル。

「本物の魔物を倒すことじゃない？」

「そっか、そうだよね」

ミニは今度はぎこちなくディーディーをあやしている。

「アル、この武器をくれたってことは〝あの人たち〟はわたしたちを気に入ってるってことだと思う？」

〝あの人たち〟がだれかは聞くまでもない。魂の父である神々たちのことだ。

「〈ダンダの杖〉って、冥府神が一番大事にしてたものなの。どうでもいい相手にほいほいくれるわけないよね？」ミニはディーディーをまたふりまわしている。

「きっと大切に思ってるよ。神さまなりのやり方でね。物語だとさ、冥府神ダルマラージャは犬の姿となって、死ぬまでユディシュティラのそばにいたんだよね。ユディシュティラのほうもその犬と一緒じゃないと天へは行かないっていってさ。それって何かをためすものだったはず。つまり、いいたいのはね、冥府神は魂の父親としてユディシュティラと一緒にいるために犬になったくらいだから、ミニのことだってちょっとは好きだと思うよ」

ミニはにっこりした。「ありがと。アルのそういう考え方、好きよ」

アルは気をよくして髪を肩の後ろに払ったが、これは大失敗だった。おばけクジラのつばにまみれた髪は、結局自分の目にきれいにヒットしたのだ。

「雷神インドラも同じだと思う?」と、ミニ。

アルが〈ヴァジュラ〉を見ると、となりでうれしそうに跳ねている。興奮して何度もうなずいているみたいだ。母親だって遠くから心配してくれるなら、父親がそうじゃないわけない。

少し間をおいて、アルは答えた。

「そうだといいな。母さんがいってたけど、アルジュナに天界の武器の使い方を教えたのはインドラなんだって。インドラはアルジュナの敵の邪魔までしてあげようとしたって」

アルは、学校の図書館に出入り禁止になった母親のことを思い出した。子供のライバルが調べ物をできないように、本の重要なページを破ったのだ。(ちなみに、このとき司書はこの母親を『この本殺し!』とどなりつけた。それでいままでは保護者全員に恐れてられている)。でも、インドラはたぶんこの程度の邪魔ならみとめる気がする。

「今回はさ、一番有名な稲妻の武器をくれたのよね。きっとアルのこと大事に思ってるんだよ」ミニがつけくわえた。

その意見にはアルも笑顔になった。

〈池の広間〉を通りすぎて道を曲がると、その先に騒々しい音をたてる機械があった。

大きなアーチに明るい看板がかかっている。

再建、再注入、再誕生！
――輪廻転生製作所

きっと魂に新しい体と新しい人生を合わせるところなんだ……アルは予想した。

ぜんまいと歯車でせわしなく動く蜘蛛のような生き物が、ふたりを見たとたんさけんだ。

「肉体だ！　不良品の肉体がうろついてるぞ！」

小さくてややドラゴンっぽい生き物が、ふわっとした翼を引きずってせかせかと通りすぎた。こちらはぜんまいじかけではない。体毛は〈冥界〉の扉のところで見張りをしていた犬のようなまだら模様だった。目は暖かみのある金色で、瞳はネコのように細い。

「どうやってここに来たの？」毛の生えたドラゴンが聞いた。「はぐれ魂はここには――」

「ローグ・ソウル？」異様な状況にもかかわらず、アルはうれしそうだ。「バンドの名前にしたら、かっこよさそう！」

「バンドだと？」ぜんまいグモが話に割って入った。「おい、聞いたか、ネガイ。こいつらバンドでつながって団結してんだってよ。オレたち制圧されちまうぜ。おぞましい輪廻転生をさせられる。ああ、ばちが当たったんだ！　肌はオレンジ色のガサガサに、頭は変なカツラにしておけば、元悪魔が政治家に選ばれることなんかないだろうって、やっちゃったからだよ。ぜんぶ、おまえのせい――」

「待って、バンドでつながってなんてないです。ここから出たいだけ。でも、いまのこの体のままがいいんですけど。いいですか？」と、ミニ。

「おまえら何者だ？」

アルはにやりとした。これこそ、ずっと待ちこがれてきた瞬間！　学校で先生が聞く「名前は？」ではない。そう、ついに「何者だ？」と問われて、夢にみた答えを口にするときが来たのだ！　アルはバットマンの声をまねていった。

「おまえの最もひどい悪夢だ……」

しかし、まったく同時に、ミニはこういっていた。

「パーンダヴァです」

ミニはさらにつけ足した。

「ええと、パーンダヴァの魂が、自分たちの中に入ってるというか」とおなかのあたりに手を当てた。

「ミニ、それじゃわたしたちが食べたみたいじゃ――」

「パーンダヴァだって？」ネガイと呼ばれた毛ドラゴンがさえぎった。

毛ドラゴンとぜんまいグモは、おどろいてよろよろとさがった。

毛ドラゴンのネガイは、アルとミニのまわりをまわって、においをかいだ。

「なるほど、そうか」ぜんまいグモがいった。「ヒロインってのはたいてい〈冥界〉じゃ、最悪の悪夢だからな。いつも入りこんでは、鉄くずをふりまわして、あれこれ要求する。なんにしろ行儀が悪いんだ」

「ちょっと！　じゃあヒーローはどうなの。ヒロインと同じくらいここでは悪夢なんじゃないの？」アルがい い返した。

「オレはほめてんだよ！　ヒーローたちときたら要求する根性もない。あいつら、いつも、すねちゃっててさ。魔法の目つけ役が気の毒がってかわりにぜんぶ仕事をやっちまう。なのに手柄は独り占めさ」

「あの……ところでこれが生まれ変わりの仕組みなんですか？　機械じかけなの？」と、ミニ。

「どんな言語にも、生と死がどんな仕組みなのかをちゃんと説明できる言葉がないんだ。一番近いもののひとつは〝サンサーラ〟つまり輪廻転生(りんねてんせい)かな。この言葉は聞いたことある？」と、毛ドラゴンのネガイが聞いた。

「なんとなく。生と死のサイクルみたいなやつ、だよね」と、アル。

「もっとずっと複雑なんだけどね。人は、生きているときの善(よ)いおこないと悪いおこないがその人の〈カルマ〉として記録される。いっぽう肉体のほうは、生きているあいだにすりへりガタがくる。肉体が滅びると、魂はそれを脱ぎすてる。ちょうど服を脱ぎすてるようにね。ゴールはもちろんすべてを捨て去ること。ただ、人によっては何度も何度も人生をくり返すことがある、というわけさ」

「ところで、そもそも、おふたりはどなたなんですか？」ミニが聞いた。

「ボクたちは、ただの肉体を、魂を入れた肉体にするもの。ボクは〝満たされない願い〟と、毛ドラゴンのネガイ。

「願い？　ひょっとして全身をおおってるのは」ミニはずいっと近づいてネガイをじっと見た。「まつ毛？」

「そう、そうだよ！　人はまつ毛がほっぺについてるのを見つけると、小さなそれをにぎりしめ、心の中で願いをかけて吹きとばす。そういう〝口に出さない心からの願い〟は、いつもボクに届いている。その願いのおかげかな、ボクが新しい姿に魂をそそぐとき、そっとやさしくできるのは」

「オレは、トキ」ぜんまいグモは、足を曲げて優雅におじぎをした。「オレは時のあらゆる側面のように、がんこでかんたんには曲がらない。魂の器（うつわ）、つまり肉体を形にするオレの手はきびしいぞ」

「トキって〝時〟？　時間の〝時〟ってこと？」と、アル。

「それならわたしたち、あなたを救おうとしているところよ！　どこかに隠れるとか何かしたほうがいいと思う」ミニが忠告した。

「こりゃまた、おもしろいことをいう子供だな。だが、オレは時間の一部にすぎない。過去の時間だ。そう、あらゆる種類の時間がここで走りまわってるぜ。未来の時間は、目に見えない。現在の時間は、ひとつの形にとどまれない。アメリカの太平洋標準時は、いまはマリブのビーチで泳いでる頃だな。それと、東部標準時は、ウォールストリートで株のブローカーをイラつかせてるとこだと思うね。オレらはぜんぶぐらぐら、ふらふら、まったくもって不安定。おまえさんのいうことが本当なら、オレは救わなきゃならないものの、ほんの一部にすぎない」

アルは、そろそろトキたちをやりすごさなければと思った。

「えっと、それじゃあ、わたしたち、ちょっと急ぐので……」

アルは、トキとネガイの向こう側がしっかり見えなかった。トンネルのように見えるが、視線をそらしたとたんに、見たものを忘れてしまう。見てはいけないものなのかもしれない、とアルは思った。

「まあ、そうあわてなさんな。ここを通りたいなら、対価が必要だ。支払いだ！」トキがいった。

「支払い？」ミニがポケットをたたいていった。「な……何も持ってないです」

アルはかなりむっとしていた。

第一に、だれもバットマンのまねをおもしろがってくれなかった。

第二に、どうして何かするたびに、いちいち通行料とか支払いとかを求められるのか。苦労もおしまずみんなを助けようとしているのに。失礼だ。

アルは両手をにぎりしめていった。

「どうして支払いがいるの？　わたしたちがしてることって、ぜんぶあなたを救うためなんだよ」アルは主張した。

トキは虫の足を伸ばした。

えっ！

トキは想像以上に大きくなれるようで、どんどん大きくなり、アルの博物館の柱ほどになった。

アルはしだいに頭を上に向け、自分を見おろしているのっぺりした顔を見あげた。

「いま、オレの耳には無礼で横柄な物言いが聞こえたが……」

ミニは、アルの前に出てかばおうとした。

「ちがいます！　ぜんぜんちがいます！　言い方が悪かっただけです！　この子はちょっといま具合が悪くて。その、イツモブレイデナマイキ症候群なんです。だから、しかたがないの」

ミニ、いつもありがと。ほんと感謝だよ……アルは内心で毒づいた。

「ともかく、ここを出るなら、自分のものを何か置いていかないとならねえ」ぜんまいグモのトキはゆずらず、さらに大きくなった。待たされてイライラしているのか、カチカチと両前足の先を合わせている。

「残念だけど」毛ドラゴンのネガイが、おっとりと前足をなめながらいった。「規則は規則だよ。もっとも……善いカルマがあれば出ていけるんだけどね、あればの話だけど」

「それって、善いおこないとかのこと？」と、アル。

アルは慎重に一歩さがった。

ミニもそれにならった。

トキは大きく恐ろしげなようすで近づいてくる。カチッカチッと細い足が大理石の床を鳴らす。

「えっと、近所の犬の散歩をしたってのはどうですか？」と、アル。

「わたしは一日二回フロスを使ってます！」と、ミニ。

「証明しろ」トキがいった。

ミニは左右の人さし指を口の両はしにひっかけて、口を広げて見せた。

「こんなほおひ」（こんなふうに、といったつもり）

「それじゃ、わかんねぇ……」

パニックになったミニは、発作的に笑いだした。

アルは、死なないでここから出るには、この二匹と戦うしかないのかと考えた。

ポケットから〈ヴァルジャ〉をとりだそうとすると、指がべつなものにふれた。アルはそれをとりだした。

ツール。チトラグプタがふたりにくれた、カルマを見られるものだ。あのときのことが、もう生まれる前くらい昔のことに感じた。

あちこちさわってみると、これまでにやったささやかな善いおこないが、スクリーンにチラチラと映しだされた。

「待って！」アルはさけんで、ツールをかかげた。「証拠ならある！」

ミニもパックパックを探って、自分のツールをとりだしてかかげた。

「これを見れば、フロスを使ってるのがわかります。誓ってもいい！」

毛ドラゴンのネガイが、パタパタと近づいて、アルのツールをくわえて噛（か）みしめた。ミニのも同じように噛んでから、トキを見あげてこういった。

「真実の音がしてる」

一瞬でトキは小さくなり、アルの目の高さになった。

「よし、行っていいぞ、神々の娘さん方」

もたもたして、これ以上引きとめられてはたまらない。

「よかったです！」ミニは喜びを表現しながら、じりじりとアルに近づいた。

「本当に！　とても……すっごくうれしいです」アルもじりじりじりと動いている。

ネガイとトキにじっと見られたまま、ふたりは出口まであと数センチのところまで来た。

「じゃあ、またね！」

トキは頭をさげた。「いずれかならず」

＊　＊　＊

ふざけて、死んだあとの話をすることがある。そういうときはだいたい「あの光のほうに行っちゃだめ！」などといったりする。

でも、ここには天国っぽい光はなかった。なぜかずっと明るいままだ。

何かが輝いていて、ふたりのまわりは真っ白になっていた。

〈冥界〉の出口を通ったときのことでアルがおぼえているのは、なんともいえない、どうしたらいいいのかわからないような感覚だった。アルは、以前にもこれを経験したことがあるような気がしていた。

それに、どうしてもいやなのに、でも結局はやらなければいけないという感覚もあった。注射のような、必要悪のような。

しかし同時に、少し夢のようでもあった。あとにしてきた場所のことを、あまりよく思い出せないからだった。ある瞬間はたしかにそこにあったのに、次の瞬間にはもうないような。

生と死の狭間のトンネルを一歩進むごとに、アルはなんともいえない感覚におそわれた。記憶にむすびついた感覚で、アルは不思議なことをいくつも思い出した。

たとえば、母さんにあやされ、抱きしめられ、くり返し「愛している」といわれたような感じ。何年も前の、初めてぬけた歯をつまんだような感じ。

アルは、博物館のゾウの鼻にぶらさがっていて落ちて腕を折ったときに、痛みよりおどろきのほうが強かったことも思い出した。ケガをするその瞬間まで、そんな目にあうとは夢にも思っていなかった。

アルは一瞬まぶたをとじた。

それだけで、何百年もたったような気がした。それでいてまったく時間がたっていないような気もする。

次に目をあけたとき、アルはミニとふたりで道の真ん中に立っていた。

二台の車はエンジンがかけっぱなしになっている。ドアもあけっぱなしで、まるで運転手も乗っていた人も大あわてで逃げ出したかのようだ。

数歩先の料金所の中では、テレビのパチパチという音がしている。

ミニがアルを見た。

「今回は駐車場じゃないみたいね」

第36章

ニュースになっちゃった

アルが手を曲げると、〈ヴァジュラ〉は黄金珠（おうごんじゅ）から光る輪に変わって手首におさまった。かなり、かっこいい。残念ながら、これをどう使えばいいのか、まだわからないけど。もちろん、人に向かって投げる以外の使い方のこと。

ミニは〈ダンダの杖（つえ）〉をコンパクトから杖にしようとして、拒否されている。泣きそうな声で「いいかげんにして！」といい、コンパクトを地面に二回もたたきつけた。

アルは、古（いにしえ）の偉大な戦士は、自分の武器に体罰をあたえて思いどおりにさせただろうか、と思った。

ふたりは料金所に入った。テレビはついているがだれもいない。道路を見わたすと、まるでおおぜいの人がふり返りもせず、大あわてでこの場を離れたような感じだ。テレビはニュースを流していた。

「臨時（りんじ）ニュースをお伝えします。空気感染するウイルスが北東部に広がっていますが、専門家は感染経路を追跡し、発生源を南東部のいずれかの地点、おそらくジョージア州もしくはフロリダ州と特定したとのことです。このウイルスについて、ほかに何か情報はあるのでしょうか。オバフェミ博士にうかがいます」

編みこみのブレイズの髪を、頭の上で高くゆった美しい人が、カメラに向かってほほえんだ。

「そうですね、ショーンさん、現時点では感染がどのように広がっているのかわかっておりません。ある地点から地点へと飛びうつっているように見えます。アトランタでも突然の発生が確認されました。それからヒューストン北部の小型ショッピングモールでも報告されています。アイオワ州では、発生源はスーパーマーケットだと考えられています。これは、これまでに発見されたどのウイルスともちがいます。現時点でわかっているのは、被害にあった患者はみな、なんの反応もできなくなっていることだけです。つまり、目覚めたまま寝ているかのようなのです。発見されたときの状態を見ると、ウイルスに不意打ちをかけられて、まるでその場で凍りついたかのようで――」

「なるほどなるほど、それで〝静止病〟とか〝アナ雪症候群〟とかいわれているんですね！」キャスターが笑顔でいった。「恐ろしい事態ですねえ。これは『♪ありの〜ままに〜』というわけにはいきませんね、博士いかがですか？」

博士はむっとし、引きつった笑顔で、「まあ、そうですが」とだけいった。

「ここまで、最新情報をお伝えしました。次は、メリッサの天気予報。その後、テリーの『おたくのネコちゃん太りすぎでは？』のコーナーでーす。チャンネルはそのまま！」

アルはテレビの音を消した。大きくため息をついて自分の手のひらを見る。

サンスクリットの数字が変わっている。今度はくねったような線だが、それでも、アルの目には2のように見える。そうであってほしい。

手をあげて、ミニに見せた。

「これって、あと一日半っていう意味だったりしないよね？」

ミニは、自分の手をじっと見てくちびるを噛んだ。

いわなくていい。

「1だよ」ミニは顔をあげた。「今日が最後」

最後の一日。

アルは、心臓を有刺鉄線で巻かれたような気分だった。母さんのことはわたしとミニにかかってる。ブーのことも。世界中の人たちも。テレビの博士の言葉を思い出して、アルはぞっとした。

――被害にあった患者。

ミニはアルの考えがわかったらしく、手をアルの肩に置いた。

「ハヌマーンさまがいってたことおぼえてる？　少なくとも静止した人たちは、苦しんではいないって」

そうだ。

それにアルは〈眠れし者〉から脅(おど)されたことも、もちろんおぼえている。〈眠れし者〉は、新月に間に合わなければ（あと一日しかない……）、アルたちの大切な人たちは静止どころじゃなくなるといった。そしてきっとブーはつかまったまま永久にかごにとじこめられてしまうだろう——もし、生きていたとすればだが。

ただし、〈眠れし者〉にも読めていないことがある。

1　ふたりは〈冥界（めいかい）〉に入る方法を見つけた。
2　ふたりの武器が目覚めた。

そして、一番重要なこと。

3　ふたりは〈眠れし者〉の倒し方を知っている。

ミニもどうやら同じことを考えているらしく、ため息をついていった。

「あいつと戦う、しかないね」と、ミニ。

以前のような恐怖にちぢみあがった言い方ではなく、気の進まない家の手伝いを役割としてまじめにやろうとしているような言い方だった。〝今日はわたしがゴミ出しするね〟的な。これもまた必要悪だ。

アルはミニに向かってうなずいた。

「でもアル、会うだけなら、あいつの名前を呼んで召喚（しょうかん）すればいいけど、どうやって戦えばいいんだろう。わたしたちの武器は〈ヴァジュラ〉とディーディーだけで、これだってどうやって使えばいいかよくわからないし……」

アルは、テレビが置かれた机を見た。

料金所の係員のものだろう、薄よごれた小さな置物があった。翼を広げたユニコーンと、小さな陶器の熊だ。

それを見てアルはひらめいた。

「よし、助けを呼ぼう」

「ねえアル、聞いて。わたし、アルがそういう言い方をするときっていつも、アルの頭のまわりに光がほとばしったり、すごいドラマチックな音楽が流れたりするのを想像しちゃうんだ」

そのとき、テレビはもう黙っているのをやめたようだった。

ミニがびくっとした。ディーディーがコンパクトから杖に姿を変えたタイミングで、エルビス・プレスリーのコスプレをした人が「ハウンド・ドッグ」の替え歌を歌いだしたからだ。

「♪〜おまえはしょせんぼろぼろのモップ、年がら年中壊れてる」

そして画面はにこやかな女と切りかわった。

「そうじ用具の買いかえをお考えなら――」

アルはブレスレットでテレビにふれた。

スクリーンがジジジジ、ポンッと音をたてた。そして丸ごと燃えつきた。

「あ、浮かんでるのは、もちろんこういう音楽じゃないからね」ミニはディーディーをしっかりとにぎった。

ふたりは料金所を出た。

外はとても寒くて息をすると痛いほどだった。

ここがどこかはわからなくても、ふたりはどこへ行くかはわかっていた。

「あいつを召喚しよう」と、アル。

「こっこっ、ここで？」ミニの声は裏返っていた。

ミニは咳ばらいをして、声を低めていい直した。

「ここで？」

「ちがう」アルは、アルジュナならパーンダヴァの戦士として魔族と対決するとき、どうするかを考えた。

まず計画を立てる……つまり戦略。これこそがアルジュナの得意とするところだ。まわりの状況をよく吟味する。戦いを有利にするために。戦場の選び方もそのひとつだ。

「ひとまず、あいつがいやがりそうなところに行く。油断させるとか、攻撃のすきをうかがう時間をかせぐとか、そういうことができそうな場所」

そこまでいうと、アルの頭にひとつの答えが浮かんだ。

「うちの博物館」

ミニもうなずいた。

「ずっととらわれていた場所よね。そこならいやがりそう。でも、あと一日しかないでしょ。どうやってもどればいいのかな。いつもの〈異界〉のネットワークは使わないほうがいい気がする。アルとばらばらになってたとき、乳海の真ん中の、大釜のある島にひとりで行ったでしょ。あのとき使ったけど、すごく気味の悪いこともあったし」

「ヴァールミーキのマントラは使えなかったの？」アルはまゆをよせた。

「使えたけど、どうにかって感じ。効果じゅうぶんとはいえなかった。とにかく可能なかぎりの助けを集めないといけないね。それに、向こうは軍隊を用意してるはずだから」

アルは〈眠れし者〉の最後の言葉を思い出した。

――わたしが援軍を集めていることを知っておくべきだな。ウソではないぞ。あいつらに会ったら後悔することになる。

アルは身ぶるいした。防御だけでは足りない。自分たちにも援軍がほしい。それについては、机の上のユニコーンと熊の置物が答えをくれた。

アルは両腕を天にかかげた。

天界の動物を呼び出すのに、それが正しい方法かはわからないが、少なくとも、それらしく見えるかと思って。

「神々の乗り物よ！」アルは大声で呼んだ。

そのあとは考えていなかった。できるだけ低い、それらしい声を出すことに気をとられすぎた。

「えーっと……わたしはアルだ（空に向かって自分の名前をさけべっていってたよね）。みんな、わたしがみんなを解放したことをおぼえてる？　必要なときは呼んでいいっていったよね？　いま助けてもらえる？」

か？」

「来なかったらどうするの？」ミニが爪を噛んだ。「来ても、かなり小さいのが一騎だけだったら、ネズミと

「ネズミだってゾウ頭の神さまガネーシャの乗り物だよ。とにかくだいじょうぶだよ」

「そうだけど、でも――」

その先の言葉は、足をふみならす音にかき消された。

空が割れた。

半透明の階段が、雲から一段一段のびながら、アルとミニの目の前までおりてきた。

アルは待った。これだけ……？

だがそのとき、動物園が丸ごと天界からおりてきたような状態になった。

ワニがずしんずしんと階段をおりてくると、つづいて孔雀。トラは吠えながら階段をひとっとびにおりてきた。その次に雄羊と三つ頭のゾウ、巨大な白鳥、そしてレイヨウが優雅にあらわれた。

最後にお待ちかね、七つ頭の馬が階段を駆けおりてきて、アルの前に立った。漆黒の目はまずはアルではなく、ブレスレットの形をとっている〈ヴァジュラ〉を見た。よろしいとばかりにヒヒンと鼻を鳴らす。

「正真正銘インドラの娘でいらっしゃる、たしかに」

水牛がおりてきて、ミニに駆けよった。手にある〈ダンダの杖〉をひと目見て頭をさげた。水牛は冥府神ダルマラージャの乗り物なのだ。

「こちらのパーンダヴァさまは、われが」と、水牛。

「よかった。水牛アレルギーは持ってないと思うよ」

「さあ、偉大なる乗り物たちよ――」

アルは大げさに始めたはいいが、どうつづけていいかわからなくて、しかたなく、さっさと本題に入った。

「あのさ、連れていってほしいところがあるの。それで、できたら一緒に戦ってほしいんだ」

馬は七つすべての頭でうなずいた。

「よろしい、〝真(まこと)の戦い〟をすると誓いましょうぞ。ただし、われらの神々に呼びもどされた場合は、去らねばなりませんが」

「神々も戦いに参加してくれるなら、大歓迎なんだけどな」アルは期待をこめていった。

「ふむ、しかしこれは神々の戦いではありません。雷神インドラの娘と冥府神ダルマラージャの娘よ。必要があれば、神々も助けてくださるかもしれませんが」

「了解」アルはため息をついた。「〝ダメもと〟で聞いてみただけ」

馬はひざまずいた。

アルは、最初のときよりはさっと馬の背中に乗れた。

後ろでは、ミニが水牛にまたがり手綱(たづな)をつかんでいる。長い〈ダンダの杖〉を手になんとかバランスをとっている。

「行き先を告げられよ」馬がいった。

アルとしては、もっとかっこいいかけ声をかけたかったが、これしかいえなかった。

「いざ、古代インド文化芸術博物館へ！」

アルはさけんでから、あわてていい足した。

「アトランタのね、お願いします！」

ひづめや前足や鉤爪（かぎづめ）をふみならす音とともに、天界の乗り物たちは空へ向かって一気に飛び出した。

アルとミニを乗せて。

第37章

突撃！

ミニは、できれば雲の中は通らないでとたのんだ。風邪をひきたくないからだ。

乗り物たちは高度をさげ、地表近くを疾走（しっそう）した。

そしていま、大西洋をものすごい速さでわたっている。七つ頭の馬のひづめは、波をかすめていく。

アルのとなりで、ミニが声をあげた。

「きゃああ、サメだ、サメがいる」

アルが目を向けると、背びれがミニの足首をこすったところだった。

「ちがう。イルカだよ、だいじょうぶ」

本当はサメだった。サメの背びれは、まっすぐ上を向いているが、イルカのは後ろにカーブしている。アルが映画で学んだことだが、ミニには教えないでおこう。

海をこえて進むと、ひっそりと静まりかえった景色が目前にせまってきた。

すべてが静止している……。

アトランタの中心部に近づくと、乗り物たちはビルにぶつからない高さまで上昇した。

アルはビルの輪郭から、ウエスティン・ピーチツリープラザというホテルや、ジョージア・パシフィック・タワーなど、アトランタの名所がわかった。

アルとミニたちは、夕焼けに向かって飛んでいた。

日の暮れかかるこの瞬間ほど美しいアトランタを、アルは見たことがなかった。

すべてが金色に輝いている。どのビルも最上部がとがっていて、夜空に星をとめるピンのようだ。

ふだんなら街を行きかう車も静止している。

だが、アルは動じなかった。

結局、このアトランタにもどってこられたのだから。

ほどなく、アルたちは博物館の入口におりたった。

「うわぁ、すごい」水牛の背からすべりおりたミニがいった。「いいな、ここに住んでるの？」

アルの胸に、誇らしげな気持ちがわきあがった。

自分が住んでいるのはここだ。いまなら堂々とそういえる気がした。

アルはもう、オーガスタス学園の子たちが持っているものをうらやましく思わなかった。プライベートアイランドや大邸宅なんかいらない。ほかのどんな場所にも住みたくない。

ただここで母さんと暮らせればいい。静止の呪いが解けて、しあわせで元気な母さんと暮らせれば。

神々の乗り物の一騎、黄金のトラの爪はおどろくほど長かった。その前足を、博物館の正面の扉(とびら)にかけた。

扉があくと、一行はどっと玄関ホールになだれこんだ。

〈神々の間〉の前まで来ると、さすがにアルの胸はしめつけられた。

何があるかわかって覚悟していれば、目の当たりにしても平気というわけではない。

母さんはあのときのまま、まったく動いていなかった。髪は風にあおられたまま。目はおどろきで見ひらかれたままだ。

それでも以前と同じ母さんには見えなかった。

〈過去の池〉で見た母さんの姿が、アルの頭から離れなかった。母さんは、わたしを守るために多くを犠牲にした……。

アルは駆けよって母さんの腰に抱きついた。

なんとか泣くのはこらえたが、グスッと鼻をすする。

アルは、母さんが〈眠れし者〉にいっていたことを考えた。

――きっと解決策を見つけるわ。すべての遺跡を調べ、すべての文献を読む。そしてあなたもアルも自由にする方法を見つける。約束する。

いつも母さんがあちこち出張に出かけていたのは、アルを愛していたからだった……。

「母さん、わたしも……」

アルはそういうと、母さんからいったん離れ、そでで鼻をふいた。

「アル、ティッシュ使う？　あ……ま、いいか」

気づくと、神々の乗り物が、アルとミニをとりかこんでいた。

見た目はかなり恐ろしげだ。獅子は歯をむき出し、トラはホールのゾウの石像で爪をといでいる。

うわ、それはまずいよ。

「パーンダヴァさま、ご命令を」馬がいった。

命令？　アルは両手をポケットにつっこんで大きくひとつ息をついた。

伝説のアルジュナも、アルのように、人とはちがう目で世界を見ていたはずだ。

どんなに輪廻転生(りんねてんせい)をくり返しても残るものがひとつあるとしたら？

アルジュナからアルへ引き継がれたものがあるとしたら、それは想像力だろう。

いまこそ、それを使うときだ——。

「ミニ、〈ダンダの杖(つえ)〉で人間のような幻影(げんえい)はつくれるかな？」

ミニはうなずいた。「できると思う」

「じゃあ、お願い。ちょっと変わったことをしようと思うんだ……」

＊　＊　＊

三十分後、この世界で太陽だけは静止していないことが証明された。日が沈んでいるのだ。

博物館の中は暗くなり、アルがなんとか〈ヴァジュラ〉を説(と)きふせて、光を吐き出させた。

いまはその明かりがいくつか、博物館の広い空間をただよっている。

神々の乗り物たちは、あちこちで歩いたり遊んだりしている。

ワニは、マカラの石像の横でポーズを決め、にやりとした。まるで〝よう、おまえら！　こっちだ、こっち、こっち見ろよ！〟と声をかけているようだ。

ネコ科の動物は、神々の獣(けもの)でも、箱が大好きだとわかった。黄金のトラは、展示品用の木箱になんとかして大きな体を押しこもうとしている。アルが見ていることに気づくたび、トラは動きを止め、照れたように前足をなめるのだった。

アルはこのトラに感謝していた。静止した母さんをそっと口にくわえて二階のベッドルームに運んでくれたのだ。あそこなら安全だ。

二騎の乗り物が、静止したポピーとアリエルとバートンを保護するために〈神々の間〉に入った。

この日、何度目になるのだろう。アルはまた手のひらを見た。

印はさらに薄くなっている……。

「いよいよ召喚(しょうかん)するよ。準備はいい？」と、アル。

乗り物たちは、物かげに身をひそめた。アルの計画どおりだ。

「いいよ」ミニは〈ダンダの杖〉をかまえている。

アルは博物館のとじた玄関扉を背に立ち、暗闇に向かってさけんだ。

「〈眠れし者〉よ、われら雷神インドラと冥府神ダルマラージャの娘が、おまえをここに召喚する！」

ミニは、効果を高めようと〈ダンダの杖〉で床をたたいた。

ふたりは少し間をおいた。

一分が経過した――。

ミニが肩を落とした。

「そういえば、召喚できたってどうやってわかるの？　合図か何かあるのかな？　地面がまっぷたつに割れて、飛び出してくるとか？」

「ミニ、相手は魔族だよ。モグラじゃないんだから」

「でも、召還の言葉がまちがってて、ひと晩中ここで待つはめになったらどうするの？　合図があるはずだよ。何か――」

かたくとざされていた玄関ホールの扉がいきおいよくあき、バンッと壁をたたいた。

これが映画の悪役登場シーンなら、ついでに大きな雷鳴も聞こえるところだ。

ただこれは現実で、シナリオどおりにならないこともある。

アルは〈眠れし者〉が戸口に立っているんだろうと思った。

しかしちがった。もっとまずい状況だ。

十体以上の魔物が、口もとを血まみれにして、戸口からのぞきこんでいる。

魔物の角は、とぎたてに見える。いっせいにあたりのにおいをかぎ、舌なめずりをしている。

さっき玄関扉に強打されたせいで、玄関ホール全体の壁が、ドミノ倒しのように床に落ちた。

「なるほど、これが合図か」

アルは、ひるまないよう自分にいい聞かせたが、手はふるえ、口はからからだった。

「警告はしたぞ」

〈眠れし者〉が、魔物のあいだから歩み出た。

人のようでいて、やはり人ではない。

その目はもはや、〈過去の池〉の映像で母さんと歩いていたときの丸くて深い色のものではなかった。細くて宝石のように輝いているところは、怒りで細くなったネコの瞳孔のようだ。

〈眠れし者〉が笑うと、下くちびるから牙がのぞいた。

「おかしな場所を選んだものだ。まあ、母親が恋しいお嬢ちゃんらしい選択か。ここにもどれば、このわたしを思いとどまらせることができると思ったのなら、大まちがいだ」

〈眠れし者〉はあざ笑った。

手もとで、小さなかごがゆれた。

見ると、かごの中で鳩がさけび、バタバタしている。

ブーだ！　無事だったんだ！

「ふたりとも何してるんだ！」

アルとミニを目にして、ブーがさけんだ。

「逃げろ！　逃げんか！」

ミニは両足をしっかりふみしめ、ディーディーを野球のバットのように肩にかついだ。

「ああ、神々よ……見ちゃおれん」ブーはかごの中でずっとばたついている。

「〈眠れし者〉！　おまえなんかの好きにはさせない！」ミニが警告した。

「そういうのは、もう飽きあきなんだよ」

〈眠れし者〉はひとつあくびをしてから、片方の手を開いた。

その手から、黒く細い帯が飛び出し、床をくねくねと這って壁に行きわたった。

見おぼえのある、星を埋めこんだような黒……。

アルを絞め殺しかけたあの恐ろしい蛇の色だ。

アルはかわそうとしたが、そのベタベタと張りつく細い帯に、背中をぐっとつかまれた。

アルとミニは、ハエとり紙にとらえられた虫のように壁にたたきつけられた。

動けない……。

落ち着け、アル・シャー。こんなのは想定内だ……アルは自分にいい聞かせた。

実際にアルは、〈眠れし者〉がこうするはずだとふんでいたのだ。

「まだわかってないのか、ちびどもめ。おまえたちなどわたしの敵ではない。たたきのめすなど造作もないのだ。そもそも相手にする価値すらない。うまいこと乗り物どもを自由にできたとでも思っているようだが、そんなもの、その気になれば、すぐにでもかごにもどせるんだからな」

これこれ、この言葉だ……ちびどもめ。相手にする価値すらない。

アルは、無視されたり見くだされたりすることは、かならずしも悪いことではないと思うようになっていた。社会科の授業で、左利きの戦士は有利だったと習った。古代ローマの闘技場で闘った剣闘士のうち、最も多くの勝利をおさめたのは、左利きの剣闘士だという。左利きの剣闘士は、多数派の右利き同士で訓練をしてきた相手の不意をつくことができるのだ。

せいぜいわたしたちの不意打ちを楽しむといい、とアルは思った。

アルとミニは、この戦いにそなえて予行演習をしていた。本番はこれからだ。

アルはミニと目を合わせた。

ミニは青ざめてはいるが、希望に満ちた笑みは消えていない。

アルは、ブーンという不思議なうなりのようなものを感じた。

図書館でふたりが〈眠れし者〉と対峙(たいじ)したときにも、たしかこんな音がした。

戦いの中で、ミニと考えが通じ合っていたときだ。

〈眠れし者〉は、あえてアルとミニの手を縛ったりもしない。なぜか。

やつは、どうせふたりはろくに攻撃できないだろうと思っているのだ。

〈眠れし者〉は、博物館の玄関ホールへ足をふみいれた。

魔物たちは〈眠れし者〉をかこむようにホール全体に広がった。

アルは首すじにかすかな風を感じた。

あと数歩だ……。

やつが前進してくる。

アルが合図を送った。

ミニがうなずいてコンパクトを開くと、わずかに光がもれた。

その光から、アルの母親の幻影があらわれた。〈神々の間〉へ歩いていく。

アルは、母さんはやっぱりきれいだ、と思いながらその姿を見つめた。

〈眠れし者〉は足を止めた。困惑（こんわく）したような顔をしている。

「わたしは、本当のあなたを知っているわ」母さんの幻影が口を開いた。

〈眠れし者〉は、ブーの入ったかごをとり落とし、かごの口があいた。

ブーはさっと飛び出して、アルとミニのもとへ飛んでくると、ふたりを壁に張りつけている黒い帯をつつきはじめた。

アルも力いっぱいもがいて、壁から身を引きはなした。

「……クリッティカーか？」

〈眠れし者〉の声はかすれていた。

「どうやって……？　わたしはまた――」

「話がしたいの」幻影の母さんがいった。

「話だと？　これほどひさしぶりだというのに、話したい、だと？　それですむと思ってるのか」

〈眠れし者〉はさらに前に進んだ。

そして、アルとミニがしかけた罠にふみこんだ。
〈眠れし者〉は、床にチョークで小さな円が描かれていることに気づかなかった。
その円は、ただ玄関ホールの中心をしめしているだけではない。
神々の乗り物たちの攻撃目標でもあった。
黄金のトラが壁からのっそりとあらわれ、鼻面をしかめて低くうなった。
孔雀の羽が威嚇するように光る。
水牛は、前足で床をひっかいている。
七つ頭の馬は、合図を待つようにアルのほうを見た。
〈眠れし者〉は、ぎょっと目を見ひらき、一瞬うろたえた。
間髪を入れず、アルがさけんだ。
「突撃！」

第38章

アル・シャー、おまえはウソつきだ

いままで見てきた中で、アルが一番怖いと思ったのは、自然ドキュメンタリー番組の二頭のライオンが戦っている場面だった。

だが、そんなのはまだかわいいものだった。

魔物たちが神々の乗り物めがけ、博物館内を荒々しく突進してきた。

アルは《展示品にふれないでください》という注意書きに同情した。

とっくに床に落とされ、そのままイノシシ頭の魔族にふみつぶされていた。

黄金のトラは、雄鹿頭（おじかあたま）の魔族ラークシャサのひとりに飛びかかった。

孔雀（くじゃく）が加わり、尾羽を床にさっとすべらせて、すぐとなりにいた魔族アスラの足をなぎ払った。

ブーはアルの頭に飛びのり、感慨深（かんがいぶか）げにいった。

「よくやった。だが、まだ戦い方があらけずりだな。奇襲とはちと、品がないぞ」

だれかの頭（これは文字どおり）が飛んできて、アルは受付の机の下に身を隠した。

「いま、そんなことといってる場合じゃない」

「おっと、そうだったな」と、ブー。

ミニも机の下にもぐりこんできた。

どこもかしこも大混乱だ。

陶器のかけらが部屋中に飛びかっている。

頭も。

神々の乗り物の熊が、口から泡を飛ばしている。

天界の雄羊は、角の一本が不自然な角度に曲がっている。

七つ頭の馬の体は、汗で光っている。

アルは玄関ホールをざっと見わたした。ほぼ全員がここにいる。ひとりをのぞいて……。

〈眠れし者〉がいない。どこへ行ったのだ。

攻撃をしかけたとき、魔物と神々の乗り物がごった返す中に、やつの姿がまぎれてしまった。

「ブー」アルの背後で小さな声がする。

ブーは「どうした？　なんだ？」といってそちらを見ると、さけび声をあげた。

「うわあああ！」

その声にびっくりしてアルとミニは、机に頭をぶつけた。そして目にした。

ふたりの後ろの壁に、〈眠れし者〉の顔が浮かびあがっている。

アルの腕に鳥肌が立った。

〈眠れし者〉は、壁の中を動けるのだろうか？

アルは、じりじりとあとずさった。

〈ヴァジュラ〉を手にしているが、目覚めたこの武器をまだうまく使いこなせず、できるのは、これで何かをたたくことくらいだった。敵に投げようにも、アルの手から離れないのだ。これじゃまるで、やりたいことしかやらない大きなネコだ……。

アルは机の下から這い出ると、床に手をついたままその場を離れた。

と、手がすべって床にひじをぶつけた。

「イタタッ！　うー、ビリビリする」しびれをとろうとアルは腕をふった。

ミニは先に立ちあがり、顔の前でディーディーをふりまわした。

杖の先から紫の光がほとばしった。

が、壁から全身をあらわした〈眠れし者〉によって、光はあっさりと払いのけられた。

ミニのほうは、杖（つえ）から出た光の反動で後ろに倒れそうになった。両腕をまわしてバランスをとろうとしているところに、ラークシャサがつっこんできた。

「ミニ！」アルがさけんだ。

ブーも、混乱のただ中に飛びこんで行った。

ブーに目をつつかれたアスラが、金切り声をあげてよろよろとあとずさる。

アルは上を見た。

玄関ホールの大きくて重いシャンデリアは、ガラスの先がかなりとがっている。地元のガラス職人がつくったもので、母さんお気に入りの品だ。

「おまえはウソつきだよ、アル・シャー」

〈眠れし者〉がゆっくりとアルに近づいてくる。

「おまえは友達にも、家族にもウソをつく。だが、だれよりもおまえ自身にウソをついているのだ。わたしを倒せると思っているなら、大まちがいだ」

アルはひざと手を床についたまま、さらに後ろにさがった。

つるつるの床がすべる。ひとつまちがえれば〈眠れし者〉にこの場でやられてしまう。

「わたしはウソつきじゃない！」

〈眠れし者〉がさらに一歩、アルにつめよった。

アルは〈ヴァジュラ〉の好きにさせることにした。

すると、〈ヴァジュラ〉の先から上に向かって光がほとばしり、シャンデリアの一列をスパッと切った。

アルが転がってその場を離れるのと同時に、〈眠れし者〉は上を見た。

「何を――？」〈眠れし者〉がいいかけた。

「ちょっと想像力をたくましくしたの」アルはにやりと笑った。

シャンデリアが落ちてきた。

〈眠れし者〉がさけび声をあげる間もなく、その上に大量のガラスの破片が降りそそいだ。

「ごめん母さん、シャンデリアだめにしちゃった」

アルはつぶやきながら、ミニのところへもどった。

ミニのまわりには、ミニが倒した魔物やラークシャサたちがうつぶせに倒れていた。

「こいつらは死んでない、残念だがな」ブーがアルの肩に止まった。「だが、もう悪さはできん。問題は、これは〈眠れし者〉軍のごく一部にすぎないということだ」

「ほかはどこにいるの？」

「眠っている」ブーの声には、〝いいか、あいつの名前は、あいつが昼寝が得意だからじゃないんだぞ〟的な響きがあった。

七つ頭の馬は頭をふった。血とつばが壁に飛びちる。

「インドラの娘よ、われらはそう長くここにとどまれませんぞ。しかし、あなたさまの戦いぶりは……」馬は間を入れ、ふさわしい言葉は何か考えているようだ。

「勇敢だった？」と、アル。

馬はヒンと鼻を鳴らした。

「凛々しかった？」これならどうだ。

「ぬけ目がありませんでしたな」ようやく馬は言葉を見つけた。

アルはほっとため息をつき、両手を両ひざにおいた。

いまは〈眠れし者〉も倒れ、あとアルのやるべきことは、〈ヴァジュラ〉でとどめを刺すだけだ。

アルがシャンデリアの残骸のところへもどろうとすると、魔物が一匹おそいかかってきた。

ブーはすばやく動きまわり、魔物の目やおでこに鳩(はと)の落とし物をおしみなく降らせた。

「ウェッ！」魔物はさけんで逃げまわり、頭から壁に激突して気を失った。

「くそ、以前の体であればもっとやれるんだが。まあ、いらだちも、それはそれで力になる」と、ブー。

アルが手をかかげると〈ヴァジュラ〉はムチに姿を変えた。かなり重いムチで、アルは片手で十リットル以上の牛乳を持っているような気分だった。

だが、もうすぐすべてをもとにもどせると思うと、アルの体に力がみなぎった。

アルが〈ヴァジュラ〉のムチをふりおろすと、バリッといやな音がした。

魔物たちが後ろに吹きとび、壁にたたきつけられて粉々に……いや、べちゃべちゃになった。

ねばつく魔物の残りかすのようなものが、壁のペンキについている。

これは気持ち悪い。

シャンデリアの破片がゆれた。

ミニも駆けよってきた。とどめを刺すときだ。

かんたんなはずだった。サクッとすばやく。

しかし、さまざまな予想外の出来事が一度に起こった。

ふたりの周囲では、ごちゃごちゃとこみあっていた空間が一瞬でからになった。

魔物とラークシャサの軍勢は、その時点でほとんどが博物館の玄関ホールの床で〝べちゃっとしたもの〟になっていたが、パフッと煙をあげて消えてしまった。

神々の乗り物たちも「パーンダヴァさまに祝福あらんことを」とあいさつし、翼や前足のせわしない音をたてて姿を消した。それぞれが仕える神々に呼びもどされたのだ。

〈眠れし者〉が、くだけたシャンデリアの下から起きあがった。

ガラスの破片があたり一面に散らばる。

アルは目をぎゅっととじ、〈ヴァジュラ〉をしっかりとにぎって頭上にかかげた。

となりにいるミニの考えを感じた。

――いまよ、ディーディーすぐ動いて！

残念ながら、〈眠れし者〉のほうが速かった。

黒い細い帯が、指先からほとばしる。

ねらいはアルではなく、ミニとブーだった。

ミニとブーは、後ろに飛ばされ、壁にビタッと張りつけられた。

「うっ、アル……」ミニは苦しげに声をふりしぼった。

稲妻の姿の〈ヴァジュラ〉をかかげたアルの手が、止まった。

ミニの声が聞こえた気がして、ミニの考えがアルを止めたようだった。

――攻撃したら、わたしたち殺されちゃう。

稲妻の姿をとった〈ヴァジュラ〉の重さと、目の前にせまった決断の重みで、アルは息を切らしていた。

「おまえの番だ、アル。わたしを滅ぼすのか、それともあいつらを助けるか？」〈眠れし者〉がにやりとする。

アルは立ちつくしていた。何もできない。正解が見つからない。

「シャンデリアは、なかなかいい手だった」

〈眠れし者〉はあごをなでながらいった。

「だが、残念だが、決め手にかけたな。アルンダティー、いいことを教えてやろう。おまえの一族を死なせてしまえ。一族の愛とは力強く、そして恐ろしいものだ。それは、マハーバーラタの物語を見ればわかる。シャクニを見ろ――そう、おまえたちの知るブーのことだ。あいつは姉が盲目の王に無理やり嫁がされ、侮辱されたと思い、おまえたちの先祖となる連中を破滅させると誓った。そして成功した。そういう話はいくらでもある。なあ、おちびさん？　心のままに行動するのは、危険なことなんだ。さあ、ふたりを死なせてしまえ」

「ふたりを自由にして」アルは声をしぼり出した。

「おいおい、もっとかしこいところを見せてくれるかと思ったんだがなあ」

「ふたりを自由にしてっていってるの」

「その稲妻をおろすなら、そうしよう」

アルは〈ヴァジュラ〉をにぎった手をさげた。自分がうらめしかった。

〈眠れし者〉が手首を返すと、壁に張りつけられていたミニとブーは、床にたたき落とされて気を失った。

生きてはいる。

「おまえを見ていると思い出すよ、おちびさん」

〈眠れし者〉はおだやかに話しつづけた。

「情けなんてものはな、人をだますだけだ。封じこめられた十一年の責め苦の中で、自分がどれほどだまされてきたか、あれこれ考えたよ」

〈眠れし者〉は気づかないうちにアルのとなりに立っていた。

「子供には過ぎたおもちゃだな」

あざけるようにそういうと、アルの手から〈ヴァジュラ〉をさっととりあげた。

〈ヴァジュラ〉がやつを焼いてくれればいいのに、とアルは思った。

母さんはどうしてこんなやつを好きになったんだろう？

若く、希望に満ちたクリッティカーは目がくらんでいたのだ。結局のところ、こいつは魔族でしかないのに。

〈眠れし者〉は、アルの腕をつかんで引きずるように玄関ホールを横ぎった。

「わたしがこうなったのは、おまえたちのせいだ。おまえとおまえの母親のせいだ。わたしは宿命からの支配を終わらせたかっただけなのだ。わかるか？」

そのとき初めて、〈眠れし者〉の声がおだやかになった。

「未来は決まっているということが、どれほど残酷なことかわかるか？　何もできずに、ただあやつり人形のようにおのれの役割をこなすだけ。あたえられた才能さえ、自分の自由をさらにうばうだけなのだ。わかるか？」

アルは半分しか聞いていなかった。あせりで感覚がするどくなったのか、手がパジャマのズボンに当たったとき、ポケットにあるものに気づいた。

〈幻想宮殿〉のタイルだ。

――ワタクシの最も大事な役目、〝庇護〟をご用意いたしましょう。おふたりをお守りします。

「おまえたちの死は、ただの命の終わりではない、ひとつの時代の終わりだ」

〈眠れし者〉の目は、らんらんと輝いている。

「おまえも、おまえのきょうだいたちも、人生をくり返す呪いから解放される。これはおまえのためなんだ。何せ、おまえの母親には、おまえを自由にする覚悟がなかったんだからな」

〈眠れし者〉はそういって鼻で笑った。

「おあいにくさま」アルは〈眠れし者〉の手から自分の腕をふりほどいた。「いますぐ死にたいなんて気分じゃないんだよね」

アルは〈幻想宮殿〉のタイルの小さなかけらをポケットからとりだし、床に投げた。

と、激しい風が吹き、〈眠れし者〉を吹きとばした。

アルは満足げに目をつむり、ひと息つく。

タイルが、自分のポケットにもどるのを感じた。

〈幻想宮殿〉のタイルのかけらは小さく、〈眠りし者〉の気をそらすことができたのはほんの一瞬だったが、それでじゅうぶんだった。

〈眠れし者〉は、〈ヴァジュラ〉から手を離した。

アルが手をあげると、稲妻の形をとった〈ヴァジュラ〉は手のひらにパシッとおさまった。

アルはその手をさしだした。心は決まっている。あとは実行あるのみ。

〈眠れし者〉は腕をあげ、光を避けようとしているようだった。

「待て、アル――おまえは自分が何をしているかわかってないんだ」

アルはまだ十二歳だ。自分のしていることの半分くらいはわかってない、ってことくらいは、わかっている。

でも、いまはちがう。アルはわかってやっていた。

「おまえは呪われているんだ。わたしはおまえを助けようとしてるだけなんだぞ」

呪い……。

稲妻を投げようとしたとき、アルの目の前に何かの映像が映しだされた。

それは、成長したアルだった。背がのびている。

夜ふけの戦場で、アルの向かいに立ちはだかる四人の少女が見えた――。

ほかのパーンダヴァの姉妹だ……。

どうしてそう思ったかはわからないが、ほかに考えようがなかった。

五人のパーンダヴァ姉妹全員がそろっている。

全員が武器をふりかざしていた。ミニまで。

ミニも成長していた。その顔には、激しい憎しみが浮かんでいる。

憎しみの向かう先は……アルだ。

「見たか？」

〈眠れし者〉の声がした。

「おまえは英雄になるような運命ではないのだ」

第39章

ウソつきはどっちだ

映像が消えた。

アルはいま見せられたものを、どうしても頭からふり払えなかった。

自分はほかの姉妹たちから憎(にく)まれるような、何かひどいことをしたのだろうか？　どうして戦場にいたんだろう？　いったい何があった？

「おまえは、自分にいくらかでも神性があることを〝祝福〟だと思っているんだろう。いいや、ちがう。それは〝呪い〟だ」

「ウソだ」と、アル。

そういったものの、〈ヴァジュラ〉をにぎる手の力はゆるんでいた。

目をとじると、姉妹の四人全員が、自分に対峙(たいじ)している姿が浮かんだ。アルは拒絶(きょぜつ)され、みんなに見すてられている。

どこへ行くの？

なぜ行くの？

アルは突然、吐き気におそわれた。これまで何度となくあったことを思い出していた。

ベッドからとびおきて窓に駆けよると、母さんが空港へ出発するところで、週末のシッター役のシェリリンが気の毒そうな笑顔で、アイスでも食べに行こう、とさそってくれたこと。

びくびくしながら学校へ行き、ひと言でも、わずかな身ぶりでさえまちがわないように気をつけていた日々。

それは、すべてを失わないためだった。友達、人気、そして居場所を。

玄関ホールに放たれていた〈ヴァジュラ〉の光が弱まった。

ミニとブーはまだ気を失っている。

いまはアルと〈眠れし者〉だけだ。

「わたしを殺すがいい。そしてずっとそのことと向き合って生きるんだな」

〈眠れし者〉はあざけるようにそういった。

「おまえは、わたしこそが敵だと思っている。だが、そもそも言葉の意味をわかっているか？　敵とはなんだ？　悪とはなんだ？　アル、おまえは自分が思うよりずっとわたしに似ている。内なる自分をもっとよく見ろ。わたしを傷つければ、おまえがいままで大切にしてきたすべてを失うことになる」

マハーバーラタの物語では、パーンダヴァ兄弟は一族同士で壮大(そうだい)な戦いをくりひろげた。それでも、兄弟同士で対立することはなかった。

だが、〈眠れし者〉が見せた映像はちがっていた。

敵対していたのは姉妹だった……。

アルのほほを涙が伝っていた。いつから泣いているのか、自分でもわからなかった。

わかるのは、自分がいま考えていることだけだった。

〈眠れし者〉がこのまま、やつ自身の言葉でのどをつまらせればいいのに……。

だが、やつの言葉はつづいた。

「アルよ、おまえが一番かわいそうだな。自分をヒーローだと思っているんだろう。世界中に笑われているのがわからないか？　おまえなんかが、ヒーローになる運命なわけがない。おまえはわたしに似ているんだよ。悪の衣をまとったヒーローだ。わたしのもとへ来なさい。ふたりで宿命と闘えばいい。一緒に宿命をぶちこわそう」

〈眠れし者〉がアルに向かって歩いてくる。

アルは、〈ヴァジュラ〉をいま少し高くかかげた。

〈眠れし者〉が立ちどまる。

「母親はおまえになんの関心もないだろう？　ランプの中にいたって、そのくらいわかる。こちらへおいで……わたしならおまえを置き去りになどしないぞ。アルよ、ふたりで組もう。父さんと娘で」

父さんと娘。

アルは〈過去の池〉で見た母さんの顔を思い出した。三人で家族になろうと話していたこと。宿命に逆らおうとする夫の考えを、自分の父親に訴えていたこと……。

母さんは十一年間、愛する人をとじこめてきた。心を引き裂かれた状態で生きてきたんだ。

十一年間。

それは、アルを心の底から大切に思っていたからこそだったのだ。

「わたしを殺せば、おまえの姉妹や一族はおまえを憎むようになる。おまえは決して英雄にはならない。ヒーローにならないと決まってるんだよ」

ヒーロー……そのひと言で、アルは顔をあげた。

思い出したのだ。ミニとブーを。母さんを。この九日間に自分がなしとげた、とうてい信じられないことのすべてを。

たしかに、ランプに火をつけたのはヒーローにあるまじきことだった。

けれど、それ以外のことは？　大切な人たちのために戦うことや、自分の失敗をとり返そうと手をつくすことは？　それこそがヒーローらしいふるまいだ。

アルの手の中で、〈ヴァジュラ〉が稲妻から槍へと姿を変えた。

「ヒーローなら、もうなってるよ。ヒーローじゃなくてヒロインだけど」

そして、アルは槍を投げた。

だが、槍が手を離れたとたん、疑いがアルの体を駆けぬけた。

姉妹たちが自分と対峙している姿が目に浮かぶ。

自分がどんな悪いことをしたのかもわからないまま、憎まれることの情けなさ……。

暗い思いが、アルの体を這いのぼった。

〈眠れし者〉のいってることが本当だったら？　指にちくっと痛みを感じた。

稲妻の槍は、空を切り、弾丸のように自転しながら、〈眠れし者〉に飛んでいく。

〈眠れし者〉が目を見ひらき、さけぼうと口を開くのが見えた。

だが、次の瞬間、すべてが変わった。アルの心に芽ばえた小さなトゲほどの疑いが、すべてを変えてしまったのだ。

稲妻は〈眠れし者〉に当たる寸前で静止した。まるで、かすかにもれ出たアルの不安をかぎとったかのようだった。

〈眠れし者〉は、稲妻が自分の胸からわずか数センチのところで止まったのを見て、アルに向かって満足げに笑った。

「おお、アル、アルよ」

やつはあざけるようにいった。アルがランプに火をともしたときと同じ声で。

──おまえはいったい何をやらかしたんだ？

「〈ヴァジュラ〉！　どうして！」アルは呼びかけた。

「いずれ、おまえもわたしのように考える日が来る。そのときはいつでも歓迎するぞ、わが娘よ」

「〈ヴァジュラ〉、そいつを攻撃しろってば！」アルはさけんだ。

しかし、もうどうにもならなかった。槍からアルが目をそらすと──。

〈眠れし者〉は消えていた。

第40章

失敗と呪い

アルはテスト前に追いこまれて、一日何も食べなかったことがあった。歴史の年号を暗記しようと必死だった。テストの終わりのベルが鳴ったとき、立ちあがりざまにふらふらと後ろに倒れた。

あれはひどい日だった。

だが、今日はもっとひどい。

魔法は力をあたえてくれるものだと思っていた。けれどちがった。何かをよせつけないようにするのがせいぜいだった。蜂(はち)に刺されたとき、腫(は)れ止めクリームは効くけれど、蜂よけにはならない。同じようなものだ。魔法は解決にはならない。

すべての魔法が玄関ホールから消えたいま、アルはぐったりしていた。猛烈な空腹と疲労を感じて、アルは床にすわりこんだ。

〈ヴァジュラ〉は飛んで手にもどってきた。もう槍でも稲妻でもなく、いつものただのボールだった。子供が遊ぶ安全なおもちゃ、魔族の目にとまらない、ただのおもちゃだ。

アルはぞっとした。何が起こったのだろう？

床の〈眠れし者〉が消えた場所を見つめた。

まさにあそこにいたのに……。

あのとき、アルは稲妻をにぎってかまえていた。すべては準備したとおりだった。

何もかも作戦どおりだった。

にもかかわらず、なぜか……失敗した。

〈眠れし者〉がアルを生かしておいたのは、あわれみでもなんでもなかった。いずれアルが自分のもとにやってくるとふんだからなのだ。

涙がアルのほほに流れた。旅をして、すべてをやりとおしたあげくに、失敗したのだ。

もう、母さんは永遠に静止したままで、それから――。

肩をたたかれ、アルはとびあがった。

ミニが弱々しく笑っていた。顔にはいくつも切り傷があり、片方の目には痣（あざ）がある。

ブーはミニの手を飛び出し、アルの前で羽ばたいた。

アルは、ブーにしかられるのを待った。あれが悪かった、これがまちがっていたといわれたい。ベストをつくしたのになお力がおよばなかったと思い知るより、ずっとましだ。

でも、ブーはどならなかった。鳩（はと）独特のおかしな角度に首をかしげて、アルが思いもよらないことをいった。

「失敗することは、本当の失敗じゃない」

アルは声をあげて泣きだした。

ブーのいっている意味はわかった。転んでもまた立ちあがるなら、マラソンだってまだ勝ち目はある……でも、いまはそんなふうに思えない。

ミニがとなりにすわって、アルの肩に腕をまわした。

アルにとって友達とは、食べ物を分け合ったり、秘密を守ったり、授業の教室を移動しながら冗談をいい合って笑ったりするものだった。だが一番の友達というのは、何もいわずにただとなりにいてくれる人であったりする。それでじゅうぶんなのだ。

ブーは博物館内を巡回した。

すると、壊れて粉々になったもの、ほこりやがれきが、はねたりのたくったりしてもとどおりになった。

〈神々の間(ま)〉の正面の壁は、床から起きあがった。

玄関ホールのシャンデリアも、クリスタルガラスの破片が集まってもとの形にもどり、天井のもとの位置におさまった。

博物館の正面の扉(とびら)は、前の道路までふっ飛んでいた。

アルがそっと外を見ると、なつかしい、なんともいい音が聞こえた。

車のクラクション。タイヤがアスファルトできしむ音。人が大声で文句をいい合っている。

「日食なの？　どうして夜になってるの？」

「車のバッテリーがあがっちゃってる！」

アルは信じられなかった。

ミニがアルの後ろからそっと声をかけた。

「ね？　まったくの失敗ってわけじゃなかったみたいよ」

ふたりが博物館の中にもどると、玄関扉が飛んできて、もとの位置におさまった。

アルはすっかり疲れはてて、扉にもたれかかった。

「いったい、何がどうなってるの？」

ブーが飛んできて、ふたりの前におりたった。

「〈眠れし者〉が新月までに〈冥界〉に入らなければ、〈時の静止〉の呪いは完了しないのだ」

「でも、やつを倒せなかった……」と、アル。

「だが、おまえさんたちはやつの気をそらし、なんとか時間をかせいだ」

ブーはおだやかにいった。

「しかも、おれぬきで、だぞ。つまり、率直にいって、あっぱれだよ」

「〈守護神評議会〉はどうかな？　わたしたちのやったこと、みとめてくれるかな」と、ミニ。

「そういえば。パーンダヴァとしての訓練をしてくれるっていってたけど……最後の最後で、わたしが……」

アルはそこで言葉を切った。頭にこびりついた「失敗」という言葉を口にしたくなかった。

「その……やつを逃がしちゃったけど」

「それ、あの呪いのせいじゃないかな。おぼえてる？」ミニが静かにいった。

〈忘却の橋〉でシュクラはいった。

——わが呪いを受けるがいい。ここぞというときに、おまえも記憶を失う。

これがあの呪いのせいなのだろうか。

たしかに、アルは思い出せなかった。〈眠れし者〉が姿を消した瞬間に、自分が何を感じていたか……でも、ただ思い出したくないだけなのかもしれない。

「そうかな」アルの声は弱々しかった。

「でも、もし呪いが効いていたとしても、あいつを止めたのはアルだよ」ミニがいった。

止めたのはやつ自身だということを、アルはあえていわなかった。

しかも、アルがいつかやつの仲間に加わると思われたから殺されなかったなんて……。

やつの仲間になるなんて、何万年たとうが、ありえない。

「そのうえ、〝時の終わり〟を阻止したんだもの。これ以上のことってある？」

アルははっと背すじをのばした。

「母さん！　そうだ——」

階段の上で、扉があいて、とじる音がした。

それから階段を駆けおりる足音——。

ふり返るまでもなく、この場に母さんがいる、とアルはわかった。ぬくもりが体に満ちてくる。

母さんの髪のにおい……いつものように夜咲きのジャスミンを思い出した。

アルがふり返ると、母さんがこちらを見ていた。アルだけを。
母さんは両腕を広げた。
アルは一生忘れないだろうと思いながら、母さんの胸にとびこんだ。

第41章

これでおあいこ

ブーとミニとアルはキッチンですわっていた。

後ろで母さんがココアを入れながら、ミニの両親と電話で話している。母さんはアルのそばを通るたびに、アルの頭にキスをしてくれた。

「まだ目覚めないのかな？」と、アル。

ポピーとバートン、それにアリエルはいまだに動きださない。おそらく火がともされたときにランプのすぐそばにいたので、もとにもどるのがほかの人より少し遅くなるのだろう、とブーは見立てていた。

「あと二十分、ようすを見よう」ブーはいった。「心配いらん。だいじょうぶだ。それに何もおぼえておらんだろうしな。それはさておき、訓練のことだが、〈守護神評議会（しゅごしんひょうぎかい）〉はもちろんおまえたちを訓練したいだろうな。結果的におまえたちがパーンダヴァだとはっきりしたしな。それに戦いはまだ終わっておらん。〈眠れし者〉は援軍をふやすだろう。それはこちらも同じことだ」

ミニは沈んだ顔でいった。

「訓練……学校の授業のほかにだよね？　いつもの課外活動に影響しない？」

「なんかヘンなの。『教室をそうじしなさい、そうしたらもっと宿題を出してあげる』みたいな感じ」アルがいった。

「恩知らずのガキどもめ！」

ブーは不満げに咳ばらいをひとつした。

「百年に一度の誉れだぞ！　いや実際のところ何百年に一度だ！」

「それはいいけど、ブーも一緒だよね？」

その言葉に、ブーは翼が床につくほど深く頭をさげた。

「パーンダヴァたちよ、おふたりを訓練できるならば光栄だ」

そういってブーは頭をあげたが、ふたりと目を合わせなかった。

「かつてのおれを知ってなお、指導させてくれるのか？」

アルとミニは顔を見あわせた。

パーンダヴァの絆にたよるまでもなく、たがいの考えていることがわかった。

アルは、母さんの秘密の中で見た〈眠れし者〉の姿を思い出した。あのやさしげな瞳の男は、自分が悪に堕ちるとは思っていなかった。

それから、ブーの過去のことを思った。かつてシャクニは邪悪な人間で、復讐に燃えていた。そのせいで呪われることとなった。

だが、呪いがつねにひどいこととはかぎらないのかもしれない。ブーは、アルとミニの命を二度も救ってくれた。おそらくブーは、完全な悪でも完全な善でもない。ブーはたんに……人間なのだ。まあ、鳩だけど。

「人は変わる、だもんね」と、アル。

アルの思いすごしかもしれないが、ブーの目がやけにきらきらして、涙ぐんでいるように見えた。

ブーはくちばしで羽づくろいをした。鳩によくある灰色の羽に埋もれて、一枚だけ金色の羽根があった。ブーはそれをぬいて、ふたりにさしだした。

「これを、誓いの証しとして」ブーが重々しい声でいった。

「誓い？　証し？　ええっ、それってプロポーズの指輪をわたすみたいなの？」と、ミニ。

「な、何をいう！」

アルはひとしきり笑って、息をつまらせながらいった。

「指輪だけなら、もらってあげてもいいよ、ブーはいらなーい」

「誓いの証しだ、婚約指輪などではない。まったくふざけおって」ブーは完全にうんざりしていた。「つまり約束だ――それも本気のな。そう忠誠だよ。えーゴホン。われ、正統なるパーンダヴァの一族へ忠誠をつくすことをここに誓う」

ミニとアルは顔を見あわせた。

次はどうすればいいのだろう？

ミニは〈ダンダの杖〉をブーの肩に当てて、女王が騎士に、その位を授けるときのまねをした。

「面をあげよ、これより——」

だが、ブーはフンといってさえぎり、博物館のどこかへ飛んでいった。

アルはにやにやしすぎてほほが痛かった。

ふと、扉の左の窓から外を見た。まだ夜になりきってはいなかったが、星が次々と空にまたたきはじめていた。

いつもなら、星はこんなにはっきりとは見えない。スモッグや街の明かりに邪魔されるからだ。だが今夜の星は近く、明るくきらめいている。

そのとき、稲妻が空を走り、つづいて大きな雷鳴がドンッと響いた。

ミニはおどろいてとびあがったが、アルは拍手してほめてもらったように感じた。雷神インドラが、アルを見ていてくれたのだ。

「何もかもがちがってきたと思わない？」ミニは、右側の窓から外をながめている。

「でも、まだ終わってないよね。〈眠れし者〉はいつかもどってくる」

「うん、みんなでそなえておかないとね」アルは気合を入れた。

わたしもそなえておくから、とアルは思った。

＊　＊　＊

一時間後、ミニはバックパックを背負った。

〈ダンダの杖〉は紫色のコンパクトの姿をとったので、それをポケットにしまっている。

「送っていったほうがいいかしら？」アルの母さんが聞いた。

ゾウの石像がまた床にひざをついて鼻をあげ、口を開いてミニの帰り道をしめしていた。

かすかな魔法の痕跡が空中にただよう。

「だいじょうぶです。ありがとうございます。おばさん」と、ミニ。

アメリカではふつう、会ったばかりの人を「おばさん」と呼んだりはしない（ミニの場合、アルの母さんのことはいまではよく知っているけれど）。

だがアルもミニも、親戚の集まりではそうするように育てられた。インドでは友達の親はみんな「おばさん」や「おじさん」だから。

「そちらのお母さんとは、すぐまたお話しするわね。その……ひさしぶりに」

「知ってます」と、ミニ。

真っ赤になって、あわててつけくわえる。

「いえ、その、知ってるといっても、一番深くて暗い秘密を見てしまったとか、そういう意味じゃないんです」

ようやくすべてを聞いたばかりのブーが、クックーと鳴いた。あきらかにこういう意味だ。

——ボロを出す前に黙れ！

ミニはアルに腕をまわして、最後に一度しっかりハグをした。

「アル、とりあえず、またね。すぐ会おうね」

そうして、ミニはゾウの扉を通って帰っていった。

ブーはミニにさけんだ。

「家についたら水分補給を忘れるなよ！　パーンダヴァといえば水分補給だ！」

ブーは、ゾウの鼻先に止まって母さんに話しかけた。鳩は床から話しかけてもぜんぜん威圧感がないから。

そもそもしゃべる鳩は、おごそかでりっぱな感じにはなりようがないけど。

「クリッティカー。少し話さないか」ブーがおだやかにいった。

母さんはため息をついて、うなずいた。

母さんは、アルの肩にまわしていた腕をはずした。

急に肌寒く感じる。

母さんはアルの顔を上に向けて、おでこの髪を整えた。離れがたいようすで、しばらくアルの顔を見つめている。まるで、これまでゆっくり見られなかった分をとり返そうとしているようだった。

「聞きたいことがたくさんあるわよね。教えるわ。ぜんぶちゃんとね。でも、まずはそうね、ブーと話し合ってくるから」

「母さん、ブーを家に置いてもいい？」

「おれは道ばたにすてられた子犬じゃないぞ！」鳩は怒った。

「かっこいい鳥かご、探しに行く？」

「ぎゅううってハグしてあげるよ、名前はジョージ――」

「おれは、偉大な力を持つ魔術師――」

「あとは、一番やわらかい枕も用意しとく」

ブーは首をかしげて、その条件について考えた。

「何？　枕といったか？　ほう、それは昼寝によさそ――」

「やった！」と、アル。

アルは反対される前に、母さんに向かってダメ押しした。

「ありがとう、母さん！」

アルは〈神々の間〉に向かって駆けだした。

母さんと残りの世界がもとにもどったんだから、こっちもそろそろ……。

アルは明かりのスイッチを入れた。

ランプが入っていたガラスケースの残骸のそばに、バートンとポピーとアリエルが身をよせ合って立っていた。

三人ともきょろきょろとあたりを見まわして、とまどっている。粉々のガラスを見て、それから窓に目を向けた。

アリエルがけげんな顔でいった。

「ねえ……ここに来たのってお昼すぎだったわよね？」

ポピーが最初にアルに気づいた。

三人は、アルを見て少し安心したようだ。

「そっか、ほーら、やっぱりウソつきだ」ポピーが得意顔でいった。「本当のことをみとめたくないからって、ランプまで壊したんだ。ほんとあんたって〝痛い子〟だよね」

「ウソなんてついてないよ。ランプはちゃんと呪われてた。玄関ホールで古（いにしえ）の魔族と戦って、いまちょうどもどってきたところ」アルはこともなげにいった。

バートンは携帯を持ちあげた。録画中の赤いライトが点滅しはじめた。バートンは自信満々にこういった。

「いまの、もう一回いってみろよ」

「いいよ」アルは前に出た。「わたしはウソをついた。そういうときもある。想像力がたくましいからね。でも、大事なことでウソはつかないようにしてる。それで、これは本当のこと。さっき、わたしは三人の命を救った。そのために〈冥界（めいかい）〉まで行ってもどってきたんだから」

「アル、『だれか助けて！』っていっちゃえば？」と、アリエル。

「学校中にこれ拡散するの楽しみだなあ」と、バートン。

「ふーん、証拠を見せるよ」アルがいった。

ポケットにチトラグプタにもらったペンがあった。それを使って空中にメッセージを書いた。

ピンチ！　助けて、おじさん

すぐに、ポケットの中でチクンとする感じがあった。とりだしてみると、見おぼえのない紙きれだ。アルはさっとそれを読んで、笑いをこらえた。

「まだ録画してる？」アルは聞いた。

「もちろん」と、バートン。

三人はクスクス笑っている。

「じゃあいくよ」

アルは紙きれのメモを読みあげた——。

「九月二十八日。ポピー・ロペスはガルシア先生の教室へ行き、野球のバットを持っている人が先生の車に向かっていると伝えた。先生があわてて出ていくと、キャビネットからぬき打ちテストの問題をとりだし、携帯で写真を撮った。ポピーのテストの結果はAだった」

ポピーの顔から血の気がひいた。

「十月二日火曜日、バートン・プレイターは自分の鼻くそを食べ、それからアリエルに床に落としたチョコチップクッキーをあげた。手は洗っていなかった。もちろんクッキーも」

アルは顔をしかめ、紙きれから目をあげてバートンを見た。

「これ、マジ？　だったらきたないよね。感染症ってそうやって広がるんだよ」

アリエルは吐きそうな顔をしてバートンにいった。

「ちょっと……ほんとなの？」

「えー、きのう、アリエルは母親の最初の結婚指輪をこっそりはめていたが、休み時間に紛失。母親にはハウスキーパーが持ってるのを見たといった」

アリエルは赤面した。

アルは、チトラグプタがくれた紙きれをたたんだ。

それからバートンの携帯の赤いランプを指で軽くたたいて聞いた。

「ぜんぶ撮った？」

「ど、どう……どうやって――」ポピーは言葉をつまらせた。

「いろいろコネがあってね」アルはこういうシーンを一度、演じてみたかったのだ。

黒い革張りの大きなひじかけ椅子にすわって、見た目がちょっと変なネコをひざにのせ、まだ火をつけてない葉巻を指にはさんでいたかった。ふりむきざまに「勝負するか？」といいたかった。

まあ今回はバートンに向かって肩をすくめるだけにしておこう。

「それ、まだ学校中に拡散したい？」

バートンは携帯の画面をスクロールして動画を消去した。

「これでおあいこだよね」取引成立とばかりに、アルは紙を三人にわたした。

三人はアルを見つめた。

アルはにっこり笑う。

「もう行こうよ」ポピーがいった。

「じゃあ、またな――」バートンがいいかけて、ポピーにたたかれた。

「バカ、何、ごますってんの」

三人がいなくなると、アルのポケットに新しいメモが入っていた。

> こういうのは最初で最後だよ！　いたずらっ子め。
> それと〈幻想宮殿(げんそうきゅうでん)〉からの伝言だ。
> 「お元気ですか？　愛をこめて」とのこと。

アルは、ふふっと笑った。

「元気だよ。〈宮殿〉も元気？」

気のせいかもしれないが、アルはポケットの中の〈宮殿〉のタイルが、かすかに温かくなったように感じた。

第42章

転校生

六時間目終了のベルが鳴ったとき、アルはうれしくて席からとびあがりそうになった。

喜んでいるのはアルだけではない。ついに冬休みが始まるのだ。

アトランタの冬はただ寒いだけで雪も積もらないが、街はクリスマス一色だ。一年で一番いい時期だ。店や家々は、豆電球や紙でつくった雪の結晶で飾られている。

クリスマスソングは十一月からくり返しかかっているが、まだ聞きあきてうんざりにはなっていない。

そのうえ今日は化学の授業で重曹(じゅうそう)と水から〝雪もどき〟をつくったので、みんなの机は小さな雪だるまでいっぱいだった。

アルは自分の荷物をまとめはじめた。

実習でペアを組んだアリエルは、まだアルを少し警戒(けいかい)していて、「あんた魔女とかじゃないわよね？」といいたげな愛想笑いを浮かべた。

「それで……クリスマスはどこに行くの？」と、アリエル。

いつもどおり、アルはウソをつく。でも今回は、ちがう理由からだ。

「どこにも。そっちは？」

「モルディヴ。プライベートアイランドにある別荘を借りたから」

「楽しんできてね」

こういわれたアリエルは、ちょっとおどろいた顔をした。それから、さっきよりは少し本物っぽい笑顔になった。

「ありがと。あ、ところで、うちの親が新年のパーティーを街のフォックスシアターで開く予定なの。招待状が行ってるかどうかわからないけど、もしよかったら、お母さんと一緒にどうかな」

「ありがとう！」今度はウソはない。「でも、家族の予定があるから」

アルはいままで「家族の予定」なんていったことはなかった。いい響きだ。おそらくこの先も、いいあきることはなさそうだ。

「そう、じゃあ楽しんで」

「うん、そっちも、いい冬休みを！」

アルは笑顔でそういって、バックパックを肩にかけて寒さの中にふみだした。

同級生のほとんどが自家用ジェットだの運転手つきの車だのをめざす中、アルは〈異界(いかい)〉での訓練に向かった。

毎週月、木、金に三時間ずつ、アルとミニは猿神ハヌマーンから戦術を、天女ウルヴァシーから踊りと礼儀作法を、ブーから伝説と民俗学を学んでいた。

来週からはさらにべつな先生も来る予定で、〈異界〉で訓練中のほかの子供たちと合流するらしい（神々の子孫はひとりもいないようだけど）。

「ほかの子供たちって、わたしたちみたいな？」ミニが聞いた。

「ふふ、コストコで見た蛇の男の子が来たりしてね」と、アル。

「きっと……あっちはおぼえてないよ」

「ミニったらあのとき柱にぶつかってたじゃん。そうかんたんに忘れないと思うけどね」

照れたミニは、ディーディーでアルの頭をバシッとたたいた。

ほかの生徒と合流する前に、アルとミニにしっかり基本を身につけさせて授業についていけるようにしておいてほしいと、ほかの生徒の親たちがいってきた。

ブーがいうには、アルたちがいま受けているのは、「神々の落ちこぼれ用の補習授業」だそうだ。ひどい。

アルは踊りの授業はそれほど好きではないが、ウルヴァシーはこういっていた。

「アルジュナは、一年間男としての機能を失っていたことがあるのだが、そのときすばらしい踊りの指導者となった。それでアルジュナは戦場での優美な動きにいっそうみがきをかけたのだ。ところでアルジュナが機能を失ったのは、ほかならぬ、わたくしのかけた呪いなのだよ」

アルは先週の水曜に聞いてみた。

「いつになったら、ぶんなぐったり蹴ったりみたいなのをやるの？」

アルの言葉を聞いた〈ヴァジュラ〉は、そのときは稲妻ではなく光るペンになっていたのだが、いつもより明るく輝いた。

ブーがにらんだ。「こら、暴力的なことにとびつくものじゃないぞ」

アルはいま帰り道を歩きながら、ミニの直近のメッセージを思い出している。

いまだに携帯電話を持っていないので、メールのやりとりはできないが、かわりにゾウの石像が役に立っている。

けさ、ゾウの口の中を確認すると、ミニからの短いメモが届いていた。

> 今日の訓練、行けないかも。
> 九十九パーセント、腺ペストにかかった気がする。
> (きのうネズミを見たの)

アルの思い出し笑いは、あっという間に消えた。

数歩先を転校生の男子が歩いている……。

エイデン・アーチャーリヤは、先週オーガスタス学園に転入してきたばかりだった。

冬休みの直前とは、ずいぶんおかしなタイミングだ。

だが、学校一のうわさ好き（ポピー）によると、アーチャーリヤの家は、〝オーガスタス学園にふさわしい〟（大金持ち）らしい。エイデンはすぐ学校に慣れてしまった。見た目からして……まあ、そうだろう。

アルは最近まで、どんな男子がかっこいいかなんて考えたこともなかった。

基本条件は、ロバのいななき並みにうるさくないとか、きたないスニーカーのにおいはしないということで、クラスの半分は脱落だ。

いっぽうエイデンは、えくぼがあり、髪は黒い巻き毛。それにいいにおいがする。石けんや制汗剤のにおいではなく、洗いたての服のにおいだった。それと瞳の色がとても濃くて、目を縁どるまつ毛も長かった。

アルはまだエイデンとは話したことがない。何を話せばいいのだろう？

アルが知っていることといえば、エイデンが母親と引っ越してきて、博物館の真向かいにある大きな家に住んでいることとくらいだ。

きのう、エイデンの母親とアルの母親が道で会って、おしゃべりしたばかりだった。インド系の人たちにはよくあることだ（もしかしてインドの方？　うちもですの！　いつも○○はどうしてらっしゃいます？）。

きのうはエイデンも母親と一緒にいた。

エイデンは、アルが博物館の窓から自分たちを見ていたことに気づいたようだった。

アルはとっさに（はな水が垂れてないかもたしかめて）とっておきの笑顔をつくったが、その瞬間、自分が頭に金属製の角を二本着けていることを思い出した。ブーに、家にいるあいだはいつも着けておけといわれたのだ。

――魔族との戦いで兜が必要だったらどうするんだ？　首もきたえておけよ！

見られてあせったアルは、キッチンへ駆けこみ、冷蔵庫に顔からつっこんでしまった。

アルはそのまま一時間、キッチンの床に倒れていた。

アルはいまでも、首をきたえろといったブーを絞め殺してやりたかった。

きのう、角を着けている姿をエイデンに見られたかもと思うと、アルは恥ずかしくて、歩きながらも両目をぎゅっととじていた。

鼻が何かにぶつかった。エイデンのバックパックだ。

アルは顔をあげた。

エイデンは顔をさげた。

エイデンはアルより少なくとも三十センチは背が高い。午後の日ざしで、エイデンの肌は黄金色に見えた。

「やあ」エイデンがいった。

アルは口を開いた。そしてとじた。

（ちょっと、アル。あんたはあの〈冥界〉まで行ってもどってきたんだよ。話すくらい何を――）

エイデンはにっこり笑ってこういった。

「どこかで会わなかった？」

「んが……」どこから出たのかと思うほど低い、テレビの天気予報のおじさんみたいな声だった。こぶしで自分ののどをたたくと、咳が出た。

（ほら、何かいわなくちゃ！）

頭に浮かんだのは『調子はどう！』だった。それは絶対正解じゃない！　ドラマの『フレンズ』にはまった
せいでおぼえちゃったやつだ。

アルはほほえんだ。それからやっとこういった。

「あ、どこに引っ越してきたか知ってるよ」

エイデンはアルを見つめた。

アルもエイデンを見つめた。

「え、なんて？」と、エイデン。

「な……な……なんでもない、じゃあね」

アルはこれまでこんなに速く家まで走ったことはなかった。

第43章

それ以上いわないで！

「いくらなんでも、それはないよね……」ミニがいった。

このセリフはもうこれで五回目だ。

「ミニ、また同じことといったら──」

天女ウルヴァシーの笑い声に、アルは口をつぐんだ。

金曜日の最初の授業は、ウルヴァシーの古典舞踊（いまはバラタナティヤムという踊りを練習中）と礼儀作法だ。訓練所に着いたアルがあまりに動揺していたので、何があったのかとウルヴァシーに問いただされたのだ。

アルがエイデンと会ったときのことを話しおえると、ウルヴァシーは大笑いして、うっかり雷雨を呼んでしまった。

ナイトバザールの店主が何人か、ウルヴァシーに苦情をいいに来た。

在庫のレインコート（こっちの世界では雨を降らせるコートのこと）が台なしになったらしい。

だがウルヴァシーがほほえんで「何か問題でも？」といったとたん、みんな苦情も忘れ、夢見心地といった顔で帰っていった。

ウルヴァシーは、猿神ハヌマーンとブーを呼びつけて、アルに同じ話をくり返させた。

ハヌマーンは笑わなかったが、口もとはひくついていた。

ブーは爆笑し、なんとかそこから立ち直ろうとしている。

「おお、思い出した。アルジュナはもっとずっと……」ウルヴァシーがいいかけた。

「人当たりがよかったか？」ブーがつづけた。

「モテた、かの？」ハヌマーンが高らかにいった。

「やっぱり美形？」ミニがそれとなくいった。

「ミニ！」アルが抗議した。

「ごめん」ミニは赤くなった。

「まあ、おれたちの頃は、気に入った者がいれば、さっとかかえて連れていったもんだがな。話なんかするよりずっと効率的だろ」と、ブー。

「それは誘拐っていうんだよ」と、ミニ。

「昔はそれがロマンチックって思われてたんだよ」

「それでも誘拐は誘拐です」

ハヌマーンが手をたたいた。「よおし、パーンダヴァよ。戦術の時間だ」

パーンダヴァ。この言葉を聞くと、アルはいまだに落ち着かなかった。

とくに、自分とミニだけではないことを知っているからよけいだ。

〈眠れし者〉はまだ自由の身で、危険が高まれば、ほかのパーンダヴァも目覚めることになる。アルは幻影でほかのパーンダヴァを垣間見ていた。

全員少女だった……みんな、どこにいるのだろう？

アルはため息をついて、足首から踊りの鈴をはずし、ウルヴァシーに返した。

ウルヴァシーはアルの頭をやさしくなでた。

「まあそう気にやむでない。わたくしの教えが終われば、おまえも笑顔で男どもを倒せるようになる」

アルはあの少年を倒したいわけではなかった。強いていえば、話してみたい。

どうして何もかもうまくいかないのだろう？

アルとミニがウルヴァシーのレッスンを終えてスタジオをあとにすると、ナイトバザール・ダンススタジオは営業終了だ。ウルヴァシーはここ以外の場所ではレッスンをしたくないらしい。

――わたくしのイメージを壊しとうない。それにほかの者の影でよごれた床などに足を置きとうない。

というわけでナイトバザールでは週に三回、空が開く。天女ウルヴァシーが博物館サイズの天界の青い蓮の花に乗っておりてくるのだ。アルとミニがレッスンを終えると、蓮の花びらがウルヴァシーをおおい、天にのぼっていく。

ハヌマーンの授業は、もっとずっと荒っぽかった。

「こっちだ」猿顔の半神は、ふたりの前をとびはねながら進んだ。

アルとミニは、とぼとぼとついていくしかない。

ハヌマーンはナイトバザールの地形を使うのが好きだった。今日ふたりは〈夢のフルーツ〉の果樹園の近くに連れてこられた。いまは、銀色に光る羽根のアーチ道の下にいた。

「このアーチ道はチャコーラ鳥の羽根でできておってな。そう、別名〈月の鳥〉だ。〈月の鳥〉の羽根は引きぬくと明るく輝くのだが、その光は一瞬で消えてしまう。しかし羽根が自然にぬけ落ちるのを待てば、その光は永遠につづくのだよ」

なるほど、それでこのアーチ道の羽根はいつまでも輝いているんだ……。

アーチ道の向こうは、切り立って歩きにくい地形だった。

ふたりが深い谷底をのぞきこむと、大きな川が流れていた。はるか下の対岸に、輝く王冠（おうかん）が宙（ちゅう）に浮いている。

「では、パーンダヴァよ！」

ハヌマーンはごうごうと流れる川の音より大きな声でいった。

ミニの顔から血の気がひいた。

アルは、ミニが高所恐怖症なのを思い出した。いまここに雲のスリッパがあったとしても、ミニははきたがらないだろう。

「あの王冠をとりもどすことが任務（にんむ）だとしよう。おぬしたちならどうするかね？」

「ほかに道を探す？」と、ミニ。

「あっちの岸をだまして、こっちに王冠を持ってこさせるとか」アルがいってみた。

ハヌマーンはまゆをしかめた。

「いいか、つねに一番シンプルな方法を選べ。おぬしはどうもな……かんたんなことを複雑にしたがるくせがあるのう」

「たんに、溺れたくないだけです」

ミニも力強くうなずいている。

「われもかつて似たようなことをやったものだ。そのときはな、ある島にわたるために海に橋をかけた。友人たちを手伝いに呼んでな。みなで岩を集めて海に投げ入れ、それをわたったんだ」

「友達はいません」と、アル。

「ちょっとお！」ミニが怒った。

「ミニのほかには、ってこと」

「では姿を変えるのはどうかね？　周囲の状況を自分に合わせるより、自分を周囲に合わせるのがよいと、つねに頭に入れておきなさい」

「え、でも……わたしたち変身できません」ミニがいった。

「しっぽを使わんか！」ハヌマーンのしっぽが、肩の上にくるりと乗っかった。

「しっぽはありません」ミニはハヌマーンに見えるようにおしりをつきだした。

「こりゃ失礼」ハヌマーンのしっぽが、くたっとなった。

そのとき、警報が鳴った。

ハヌマーンがはっと緊張する。先ほどまでは人間サイズだったが、警報の音とともにぐんぐん大きくなり、ハヌマーンはいつのまにか、アルとミニをつまみあげて手のひらに立たせていた。

「吐きそう」高所恐怖症のミニは、しゃがみこんだ。

「うわぁ」アルはうれしげな声をあげた。

一瞬、自分がどこにいるかわからなくなったが、見おろすと、ナイトバザールが一望できた。何千もの街が連なっているように見える。入場を待つ列は、雲のかなたまでつづいている。

入口のセキュリティーゲートでは、牛頭のラークシャサが亀の甲羅を持つラークシャサと交代している。宝石のように輝く〈季節法廷〉も見える。

警報がもう一度、鳴り響いた。

昼と夜の色に分かれていた空が、黒一色になった。

「何かが盗まれたな……」ハヌマーンはあたりのにおいをかいだ。「おぬしたちはすぐ家へ帰れ。月曜までには知らせを出す」

「待って、何が盗まれたんですか？」と、アル。ハヌマーンの手のふちから首をのばして逃げる泥棒を探そうとしている。

だれが何を盗まれたにしても、いい気はしないが、ともかく今日が人生最悪の日になるのは、エイデンとうまくあいさつできなかったアルだけではないようだ。

「神々すら恐れるものが盗まれたようだ」ハヌマーンは暗い声で答えた。

巨大化したハヌマーンは、たった三歩でナイトバザールをつっ切り、アルとミニを、ゾウの彫刻の扉のそばにおろした。これはふたり専用の扉で、訓練が始まるとすぐにふたりの母親が用意したものだ。

「気をつけて帰れよ」ハヌマーンは、アルとミニの頭を、大きな小指の先でそっとたたき（それでもふたりはつぶれそうだった）、大股でどこかへ去っていった。

「とりあえず、自由時間ってことかな？」と、ミニ。

「そうだね……」

まさか、自由時間のかわりにまた何か支払えっていわれたりしないよね？

第44章

オオカミの正体は?

ミニは、アルの家に遊びに来て、二階のベッドでごろごろしていた。

今日は土曜日、盗難さわぎでナイトバザールが大混乱におちいった日の翌日だ。

アルは一時間おきにゾウの口をのぞきに行っているが、猿神ハヌマーンからは、まだなんの知らせもない。

ブーはいらだっていた。近所のネコが後ろからしのびよって尾羽根を二本盗んだことをまだ怒っている。

アルは、ブーがすごい剣幕でそのネコをおいかけまわしているのを目撃した。

——おれさまはなあ！　万能なる王なんだぞ！　その栄誉をコケにしやがって！

ブーは、しっぽに食いついたりエサ入れを隠したり、仕返しらしきことをしたのに、まだ気がおさまっていない。

「アル、今晩うちに来ない？　お父さんがパンシットをつくってくれるって！　フィリピンのビーフン料理だよ、わたしの大好物なの」ミニはうれしそうだ。

アルは行きたかったが、母さんが明日からまた発掘調査に行ってしまう。

母さんとアルの父親のあいだに何があったのか、母さんはまだちゃんと話してくれていなかった。アルに何かをいおうとしては肩を落としている。

少なくともアルに何か伝えようとしている。それはうれしかった。

母さんが出かけてしまうのはあいかわらずいやだが、いまは母さんもアルも、以前よりがんばって、ふたりで過ごす時間を楽しもうとしていた。

「毎日電話するわ。それに、シェリリンも来てくれるから」母さんは約束した。「出張はアルのためにも必要なことなの。わかってくれるわね」

「うん、わかってる」

これは本当だ。母さんは探せばきっとどこかにあると、かたくなに信じているのだ。〈眠れし者〉を完全に倒すための、古の何かが。

「あいつが母さんを追ってくる可能性もあるよね？」アルは聞いた。

「だいじょうぶよ。アル、心配してくれてありがとう」母さんはそういったが、ため息をついた。

「あの人は、わたしにだけは会いたくないはずよ」

探しつづけることがとても大切なのだと、アルはわかっていた。

アルはいまなら理解できた。母さんはただ博物館に展示する遺物を手に入れようとしていたのではなく、自分たちの未来も手に入れようとしていたのだと。

母さんは答えを探している……それと自分の失敗をとりもどす方法を。

そういうことはわかっていても、ミニの家で、ミニが親に世話を焼かれ甘やかされて、夜はいつも寝かしつけてもらっているのを目にするのは、やっぱりつらい。

愛し方は人によってちがう。

ブーが、アルの足に止まった。

「おい、ぼさっとしとらんで叙事詩か戦術書でも読んだらどうだ？　もっと訓練に精を出さんか！」

「あのね、今日は土曜だよ」

「〈眠れし者〉は去ったが、倒されたわけではない。やつが何をたくらんでいるかわからんだろう？」ブーがいった。

ミニは〈ダンダの杖〉でブーをつついて笑っている。

羽をくしゃくしゃにされたブーは、怒ったフクロウのような声でいった。

「やめんか、この悪ガキ！」

ブーは羽をつくろい、ときおりもったいぶってくちばしを休めては、ふたりをにらみつけた。

「いいか、やつが〈眠れし者〉と呼ばれるのには理由がある。やつに動きがあるにしても、まだだいぶ先かもしれん。それだけ隠れるのがうまいんだ。しかし、かならず動きはあるだろう。その前に気をつけないといけないのは、ほかの魔族連中だな。いままで出くわしたやつらより、もっと凶悪で危険なやつらが腕だめしに来るだろう」

「もう、せっかくのんびりしてるのに、そんな話するんだから……」ミニがぼそっといった。

アルは自分の肩をさすった。きのうの訓練の筋肉痛だ。ハヌマーンは別れぎわに頭を軽くなぜたつもりだろうが、首のすじがおかしい。

「人間らしいこともさせてよ。土曜なんだよ！」アルは文句をいった。

「まじめに考えろ、いつ何が起こるかわからないんだぞ！　そうなったら遊んでるひまなどない」

「まじめに考えて、ま、す！　伝説だってパーンダヴァ兄弟は、半分は宴で半分が戦いだったでしょ。伝統を守ってるだけ」

アルはふり返ってミニにいった。

「今日はそっちに行けないけど、明日は？　トウィズラーのグミかトゥイックスのチョコ持っていこうか？」

「トウィズラーがいい」と、ミニ。

「本当に、恩知らずの――」ブーがいいかけた。

ブーお決まりの演説だ。このところしょっちゅういわれるから、アルはほぼ暗記した。

――恩知らずのガキどもめ！　おまえたちがどんなことにうつつをぬかしているかを知ったら、おまえたちを選んだ神々まで恥ずかしくなってしまうだろうが！

ちょうどそのとき、博物館の外で動物の吠え声がした。

ミニはは っととびおきた。

「いまの聞いた？」

ふたりは窓に駆けよった。

ブーも飛びあがってついてきた。

十二月なので、窓のかけ金には霜が張っている。

窓をあけると、アルは身を乗りだして通りを見わたした。

歩道では、巨大なオオカミが落ち着かないようすで行ったり来たりしていた。口に何かをくわえている。黄金の弓矢のようだ。

通りがかりの人は、だれもオオカミを気にとめていない。

アルは弓矢を見て、いやな予感がした。みずから光っているところは、まるでディーディーや〈ヴァジュラ〉だ。天界の武器なのだろうか？

「あのー、大きなオオカミさん！」ミニが呼びかける。

「ねえ、気づいているのはわたしたちだけみたい。どうしてだろう。下に行ったほうがよさそうだね」と、アル。

〈ヴァジュラ〉がアルの手にとびこんで、ナイフと剣と弓に次々と姿を変えた。

けれど、どれも使えない……まだ訓練していない。

「オオカミがくわえているのって、いったい、なんなのかな？」と、ミニ。

ふたりの目の前で、オオカミは姿を変えた。

青い光がほとばしり、雷（かみなり）のように宙（ちゅう）を走った。

次の瞬間、そこに少女が立っていた。クラスのどの男子よりも背が高いが、十二歳くらいに見える。ハシバミ色の目、日に焼けた肌、茶色く長い髪。

　少女は弓矢をしっかりとにぎりしめた。

「これ、まずい状況よね」と、ミニ。

　その子は立ちどまり、あたりのにおいをかいでいるようだ。

　探しているのは……もしかして、アルとミニ？

　何かの音に、少女はびくっとして、青い鳥に姿を変えた。くちばしで弓矢をくわえて飛んでいく。

　アルたちが一階におりると、ゾウの石像が警報を鳴らしていた。

〈異界〉からの、助けを求める合図。

　アルは、みんなが探している盗まれたものは、さっきの黄金の弓矢なのではないかと思った。

「どうしてほかの人たちには見えてなかったのかな」と、ミニ。

　アルにもわからなかった。

　通りの向こうに目をやると、だれかが窓辺に立っているのが見えた。エイデンだ。おどろいた顔をしているので、さっきの〝オオカミ少女鳥〟を目撃したにちがいない。

　しかし、それはそれでおかしい……。

　なぜエイデンに〈異界〉にかかわるものが見えたの？

　アルはまゆをひそめて窓を閉め、カーテンをおろした。

「これはまた、見物だな」ブーがクックと笑っている。

「ブー、何がそんなにおもしろいのよ」と、ミニ。

「あの子、どこかに行っちゃったけど、このままじゃだめだよね。いったいだれなの？　ブー、知ってるんでしょ」アルも聞いた。

「あれは、おまえたちの姉妹だろうが」

アルが目を丸くした。

「は？」

アルとミニは同時にいった。

「でも、でも……獣（けもの）だったよ！」ミニはひるんでいる。

「うん、どう見ても獣だったね」アルのほうは、なんだかうらやましそうだ。

「それに、持ってた武器、きっと盗まれたものよね。まさかあの子、泥棒なの？」と、ミニ。

「まあ落ち着け。よくいうだろう、家族は選べんと」ブーがいった。

ミニは、扉（とびら）の枠（わく）に頭を打ちつけながら、なげいている。

「そんなあ、使命がやっと終わったばかりなのに……」

アルは、ミニの後ろの窓から、だれもいなくなった歩道と、冬の日ざしを見た。

世界は、ほぼクリスマスの雰囲気（ふんいき）のままだ。

空気は冷たく、霜がおりそうだ。

しかし、それだけではなかった……アルは、血管の中を歌うように魔力が流れるのを感じた。

ミニはとなりで、集中しようと自分の髪を引っぱっている。

ディーディーは、ミニの気分に合わせるかのように、とびはねて踊り、くるっとまわって紫のコンパクトから、またたくまに堂々とした杖(つえ)になった。

〈ヴァジュラ〉は、じっと何かを待ちかまえている。このところあまりボールにはならず、細い黄金のブレスレットとしてアルの手首にあるほうを好んでいる。

ブーは、天井近くまで舞いあがって、得意げにさけんでいる。

「おれが忠告したとおりだろうが！　だから家でも訓練しとけといったんだ。悪者ってのは、こっちの都合などおかまいなしだからな！」

知らず知らずのうちに、アルは笑っていた。

わたしはアル・シャー。

パーンダヴァの生まれ変わり。雷神インドラの娘だ。

そばには大切な友達と、ややとち狂った鳩(はと)がいる。

いつも導いてくれる〈異界〉の知識がある。

次に何が来ようと対処できる。

「何考えてるの、アル？」ミニが聞いた。

アルは手首の〈ヴァジュラ〉をトントンとつついた。

ブレスレットは稲妻の姿をとり、床から天井までの長さにのびた。

「そろそろ戦いのおたけびを検討してもいい頃かなって思ってるとこ」

「じゃあ、こんなのは？〝いざ！　われを殺すな、うおおおおー〟」と、ミニ。

アルはあきれた顔をした。

やっぱり、次に何が来ようと対処できる、なんて百パーセントいいきることはできない。それでもまあ自信はある。

これまでよりは、ずっとうまくやれるはず。


（一巻終わり）

ロシャニーのインド用語案内

こんにちは、著者のロシャニー・チョクシーです。
この用語案内は、インド神話や伝説の微妙なちがいを知るためのものではありません。インドはとてつもなく広く、その神話や伝説は地方によって多種多様です。ここに書いたことは、わたしが聞いた話や調べたことに基づくもので、インドの神話や伝説のほんの一部です。神話のすごいところは、いろいろな地域の多くの伝統を受けいれてしまう「ふところの深さ」です。
この用語案内で、アルやミニが受け継いでいるインド文化の背景を少し知った読者のみなさんが、自分でもさらに調べてみようという気になってもらえればうれしいです。

アシュヴィン（ナーサティヤとダスラ）：双子の神。明けと宵をつかさどり、医薬の神とも考えられている。名前は「御者」を意味し、馬の頭を持つ姿で描かれることが多い。パーンダヴァ5兄弟の4人目と5人目にあたる双子のナクラとサハデーヴァの父。

アシュヴィンはパーンドゥ王の第1の妻クンティー（5兄弟の上の3人、ユディシュティラ、ビーマ、アルジュナの母。知られざる兄カルナも産んだ。神々を呼び出し、その子を授かる不思議な力があった）の願いを聞き入れ、パーンドゥ王の第2の妻マードリーに双子を授けた。

アストラ：超自然的な力をそなえた神々の武器。ふつうは、特別な言葉をとなえることよって戦場に召喚される。種類は多く、たとえば猿神ハヌマーンの武器〈ガダ〉は、巨大なこん棒。雷神インドラの武器〈インドラストラ〉は、矢の雨を〝ふらせる〟。（さすが雷神！　神々って本当に皮肉屋で乱暴だよね。）

アスラ：半神半人の魔族。善にも悪にもなる。乳海攪拌の物語でよく知られている。昔、不死ではなかった神々は、不死となるための飲み物〈霊薬アムリタ〉を手に入れるため乳海をかきまぜる必要があった。でも、海をかきまぜるのは大変……神々の助けてという求めに応じたのがアスラたちだった。アスラたちは、助けるかわりにアムリタの分け前をもらって自分たちも不死になるはずだった。だが神々は分けたくなかったので、最高神ヴィシュヌはモーヒニーという美女に姿を変えて待った。神々たち（デーヴァ）といっしょにアスラたちが乳海をかきまぜてアムリタができた。それを美女モーヒニーが、残らず神々にあたえてしまった。（もちろんアスラたちはハッピーとはほど遠かったよ。）

アプサラス：天界の美しいダンサーたち。天女。〈天界法廷〉で客人をもてなす。天界のミュージシャンの妻である場合が多い。ヒンドゥー神話ではよく、雷神インドラの使者として、ちょっと力をつけすぎた聖仙のところへ行って瞑想のじゃまをする。かしこく力のある聖仙でも、美しい天女が目の前で踊ると、瞑想をつづけるのはとてもむずかしい。もしインドの叙事詩『マハーバーラタ』でアルジュナがしたように天女の好意をはねつけると、呪いをかけられてしまう（……らしいよ！）

インドラ：天界の王にして雷鳴と稲光をつかさどる神。パーンダヴァ兄弟の3男、アルジュナの父。おもな武器は、稲妻の金剛杵。乗り物にする動物（ヴァーハナと呼ばれる）は、雲をつむぐといわれる白いゾウのアイラーヴァタと七つ頭の白馬、ウッチャイヒシュラヴァス。（インドラの好きな色はバレバレだね！）

ヴァーユ：風の神であり、パーンダヴァ兄弟の次男ビーマの父。猿神ハヌマーンの父でもある。乗り物はレイヨウ。

ヴァールミーキ：インドの叙事詩『ラーマーヤナ』の作者で、「聖仙」とあがめられている男。数年の苦行のすえ、ヴァールミーキ（「蟻塚生まれ」の意味）の名を得た。苦行のあいだにすぐそばに巨大な蟻塚ができた。なぜかはわからない。人間なんかのそばに家を建てるのは、いい住宅計画ではない。蟻たちはじっと動かないヴァールミーキを巨石と思ったのかも。（ヴァールミーキが目をあけて立ちあがったとき、蟻たちはかなりおどろいたはず。「おい、石じゃないのかよ？　だましたな！」って。）

ウッチャイヒシュラヴァス：七つの頭を持つ天を駆ける馬。〈乳海撹拌〉のとき、副産物として産まれたものの1つ。馬の王であり、雷神インドラの乗り物。（ドラゴンより、わたしはこっちに乗ってみたいなあ！）

ウルヴァシー：天女アプサラスの中で一番美しい有名人。名前の意味は「他者の心をあやつるもの」。かんしゃく持ちでもあった。『マハーバーラタ』では、アルジュナが天界で父のインドラのそばで過ごしていたとき、ウルヴァシーは若いアルジュナをとてもかわいいと思った。しかし、アルジュナのほうはそうでもなく、ウルヴァシーのことを敬意をこめて「母上」と呼んだ。ウルヴァシーはかつて、パーンダヴァの祖先プルーラヴァス王の妻だったからだ。はねつけられたウルヴァシーはアルジュナを呪い、一年間、男の機能をうしなわせた。（ひどい！）その年アルジュナは、男の機能がないため宮殿で女性につかえることがゆるされたので、ブリハンナラーと名乗り、ヴィラータ王国の王女に歌と舞いを教えた。

ガーンダーリー：ハスティナープラ国の力ある女王。目の見えない王ドリタラーシュトラと結婚したとき、夫と同じ境遇を分かち合うために自分も目隠しをして生きると決めた。長男のドゥルヨーダナ（パーンダヴァ兄弟の敵の1人）を見るために、たった一度だけ目隠しをはずしたことがある。その時ドゥルヨーダナが裸であれば、ガーンダーリーの眼力で無敵となれるはずだった。しかし、この息子はつつしみ深く下着を着けていたため、無敵じゃない部分が残ってしまった。（ギリシャ神話のアキレウスが、アキレス腱だけが弱かったのと似てない？）

ガネーシャ：ゾウ頭の神で、困難をとりのぞいてくれる。幸運と新たな始まりの神でもある。乗用動物（ヴァーハナ）はネズミ。なぜ、ガネーシャの頭がゾウなのかについては、多くの説がある。わたしが祖母から聞いた話はこうだ。

ガネーシャの母パールヴァティーは、夫の破壊神（はかいしん）シヴァが不在のとき、粘土でガネーシャをつくった。パールヴァティーは夫のシヴァをむかえる準備をするから「だれも家に入れないように」とガネーシャにいいつけた。（お客はそうじの邪魔になるからね）いい子のガネーシャは「わかった！」といった。大またで帰宅したシヴァは、「おーい、帰ったぞ！」と大声で呼びかけた。顔を合わせた父シヴァと息子ガネーシャは、眉をひそめてほぼ同時にこういった。「ところで、おまえはだれなんだ？」これが父と息子の初対面だ。自分の家に入れてもらえないことに怒ったシヴァは、ガネーシャの頭を切り落とした。一家はひじょうにこまったことになった。妻のパールヴァティーと大げんかになる前に、シヴァはどこかからゾウの頭を持ってきて息子の体につきさした。（ブスッ！　これでよし！　って感じ？）

カルマ：自分のおこないが、次に自分に起こることに影響するという考え方。たとえば、店でチョコレートケーキが残り1つだったとする。あなたは母親のためにそれを買い、おつりをポケットにしまおうとしていると、だれかがそのケーキを盗む。そいつは「へへ、ケーキはいただくよ」といって逃げるが、バナナの皮で足をすべらせて、ケーキの箱はそいつの手をはなれて高く舞いあがる。箱は無事にあなたの足もとに着地。そこであなたは頭をふりながら「これぞカルマ！」といって、ケーキをひろう。（カルマを題材にした音楽なら、ジャスティン・ティンバーレイクの『ワット・ゴーズ・アラウンド…カムズ・アラウンド』を聞くといいよ。）

クルクシェートラ：現在はインド、ハリヤーナー州の都市として知られる街。『マハーバーラタ』の戦いの舞台となった地域の名である。街の名前の由来であるクル王は、パーンダヴァ兄弟と、その宿敵で従兄弟(いとこ)でもあるカウラヴァ王家の両方の先祖にあたる。

グングルー：小さい鈴をたくさんつらねたアンクレット。インド舞踊(ぶよう)で足首につける。

サリー：南アジアの女性が着る衣装(いしょう)で、長いシルクの布でできている。複雑にひだを寄せながら体に巻きつけて着る。ひとりで着ようとしたら、まず泣きを見る。それに、サリーを着て踊るのはすごくむずかしい。

サルワール・カミーズ：インドの民族衣装で、もともとは「パンツとシャツ」という意味。(ちょっとがっかりだよね。)派手なものから定番まで、いろいろある。(だいたいにおいて、派手なものほど着るとチクチクする。)

サンサーラ：輪廻転生(りんねてんせい)。死と再生のサイクルのこと。

サンスクリット：インドの古い言語。ヒンドゥー教の経典(きょうてん)や叙事詩などの多くはサンスクリット語で書かれている。

シヴァ：ヒンドゥーの3大主神の1柱(ちゅう)。(神々は1柱、2柱と数えるんだ!)破壊と関連づけられることが多い。宇宙舞踊の神としても知られる。伴侶(はんりょ)(妻)はパールヴァティー。

シャクニ：『マハーバーラタ』ではパーンダヴァの

敵の1人。スバラの王で、目隠しの女王ガーンダーリーの弟。一番有名なのは、パーンダヴァ兄弟とカウラヴァ家に、卑劣なサイコロ賭博をそそのかしたエピソードだ。それがきっかけで、パーンダヴァ兄弟は12年間追放され、最終的には叙事詩で語られる戦いにいたる。

シャルワーニ：南アジア地域の男性が着るひざ丈のコート。

ソーマ：神々の飲み物。

ダルマ：うーん。これはむずかしい。一番かんたんに言うなら「法」。〈冥界〉の番犬たちも、あれこれ言い合いしてたよね！　「法」といっても、しなければいけないことを決めているのではない。ダルマとは、「宇宙の法則にしたがって正しく生きるための道」をしめすもの。

ダルマラージャ：死と正義をつかさどる冥府神。〈冥界〉の支配者。パーンダヴァ兄弟の長兄ユディシュティラの父。乗り物は水牛。

ダンダ：大きな杖。懲罰をあたえるときに使う。冥府神ダルマラージャの象徴とされることが多い。

チトラグプタ：人間ひとりひとりの人生を記録する神。小さなことにこだわるこまかさで知られる。文字を最初に使用した人物とされることも多い。チトラグプタが地下世界へ行く前、冥府神ダルマラージャは、人の多さにうんざりしていた。ときには混乱して、善い人間を地獄へ送り、悪いやつを天界へ送ることもあった。（なんてこと！　説明するときこまったはず。次の人生では無料券みたいなものでも、もらえたのかなあ。「ごめいわくをおかけして申し訳ありません。これをどうぞ！　ピザハット全品10パーセントオフの生涯割引券です」みたいに。）

チャコーラ鳥：月光によって生きるといわれる伝説の鳥。トウモロコシより「月の粉」を好んで食べる、とってもきれいなニワトリを想像してみて。（たしかに「月の粉」のほうがずっとおいしそうだよね！）

ディーヤー：南アジアのいくつかの地域で使われるオイルランプ。ふつうは真鍮製で寺院に置かれる。素焼きのディーヤーはカラフルにいろどられていて、ヒンドゥー教の「光の祭典ディーワーリー」で使われる。

デーヴァ：サンスクリット語で神族を意味する。

ナーガ／ナーギニー：蛇族の1つ。男はナーガで、女はナーギニー。魔族だが、地域によっては神族とされている。有名な王ヴァースキは、〈乳海撹拌〉のときデーヴァたちとアスラたちが縄の代わりに使った。また、王女ウルーピーは、アルジュナに恋をして結婚し、アルジュナの命を救うために魔法の宝石を使った。

バーラタ：サンスクリットで「インド亜大陸」を意味する。伝説のパーンダヴァ兄弟の祖先にあたる、バラタ王の名からとった。

パーンダヴァ兄弟（ユディシュティラ、ビーマ、アルジュナ、ナクラ、サハデーヴァ）：全員が半神半人の戦士であり、王子。『マハーバーラタ』の英雄。ユディシュティラ、ビーマ、アルジュナは、パーンドゥ王の第1妃クンティーの子。ナクラとサハデーヴァは第2妃マードリーの子。

バスマースラ：昔、あるアスラが、破壊神シヴァ（もう知ってるよね？）に長い苦行をおこなって熱心に祈っていた。シヴァはそのアスラに恵みを授けることにした。このアスラはまったく考えなしに、こういう恵みをほしがった。「この手で頭にふれた者がすべて焼かれて灰になりますように」

そのときの会話はこんな感じかな……。

シヴァ「それにしても、なぜだ？」

バスマースラ「☺」

シヴァ「本気なのか？　なぜ、こんなおぞましい願いを……」

バスマースラ「☺」

シヴァ「うーむ。よかろう。後悔しても知らんぞ！」

（こぶしをふるわせながら）

バスマースラ「☺」

それから時は流れた（早送りね！）。だれもがバスマースラをきらい、恐れていた。そこで最高神ヴィシュヌが一計を案じ、みずから魅惑の美女モーヒニーに姿を変えた。バスマースラは「ワオ、きみのこと大好き」、モーヒニーは「まず踊りましょ。わたしの動きについてこられる？」、バスマースラは大興奮でさそいに乗った。それがアダとなる。（ヴィシュヌ神の）モーヒニーは、踊りながら手を自分の頭に乗せた。バスマースラはまねをした。で、バッと燃えあがり灰になった。（〝寿命さだめられし〟みなさま、ダンスを軽く見ないこと。灰の山になって一巻の終わりってこともあるんだから。）

ハヌマーン：猿の半神。『マハーバーラタ』と並ぶインドの2大叙事詩の1つ『ラーマーヤナ』の主人公の1人。ラーマ王子とその妻シーターにつかえた。風神ヴァーユと、アンジャナーという名のアプサラスのあいだに生まれた息子。子供のころは多くのいたずらをやらかした。太陽をマンゴーとまちがえて食べようとしたこともある。いまでもハヌマーンをまつる寺院がある。その驚異的な強さにより、格闘家に崇拝されることが多い。パーンダヴァ兄弟の次男、ビーマの腹ちがいの兄にあたる。

ハラーハラ：世界でもっとも恐ろしい毒。不老不死の霊薬アムリタを手に入れる〈乳海撹拌〉のとき、海から産まれたいろいろな副産物の1つ。破壊神シヴァは、海をかきまぜていた神族と魔族の命を救うために、海から吐き出された毒を飲み干した。そのせいで、のどが青くなった。シヴァの別名ニーラカンタは、「青いのどを持つ者」という意味。

バラタナティヤム：南インドを起源とする古典舞踊の1つ。（わたしは10年習った。わたしのひざは「ひどい目にあった」と、いまも怒っている。）バラタナティヤムの踊りは「物語を語るもの」で、おもにヒンドゥー教の神話のエピソードを表現する。とくに破壊神シヴァと関係する踊りが多い。シヴァの別名の1つナタラージャは、「舞踏王」の意味で、「破壊と再生の踊り」を象徴している。

プラナーマ：相手の足にふれて敬意をしめすおじぎ。相手は、先生、祖父母や年上の人。親戚の集まりなんかでは、とくに腰がガクガクになる。ひっきりなしにかがむので、最後には背中まで痛くなる。

ボリウッド：映画の都カリフォルニアのハリウッドのインド版。インドでは毎年ものすごい数の映画がつくられている。どれがボリウッド映画かは、すぐわかる。少なくとも1回はだれかが平手打ちされるフリをする。曲が始まると、場面が劇的に変わる。（どうやったら、インドの道ばたで踊りはじめたのに、歌の終わりにはスイスにいられるの?）ボリウッド界でも長く人気を誇る有名俳優の1人にシャー・ルク・カーンがいる。（わたしはべつにカレに夢中じゃないし、ブロマイドを隠し持ってもいない……ウソじゃないってば！　さ、次に行こう、次！）

マカラ：神話の生き物。ふつう、半分はワニ、半分は魚の姿で描かれる。マカラ像は寺院の入口に置かれることが多く、入口を守護するとされている。川の女神ガンガーの乗り物でもある。

マハーバーラタ：サンスクリット語で書かれた、古代インドの2大叙事詩の1つ（もう1つはラーマーヤナ）。紀元前400年から西暦200年までのヒンドゥー教の発展についてのとても重要な情報源で、従兄弟同士でもある2大勢力、パーンダヴァ王家とカウラヴァ王家の争いの物語。

マハーバーラタの戦い：パーンダヴァ王家とカウラヴァ王家とのハスティナープラ国の王座をかけた戦い。多くの古代王国が、どちら側に味方するかで2つに引き裂かれた。

マヤースラ：魔族の王。パーンダヴァ兄弟の〈幻想宮殿〉を建てた。

メヘンディ：ヘナという植物の葉を粉にしたもので描くボディーアート。デザインは複雑。ヒンドゥー教の結婚式やお祭りなど特別なときに、おもに手や足に描く。乾かすとき、リコリスやチョコレートのような独特のにおいがする。（大好きなにおい！）

ラークシャサ／ラークシャシ：魔族の1つ。男はラークシャサ、女はラークシャシ。半神と同じく伝説の存在。善にも悪にもなりえる。魔力の強い妖術使いで、どんな姿にもなれる。

ラーマーヤナ：『マハーバーラタ』と並ぶ、サンスクリット語の2大叙事詩の1つ。ラーマ王子が、弟や猿の半神ハヌマーンの助けを得て、妻シーターを10の頭を持つ魔王ラーヴァナから助け出す物語が描かれている。

ラーマ王子：叙事詩『ラーマーヤナ』の主人公。最高神ヴィシュヌが7回目に転生した存在。

ラクシュミー：ヒンドゥー教の富と幸運の女神。ヒンドゥー教の3大主神の1柱。ヴィシュヌの伴侶(妻)。フクロウとゾウに乗る。絵では、開いたハスの花にすわっている姿が多い。

リトウ：サンスクリット語で季節のこと。インドの暦(こよみ)には6つの季節がある。春（ヴァサンタ）、夏（グリーシュマ）、モンスーン（ヴァルシャ）、秋（シャーラダ）、初冬（ヘーマンタ）、冬（シシラ）。

この用語案内を最後まで読んでくれたあなた、すごい！　ハイタッチ・レベルです。ただ、ごめんなさい、わたしはハイタッチに少し抵抗があります。（ミニだったら「手は雑菌(ざっきん)だらけなの。感染しちゃう！」というかも。）というわけで、ひじタッチにしませんか？　では、いち、にの、さん！

著者：Roshani Chokshi（ロシャニー・チョクシー）

若い読者向けに神話や伝説の世界を描いて高く評価されるベストセラー作家。作品はローカス賞やネビュラ賞にもノミネートされている。本作『アル・シャーと時の終わり』はTIME誌の「不朽のベストファンタジー100」に選ばれ、先頃パラマウント・ピクチャーズが映画化についての優先交渉権を取得した。著書はほかに二部作“The Star-Touched Queen”や“The Gilded Wolves”シリーズなどがありニューヨーク・タイムズ・ベストセラーリスト入りしている。

訳者：八紅とおこ（はぐれとおこ）

東京理科大学卒。幼少よりファンタジーや神話に興味があり、そのひとつとして聖書を読むように。教会にてメッセージ・教本・ビデオ字幕製作などの英日翻訳を多く手がけてきた。翻訳に「七つめのルール」「しゃべらない子ども」（いずれも三部作『Scream! 絶叫コレクション』理論社刊に収録）がある。ホラーでは「ゾンビもの」が好き。趣味は謎解き。

アル・シャーと時の終わり ～目覚めしマハーバーラタの半神たち～

2021年2月5日　第1版第1刷発行

著者	ロシャニー・チョクシー
訳者	八紅とおこ
発行者	古賀一孝
発行所	株式会社サウザンブックス社 〒151-0053　東京都渋谷区代々木2丁目23-1 http://thousandsofbooks.jp
装画	ハシモトタカヒサ
デザイン・図版制作	宇田俊彦
DTP	ダブリューデザイン
校閲	山縣真矢（ぐび企画）
編集協力	リテラルスパイス
印刷・製本	株式会社シナノ

Special thanks
森の仲間達、長月ちとせ、鎌木二葉、片柳香織、工藤吉継、
アル・シャー・シリーズ応援団一同

ISBN 978-4-909125-26-2　C0097

THOUSANDS OF BOOKS

言葉や文化の壁を越え、心に響く１冊との出会い

世界では年間およそ 100 万点もの本が出版されており
そのうち、日本語に翻訳されるものは 5 千点前後といわれています。
専門的な内容の本や、
マイナー言語で書かれた本、
新刊中心のマーケットで忘れられた古い本など、
世界には価値ある本や、面白い本があふれているにも関わらず、
既存の出版業界の仕組みだけでは
翻訳出版するのが難しいタイトルが数多くある現状です。

そんな状況を少しでも変えていきたい――。

サウザンブックスは
独自に厳選したタイトルや、
みなさまから推薦いただいたタイトルを
クラウドファンディングを活用して、翻訳出版するサービスです。
タイトルごとに購読希望者を事前に募り、
実績あるチームが本の製作を担当します。
外国語の本を日本語にするだけではなく、
日本語の本を他の言語で出版することも可能です。

ほんとうに面白い本、ほんとうに必要とされている本は
言語や文化の壁を越え、きっと人の心に響きます。
サウザンブックスは
そんな特別な1冊との出会いをつくり続けていきたいと考えています。

http://thousandsofbooks.jp/